Boeken van Hugo Hamilton bij Meulenhoff

Sproetenkop
Het laatste s
De verdwijn

Hugo Hamilton

De verdwijntruc

ROMAN

Vertaald door Manik Sarkar

J.M. MEULENHOFF

Deze uitgave kwam mede tot stand dankzij een vertaalsubsidie
van Ireland Literature Exchange (Translation Fund),
Dublin, Ierland.
www.irelandliterature.com
info@irelandliterature.com

Oorspronkelijke titel *The Sailor in the Wardrobe*

Vormgeving omslag Suseela Gorter
Vormgeving binnenwerk CeevanWee, Amsterdam
Foto voorzijde omslag Hollandse Hoogte
Foto achterzijde omslag John Carlos

www.meulenhoff.nl
ISBN 90 290 7554 6 / NUR 302

Die Zerrissenheit ist unsere Identität.
Onsamenhangendheid is onze identiteit.

Hans Magnus Enzensberger

Een

Ze zeggen dat je onschuldig wordt geboren, maar dat is niet zo. Je erft allerlei dingen waar je niets aan kunt doen. Je erft je identiteit, je verleden, als een moedervlek die je er niet af kunt boenen. Wij hebben een Iers en een Duits verleden, als een erfzonde. Sinds onze geboorte kijken we over onze schouder, maar mijn moeder zegt dat we ons nu op de toekomst moeten richten. Je moet je eigen onschuld verdienen, zegt ze. Je moet opgroeien en onschuldig worden.

De voordeur van ons huis staat wagenwijd open. Ze heeft ook alle ramen opengezet, zodat er frisse lucht naar binnen komt. Er is geen wind, alleen de lange vitrages in de voorkamer wapperen een beetje, en de zomer gonst door het hele huis. De vloer is in de was gezet en de midzomerzon schijnt door de gang. Vader heeft ons een keer met de auto meegenomen naar Newgrange, waar hij ons vertelde over het wintersolstitium, hoe de zon met Kerstmis recht in de megalithische grafkelder schijnt en de binnenste kamer verlicht. Als een stukje kennis dat je hoofd binnen komt, zegt hij. Nu schijnt het eerste zomersolstitium ons huis in en verlicht de donkere hoekjes. Gedurende enige ogenblikken wordt de zon weerkaatst in een van de bovenramen van het roodbakstenen huizenblok aan de overkant, zodat hij recht de hal in schijnt. Het licht ketst af tegen de houten vloer en de bewerkte eikenhouten kisten en schijnt helemaal door naar achteren, tot in de keuken. Het duurt niet lang, maar zolang het duurt, hebben de deurkruk, de vazen en de fotolijstjes allemaal zo'n heldere schittering dat je er bijna door wordt verblind. Je ziet alleen de witte vlek van de deuropening en het bovenlicht.

Op het dak van de ontbijtkamer is mijn vader de bijen aan het verzorgen. Ik ga naar buiten om hem te helpen en zie hem omzichtig om de kasten heen stappen. Zoals we daar in stilte met vierkante imkerkappen op het hoofd staan te werken zijn we net twee astronauten op het oppervlak van een vreemde planeet. Hij geeft me een teken met zijn grote handschoen en ik geef hem de beroker aan en de roestvrijstalen hefboom om de raten eruit te tillen en te controleren of de bijen niet van plan zijn te gaan zwermen. Bijen houden er niet van om aan het licht te worden blootgesteld. Als een bewegende baard klampen ze zich aan de raten vast en luisteren naar de rusteloze gedachten in het hoofd van mijn vader. De duizenden nietige stemmetjes klinken als één krachtig, zoemend gegrom, alsof ze al plannen smeden om hem te doden. Maar het staakt-het-vuren blijft voorlopig van kracht en we doen de bijenkasten weer dicht. We bergen het imkergerei op en hij zegt dat ik naar beneden moet komen, naar de voorkamer.

'Ik moet je iets vertellen,' zegt hij.

Hij doet de deur dicht. Er hangt een plechtige stemming. Mijn moeder zit te wachten.

'Ik denk dat je hier nu wel oud genoeg voor bent,' zegt hij. Hij wil dat ik weet wat er gebeurd is toen mijn moeder na afloop van de oorlog thuis probeerde te komen. Ik ben uitverkoren om deze boodschap uit het verleden te ontvangen, een verhaal over de Britten, een verhaal waarvoor je moet gaan zitten.

Mijn moeder praat over de fosforbommen die op de steden neerregenden en over de definitieve nederlaag, over het laatste schot dat werd gelost en over de bevrijdingstijd, toen iedereen eindelijk naar huis kon. Ze herinnert zich het gevoel van vrijheid dat die zomer in de lucht hing, als de geur van gras. Zij moest thuis zien te komen vanuit Tsjecho-Slowakije, waar iedereen op de vlucht was voor de Russen. Ze zat achter op een Duitse legertruck terwijl de Russische tanks niet meer dan een halve kilometer achter haar reden, en om sneller te zijn reden ze dwars door de velden. Uiteindelijk had ze kunnen ontkomen omdat er overal modder lag en er zoveel mensen op de wegen waren dat de Russen ze niet hadden kunnen inhalen. Bij de grens trokken de Duitse soldaten hun uniformen uit en werden ze weer burgers. Ze herinnert zich dat ze een berg helmen en geweren langs de weg zag liggen. Ze had geluk, want ze kon het Fichtelgebergte op de fiets oversteken, in gezelschap van een officier die had besloten om zijn wapen stiekem te houden en haar zo het leven redde. Op weg naar Neurenberg moesten ze overdag de hoogst gelegen wegen nemen en zich 's nachts schuilhouden in de bossen. Het was het begin van een prachtige hete zomer, zegt ze, maar de officier was al getrouwd en dus scheidden hun wegen; zij ging door naar huis en ze kreeg een lift van Amerikaanse soldaten naar het Rijnland.

Dan komen we bij het deel van het verhaal waar mijn vader op zit te wachten. Er ligt een frons op zijn voorhoofd en hij tuit zijn lippen, hij wil geen woord missen. Mijn moeder vertelt hoe ze bij een Britse controlepost naar een gevangenkamp werd gebracht waar iedereen werd geregistreerd. De mannen werden gescheiden van de vrouwen. Ze moest haar papieren laten zien en vragen beantwoorden over waar ze was geweest en wat ze in haar leven had gedaan. De mannen werden weggevoerd en de dienstdoende officier beval de vrouwen om buiten op een rij te gaan staan. In totaal een stuk of zestig, tachtig vrouwen op een rij, zegt mijn moeder, jong en oud, en de officier liep langs met onder zijn arm een klembord waar hun namen op stonden. Door de zon die fel in hun ogen scheen, zagen ze nauwelijks meer van hem dan de donkere vlek van zijn uniform. Er reden vrachtwagens langs en er hing een geur van stof en diesel in de lucht. Er was ook een vliegveld in de buurt, want in de verte hoorden ze vliegtuigen opstijgen en landen.

Toen beval de officier dat ze zich tot het middel moesten uitkleden. Een tolk gaf het bevel schreeuwend door, maar de meesten van hen hadden de Engelse woorden ook al begrepen. Het leek niet op een medisch onderzoek en de vrouwen keken elkaar aan, bang voor wat er komen zou. Ze gehoorzaamden en daar stonden ze, halfnaakt, terwijl de vrachtwagens langsreden en de soldaten naar hen keken en in het voorbijrijden van bovenaf floten. Een paar soldaten riepen iets, maar met hun accent waren ze moeilijk te verstaan, zelfs als ze Duitse woorden als 'Fräulein' gebruikten.

Mijn moeder weigerde zich uit te kleden. Ze had ook Hitler niet altijd gehoorzaamd. Algauw kwam de officier naar haar toe en begon tegen haar te schreeuwen. Hij had een rood hoofd en misschien had hij het heel warm in zijn uniform, want hij stond met zijn klembord tegen zijn been te slaan totdat een van de vrouwen tegen haar zei dat ze niet zo moeilijk moest doen omdat ze hen anders allemaal nog in de problemen zou brengen.

Ik vind het niet fijn om dit te moeten horen, want het doet pijn aan mijn gedachten. Mijn moeder kleedde zich uit tot aan haar middel, net als de anderen, maar zodra de officier zich had omgedraaid trok ze haar jurk weer op. De officier was woedend omdat ze zich niet overgaf zoals de anderen. Hij stapte op haar af en trok haar jurk met zijn hand omlaag. De soldaten op de vrachtwagens die op het punt stonden om het kamp te verlaten begonnen luid te juichen. Door de zon kon ze ze niet zien, maar ze rook de geur van hun sigaretten. Toen de officier wegliep trok ze haar jurk opnieuw omhoog, zodat er een einde zou komen aan hun blikken en hun opmerkingen over Duitse vrouwen. Maar hij kwam terug, en ruw trok hij haar jurk opnieuw naar beneden en schreeuwde haar in het Engels in het gezicht, en de mannen op de vrachtwagens begonnen weer te juichen. Uiteindelijk moest ze bakzeil halen omdat de vrouwen naast haar zeiden dat het de moeite niet waard was, dat de Duitsers de oorlog hadden verloren en de Britten hadden gewonnen.

'Laat ze maar zien hoe mooi we zijn,' merkte een van de vrouwen op.

Dan begint mijn moeder te lachen. Dat is Duitse humor, zegt ze, want de vrouw die dat zei was heel oud en gerimpeld, niet veel zaaks voor een man om naar te kijken. Ze herinnert zich hoe ze allemaal in lachen waren uitgebarsten, ook al schaamden de meesten zich en hadden ze honger, waren ze zwak van het lopen en niet gerust op wat hun te wachten stond. Ze waren bezorgd over hoe ze thuis moesten komen, wat er na de bombardementen nog overeind stond en wie er nog leefde, en ook al lachten ze zachtjes, de Duitse vrouwen, alleen met hun schouders, alsof ze niets meer te verliezen hadden, al stonden ze halfnaakt in de zon terwijl het gefluit in hun oren weerklonk vanaf de vrachtwagens die af en aan reden, toch lachten ze het laatst. Ze moesten de vernederingen ondergaan die overwonnen vrouwen altijd te verduren krijgen, ze moesten urenlang in de brandende zon staan met hun handen langs hun lichaam, net zo lang totdat er een paar van hen flauwvielen en ze allemaal behoorlijk verbrand waren en toen mochten ze gaan, vertelt ze.

Mijn vader staat op, loopt naar haar toe en legt een arm om haar schouder. Ik hoor zijn stem trillen als hij spreekt.

'Ze hebben haar te schande gemaakt,' zegt hij.

Nu glimlacht mijn moeder, ze probeert te zeggen dat ze blij is dat ze nog leeft en dat het veel erger had kunnen zijn, zoals bij de vrouwen in het oosten die door de Duitsers zijn vermoord, vrouwen van wie alle waardigheid werd afgenomen, vrouwen die samen met hun kinderen de dood in werden gejaagd. Vrouwen in concentratiekampen die in de laatste momenten voor hun dood liedjes zongen om hun kinderen gerust te stellen.

'De Duitsers hebben zichzelf te schande gemaakt,' zegt ze. 'Dat mag je nooit vergeten.'

Maar mijn vader weet van geen ophouden. Hij is boos en verdrietig tegelijk. Ik zie zijn kin trillen. Hij praat alsof mijn moeder deel uitmaakt van de geschiedenis van Ierland. Hij bewondert haar omdat ze weigerde zich voor de Britten uit te kleden en hij zegt dat ze een rebellenhart heeft. Hij wou dat hij erbij had kunnen zijn om haar te beschermen, maar daarvoor is het te laat en te lang geleden en hij kan er niets meer aan doen, behalve alles wat Brits is uit zijn huis weren. Het enige wat hij kan doen is ervoor zorgen dat er geen Engelse woorden in ons huis binnendringen en dat alles wat Brits is uit Ierland verdwijnt. Nog steeds probeert hij haar te beschermen tegen de vernederingen, en hij zegt dat ik niet mag vergeten dat de familie van mijn moeder altijd al tegen de nazi's was. Haar oom was zijn baan als burgemeester kwijtgeraakt omdat hij geen lid van de partij wilde worden. Haar zuster Marianne had in de oorlog van haar pension in Salzburg een onderduikadres gemaakt, ze hield er een joodse vrouw verborgen die verkleed als non door het leven ging. Mijn moeder negeerde een dienstbevel om voedsel naar Salzburg te kunnen brengen en werd gearresteerd als deserteur, waarna ze naar het oosten werd gestuurd in een gesloten treinwagon, samen met een kindsoldaat die aan zijn zitplaats zat vastgeketend.

'De Britten hebben het recht niet om wie dan ook te veroordelen,' zegt hij. Er zijn nog meer dingen die ik nooit mag vergeten, dingen die te maken hebben met de Ierse geschiedenis, dingen die in Noord-Ierland nog steeds aan de gang zijn. Hij pakt mijn moeders hand. Er staan tranen in zijn ogen en hij kan haast niet meer praten.

'Laat ze eens in hun eigen harten kijken,' zegt hij.

Mijn moeder glimlacht en zegt dat het tijd is om het leed de rug toe te keren. Het is tijd voor vergeving en vrede. Het is tijd om de doden in onze herinnering weer tot leven te wekken. Het is tijd om op te groeien en onschuldig te worden.

'We willen je alleen een geweten geven,' zegt ze uiteindelijk.

Dan is het een hele tijd stil in de kamer. Mijn vader zet zijn bril af en wrijft met de bovenkant van zijn pols in zijn ogen. Het is niet makkelijk om naar ze te kijken, zoals ze hier naast elkaar zitten, niet in staat zich van het verleden los te maken. Misschien is dat wel de reden dat mensen dingen doorgeven aan hun kinderen: om er zelf van los te kunnen komen. Ik voel het gewicht van al deze kennis in mijn borst, want het is het verhaal van hoe mijn moeder te schande is gemaakt. Als een verblindende midzomerzon die tot diep in mijn hoofd schijnt. Ik ben de jongen die sinds zijn geboorte over zijn schouder kijkt en ik kan maar niet vergeten hoe mijn moeder na de oorlog in de brandende zon stond en er niets van kon zeggen. Ik ben de zoon van een Duitse vrouw die ten overstaan van de wereld te schande is gemaakt en van een Ier die weigert zich aan de Britten over te geven.

Dit zijn allemaal dingen die ik zou moeten vergeten en waar ik niet meer aan wil denken. Ik wil geen verleden hebben, geen geweten, geen geheugen. Ik wil ontsnappen aan mijn huis, mijn familie, mijn geschiedenis.

Als ik eindelijk weg mag en door de voordeur stap, sta ik in de zon. Ik pak mijn fiets en als ik de heuvel af rijd naar de haven voel ik de zeewind. Ik rijd langs mannen in overalls die de blauwe reling van de boulevard verven. Ik hoor ze met elkaar praten, ze kloppen en krabben de roest weg. Ik ruik de verf en de sigaretten die ze roken als een nieuwe kleur in de lucht. Mijn vriend Packer heeft me een baan bezorgd bij een oude visser in de haven, waar niemand vraagt waar ik vandaan kom. Daar heb je alleen mij en Packer en de andere jongens die voor Dan Turley werken, we zitten op de reling bij zijn loods op de pier, luisteren naar het geluid van een radio in de verte en lachen om onze eigen grappen. Dan Turley ligt in de loods op zijn slaapbank met zijn witte pet tot over zijn ogen getrokken en wij zitten buiten in de zon met achter ons de beschilderde uithangborden. Grote witte letters op een blauwe achtergrond: verse makreel, kreeft te koop, botenverhuur, rondvaarten om het eiland.

Mensen komen van heinde en verre om vis en kreeft te kopen. Sommige mensen huren een boot om te gaan vissen, andere om pleziertochtjes te maken. Als ze terugkomen, moeten we de boot vastleggen, berekenen hoeveel uur ze weg zijn geweest, het geld in ontvangst nemen en het bedrag met een stompje potlood aan een touw in het boek noteren. Iedere boot heeft zijn eigen naam, zoals Sarah Jane en Printemps. Soms moeten we met de verrekijker op de rotsen achter de loods gaan staan om te kijken of er geen boten in moeilijkheden verkeren. Soms moeten we ze te hulp komen als er een motor uitvalt. Stelletjes gaan naar het eiland om er in het gras te liggen. Groepjes mensen trekken eropuit omdat ze het zo warm vinden en komen er pas op het water achter hoe hard het kan waaien. Dan zie je zo'n vrouw rillend terugkomen met een mannenjack om haar schouders en vaak ook nog bleek en zeeziek omdat ze niet gewend is aan het water. Soms is het andersom, dan vertrekken ze in regenjas en komen ze helemaal roze terug met één kant van hun gezicht roodverbrand. Soms als je uitkijkt over het water regent het al in het ene deel van de baai als in een ander deel de zon nog recht naar beneden schijnt, als een bureaulamp die op het water is gericht. Soms is de zee woest en dan kan niemand eropuit, omdat de rode vlag gehesen is. En soms zijn er mensen die alleen maar komen kijken, mannen die hun hond uitlaten, vrouwen met zonnebrillen op hun hoofd, verpleegsters van het verpleeghuis dat uitziet op de haven, die de oudjes in hun rolstoelen naar beneden rijden zodat ze naar de boten kunnen kijken.

Het is de haven van vergeving, van nooit omkijken.

Deze zomer zal ik ontsnappen om mijn eigen onschuld te verdienen. Vaarwel verleden, vaarwel oorlog en rancune. Vaarwel doodsberichten op de radio, vaarwel begrafenissen en tranen. Vaarwel vlaggen en landen. Vaarwel schaamte, vaarwel schuld, vaarwel pijn aan mijn gedachten.

Twee

Het leek of alles tot stilstand was gekomen. Je voelde dat de boot ronddobberde, en het water onder ons maakte allerlei slikkende geluiden. Alles schommelde, maar het leek of we continu op dezelfde plek bleven, want de zon scheen weer, als duizend vloeibare spiegels die flakkerden op het water. Alles was wit en leeg en je kon de wal niet eens meer zien, alsof het land waar we vandaan kwamen verdwenen was en er nu geen land meer was om naar terug te keren. Je wist waar het lag, daar, recht voor ons. Je kon je de vorm voorstellen in je hoofd – de heuvel, de haven en de kerktorens. Je kon heel veel herkenbare geluiden van de wal horen komen – een motorfiets, een trein die naar de stad reed. Er werd ergens aan de weg gewerkt, je hoorde mannen met drilboren, maar voor ons klonk dat niet als mannen met drilboren, eerder als iemand die met een belletje rinkelde. Alles was ver weg; we waren hier alleen, Dan en ik, we dobberden en trokken zachtjes aan de vislijnen, we zeiden weinig tegen elkaar, alsof er op de boot een soort visserswet van stilte van kracht was. Vroeger of later merkten we dat we helemaal niet stillagen en dat het tij ons dicht bij het eiland had gebracht. Dan mompelde Dan iets en haalden we de lijnen in. De boot stuiterde op de golven en het stuifwater sloeg over de boeg heen en maakte mijn blote armen nat, totdat we weer op één lijn met de haven lagen en hij de motor afzette. We gooiden de lijnen weer uit en dobberden verder, we luisterden naar het giechelende water onder ons, totdat we op een school makrelen stuitten en de boot plotseling vol gespartel was.

Toen hoorde ik een schreeuw vanaf de wal.

'Turley.'

Zijn naam, verder niets. Ik keek hem aan om te zien of hij het ook had gehoord. Boven op de rotsen stond iemand met het voordeel van de zon in zijn rug, maar we konden niets zien en het geroep kon ook afkomstig zijn uit een van de grotten langs de kust, die eruitzagen als gapende monden. Het kon uit de kleine stenen ruïne komen, of uit een van de donkere ramen van het verlaten huis op de klif. Een enkele schreeuw, verder niets. Iemand die hem kende. Een vijandige schreeuw die boven het water in de lucht bleef hangen en niet wilde verdwijnen, alsof iemand hem wilde laten weten dat hij in de gaten werd gehouden en dat ze hem niet vergeten waren.

Ik weet dat je je niet voor je herinneringen kunt verbergen en ook niet voor je eigen naam. Die blijven je achtervolgen, op straat, in de bus, zelfs hier in de boot. Je eigen naam die je achtervolgt als een vloek. Packer heeft verteld dat Dan Turley uit Derry komt en dat hij vijanden heeft, maar dat is alles wat we van hem weten, want hij laat nooit iets over zichzelf los. Hij is een man die nooit omkijkt, een man die wil vergeten hoe hij heet en waar hij vandaan komt, net als ik.

Mijn vader en moeder hebben ons geleerd hoe je moet vergeten en hoe je moet onthouden. Mijn vader houdt nog altijd toespraken aan de ontbijttafel en mijn moeder knipt als ze er tijd voor heeft nog altijd plaatjes en artikelen uit de krant om ze in haar dagboek te plakken. Ze wil er zeker van zijn dat we ons herinneren hoe we zijn opgegroeid, en dat we niet herhalen wat haar in Duitsland is overkomen. Ze wil dat alles stevig in haar boek geplakt zit. De wereldgeschiedenis en onze geschiedenis met elkaar vermengd. Een blonde haarlok op de ene pagina en een foto van Martin Luther King op de andere. Schoolrapporten naast plaatjes van tanks in de straten van Praag.

Als je bij ons in het gezin een nachtmerrie had, dan stond ze midden in de nacht op en pakte ze een vel papier en kleurpotloden. Hier, zei ze dan, maak maar een tekening van je nachtmerrie. Als het op papier staat, hoef je er nooit meer over te dromen. Dan gingen we rechtop in bed zitten met het licht aan, wreven onze ogen uit en maakten een tekening van wat ons zo bang had gemaakt. Soms kon ik me mijn nachtmerrie niet herinneren. Of waren mijn vingers zo slap van de slaap dat ik het potlood niet eens kon vasthouden of het op het papier kon zetten. Maar ze bleef geduldig wachten, met haar arm om me heen, totdat het kwaad was getekend en ingekleurd. Kijk, zei ze dan, daar is het, in je tekening die we nu kunnen opbergen, je hebt het je ontherinnerd en we kunnen weer gaan slapen.

Onze familie is een herinner- en vergeetfabriek. Mijn moeders dagboek staat vol geheimen en nachtmerries. Er staat een tekening in die mijn zus Maria heeft gemaakt, van een wolf met groene tanden die haar belet om mijn moeder te bereiken, die onder aan de trap staat. Er staat een tekening in van mijn broer Franz achter een raam van een huis terwijl de hele rest van de familie achter de andere ramen van hetzelfde huis staat, maar ze kunnen niet met elkaar praten en kunnen elkaar niet horen roepen, want elke kamer heeft een andere kleur en een andere taal. Er staat een tekening in van een rivier die door de voordeur stroomt met allemaal bootjes erop die door de hal varen, vol mensen die we niet kennen en die Engels spreken. Er waren nachtmerries in het Iers en nachtmerries in het Duits. Nachtmerries in het Engels die alleen zonder woorden getekend mochten worden. Gezinsnachtmerries en wereldnachtmerries. Op een keer maakte ik een tekening van een joodse man die een vuurrode kin had omdat ze zijn baard hadden uitgetrokken, een verhaal dat mijn moeder me verhaal had verteld en dat ik niet kon vergeten. Er is een tekening van de begrafenis van Roger Casement in Glasnevin. Een tekening van de Berlijnse muur met mensen die door de ramen van hun huizen proberen te ontsnappen en eerst hun koffers en kinderen naar beneden gooien.

Soms moesten we niet alleen de nachtmerries, maar ook de oplossing tekenen. Maria onder aan de trap in mijn moeders armen en de wolf opgesloten in de badkamer. Mijn zus Bríd die bij het raam staat en heel veel goede blauwe lucht in haar longen zuigt in plaats van slechte rode lucht. Nachtmerries dat mijn moeder niet in hetzelfde land was als wij. In een bepaalde periode stonden al mijn tekeningen vol met varkens en kippen en boeren die allemaal dezelfde kant op keken. Alle rook en alle vlaggen waaiden naar links, totdat mijn moeder op een nacht ontdekte dat zij de enige was die de andere kant op keek, naar rechts. Ze zei dat ik haar moest omdraaien en toen was alles weer in orde, toen we allemaal dezelfde kant op keken, waren we weer allemaal in hetzelfde land.

Er waren zoveel nachtmerries bij ons in huis dat mijn moeder soms hele nachten in touw moet zijn geweest. Zodra het ene kwaad op papier stond, bedachten we weer iets anders. Hoe meer nachtmerries we op papier zetten, hoe meer we er bij bedachten. We tekenden 's nachts skeletten, slangen, spinnen, leeuwen, muren met ogen, deuren met tanden, trappen waar door een aardbeving enorme scheuren in waren gekomen toen we naar bed gingen. We verbruikten alle monsters die er waren, zei mijn moeder – er konden haast geen nachtmerries voor ons over zijn, en toch bedachten we steeds nieuwe. En ik wist dat mijn ouders 's avonds beneden met hun eigen nachtmerries in de weer waren. Mijn vader die in de voorkamer artikelen voor de krant probeerde te schrijven en nieuwe uitvindingen deed die van Ierland een betere plek zouden maken. Mijn moeder die achter in de keuken haar Duitse geheimen in haar dagboek plakte, naast de onze.

Het was een nachtmerriefabriek. Andere families waren geobsedeerd door sport, muziek, of Iers volksdansen. Wij groeiden op met dromen over dingen die gebeurden of nog zouden gebeuren of waarvan we wilden dat ze nooit gebeurd waren. Door alles op papier te zetten, werden we erg bedreven in het bedenken van nachtmerries en angsten. We werden nachtmerriekunstenaars.

Op zeker moment begonnen we allemaal over vuur te dromen. Op een nacht ging er in Dublin een houthandel in vlammen op en we zagen de brandweermannen het water vanaf hun ladders over de muren heen spuiten. Een olietanker stond in brand en de zee was bedekt met vuur. Brandende bomen in Vietnam, felle autobranden in Noord-Ierland. Een man genaamd Jan Palach die zichzelf op het Wenceslasplein in Praag in brand stak. Mijn moeder die zich herinnerde dat ze in Duitsland tijdens de oorlog met eigen ogen van alles had zien branden. Ze herinnerde zich de brandende synagoge in Kempen; geen brandweerman die hielp blussen. En dus tekenden we brandende gebouwen, brandende kinderwagens, een brandend poppenhuis. Nu staan er in Belfast bussen in brand en je zou haast denken dat het nutteloos is geworden om wat dan ook op papier te zetten, want het komt toch wel weer terug, elke avond, op televisie, vlak voor je neus.

Het is op de hele wereld onrustig, in de huizen en op straat. Burgerrechtendemonstraties. Mensen die met spandoeken lopen en stenen naar de politie gooien. Bij het avondeten slaat mijn vader met zijn vlakke hand op tafel en zegt dat er in Noord-Ierland eindelijk iets verandert, iets dat jarenlang onafgemaakt was. Hij wijst naar de televisie en zegt dat hij niet kan wachten op de toekomst, wanneer alles weer zal zijn zoals het vroeger was, voordat de Britten er waren.

Je kunt ze stenen en benzinebommen naar de politie zien gooien. Iedereen praat over een plek die de Bogside heet, in Derry, waar de politie de mensen op straat met traangas bestookt en waar je de protesterende menigte – sommigen met zakdoeken voor hun neus en mond, als cowboys – de gasgranaten ziet oprapen en teruggooien. Mijn vader zegt dat het in strijd met de Geneefse Conventie moet zijn om traangas te gebruiken tegen mensen op straat, omdat er kinderen en ouden van dagen met ademhalingsproblemen en longklachten in de buurt kunnen zijn. Bij de slag om de Bogside zag je hoe de benzinebommen van de daken van de flats werden gegooid. De bevolking van Derry kreeg de overhand omdat de vrouwen benzinebomfabrieken waren begonnen, zodat er een continue aanvoer was die op de politie bleef neerdalen. Je zag een brandende politieman die schreeuwend de vlammen van zijn benen schopte en andere politiemannen die hem kwamen helpen en het vuur met hun schilden van hem af sloegen. Uiteindelijk werd de veldslag door de politie verloren en werd de hulp van het Britse leger ingeroepen. Mijn vader zei dat het plaatje nu compleet was: alle vier de geallieerden deden nog precies hetzelfde als in de Tweede Wereldoorlog, alsof ze het niet konden laten. De Franse troepen zaten in Algerije, de Russische in Praag, de Amerikaanse in Vietnam en de Britse in Noord-Ierland. We hoorden Jack Lynch zeggen dat we niet langer lijdzaam konden blijven toekijken hoe het volk van Ierland er opnieuw van langs kreeg. Op een dag maakte ik zelf ook een benzinebom, omdat ik toen in een garage werkte. Maar er was eigenlijk niets om hem naartoe te gooien, dus stak ik hem zomaar aan en keek ik naar de brandende aarde in de steeg achter het huis.

Toen de Britse soldaten in Belfast aankwamen, beschouwde de katholieke bevolking dat als een grote bevrijding omdat ze nu in elk geval niet meer door hun protestantse buren geregeerd zouden worden. We zagen foto's van vrouwen op straat die de soldaten thee inschonken en hen welkom heetten. Maar zo bleef het niet lang, en al heel snel waren de Britse soldaten nog meer gehaat dan de buren. Dezelfde vrouwen die ze toen thee hadden ingeschonken zag je nu op straat neerknielen en met deksels van vuilnisemmers slaan als de soldaten langsreden in hun Saracen-jeeps. 'Het bezettingsleger' werden ze nu genoemd, en het lawaai van de deksels van de vuilnisemmers was een lange schreeuw die door de hele stad echode, alsof de vloek van het verleden hen achtervolgde door elke straat die ze insloegen. Op een dag kwam ik thuis en zag ik mijn moeder met de deksel van de vuilnisemmer tegen de granieten stoep voor het huis slaan. Het echode door de hele straat, het leek wel een eenmansprotest. Toen ik vroeg of het tegen de Britten gericht was, moest ze heel hard lachen en ze bleef het de hele avond herhalen, omdat dat niet eens in haar was opgekomen en ze alleen maar met de deksel sloeg om de slakken eraf te krijgen.

En nu achtervolgde die lange schreeuw Dan Turley. Ik kon hem duidelijk horen, alsof hij van heel dichtbij of van boven ons kwam. Ik wist hoe bedreigend het was om je eigen naam door een onzichtbare stem te horen roepen. Je eigen naam als de grofst denkbare belediging, die je over straat volgt als het lawaai van duizend deksels van vuilnisemmers.

We waren op een school vissen gestuit en haalden de makreel binnen. Bij tientallen, ze sprongen de boot in alsof ze zich overgaven. De hele boot was gevuld met het geklapper van de rondspringende vissen in de metalen bak. Op een keer had ik Dan gevraagd hoe het voor een makreel is. Was het zoiets als wanneer wij verdrinken of was het meer als dronken worden, stikken door een overmaat aan zuurstof, zoals wanneer je te snel inademt en duizelig wordt? Maar hij gaf geen antwoord. Hij zegt nooit veel. Hij noemt me niet eens bij mijn naam. Hij mompelt alleen, en soms moet je vanwege zijn noordelijke accent maar raden wat hij zegt. Ik weet bijna niets over hem. Ik weet dat hij oud is, al boven de zeventig. Maar hij houdt er niet van om te praten over waar je vandaan komt, hoe oud je bent en hoe het voor een makreel is om op de bodem van een boot te liggen sterven terwijl je naar de mensenschoenen voor je neus kijkt. Het enige wat hij me ooit heeft verteld, is dat makrelen altijd in beweging zijn. Ze kunnen zich niet stilhouden. Ze zijn voortdurend op de vlucht, ze schieten met vijftig kilometer per uur door het water zonder ooit te stoppen.

Dan negeerde het geschreeuw en deed alsof het zijn naam niet was. Misschien had hij dit soort spookkreten al vaker gehoord, hoewel hij wel uit zijn concentratie leek te zijn gehaald, want plotseling schoot de lijn uit zijn hand en gleed over het dolboord. Hij probeerde hem te grijpen, maar een van de vishaken begroef zich diep tussen zijn duim en wijsvinger.

'Haak,' siste hij tussen zijn tanden, en ik zag het bloed in zijn hand.

Toen ik nog maar net in de haven werkte, droomde ik regelmatig over vishaken in onderkaken. Haken in ogen, haken in je hele lichaam. Folteringen met haken en kruisigingen met haken. Misschien had ik op een nacht op moeten staan en het moeten uittekenen op een vel papier zodat het zou verdwijnen, want nu gebeurde het echt, voor mijn ogen.

Even kon hij niets, hij staarde naar zijn hand, greep hem vast met de andere, probeerde de pijn er met zijn duim en wijsvinger uit te drukken, alsof het de klank van zijn naam was die hem zoveel pijn deed. Het bloed druppelde in zijn handpalm en vermengde zich met het bloed en de schubben van de makrelen. Buiten de boot trokken de makrelen aan de lijn, ze zwommen rondjes, probeerden te ontkomen en begroeven de haak nog dieper in zijn vlees. Ik wist wat ik moest doen, ik haalde mijn lijn in en wierp hem in de boot met de vissen nog aan de haken. Er was geen tijd om hetzelfde met zijn lijn te doen, dus pakte ik het fileermes en sneed hem door. De resterende makrelen ontsnapten en tolden weg aan hun haken, voor altijd aan elkaar geketend met een verloren stuk lijn, ze zwommen opzij en omlaag, alsof ze niet konden besluiten waar ze naartoe wilden.

Hij keek naar zijn hand en begon aan de haak te draaien, zodat er nog meer bloed vrijkwam en alles alleen maar erger werd. Toen stak hij de hand naar mij uit. Ik vertrouwde mezelf niet en ik voelde het trillen van zijn hand toen ik de haak langzaam rond probeerde te draaien, als een chirurg, om te kijken of ik hem eruit kon trekken zonder nog meer schade aan te richten.

'Trek dat kloteding eruit,' gromde hij.

Ik moest hem er snel uit trekken. Doen alsof het een makreel was. Ik trok zo snel ik kon, maar ik maakte toch een gat en er kwam een stukje vlees los te hangen. Hij ademde diep in en kneep zijn ogen tot spleetjes. Ik liet zijn hand los en zag bloed op mijn vingers. Toen liet ik de haak op de bodem van de boot vallen, tussen de doorweekte bruine sigarettenpeuken, omdat we al vlak bij het eiland waren en haast op de rotsen lagen en er geen tijd te verliezen was. Ik zag de slingerende linten van zwart zeewier en de omtrek van de rotsen die eronder zwommen als grote, lichtgevende groene wezens die op ons leken te wachten. Hij ging opzij zodat ik de motor zo snel mogelijk kon starten. Hij had zijn handen stevig in elkaar gevouwen, alsof hij zat te bidden, en het bloed droop in de mouw van zijn jack. Ik keerde de boot en de motor schraapte tegen de rug van een rots onder ons. Onder water klonk een kreun, maar ik slaagde erin om weg te komen van het gevaar en in de richting van de haven te varen.

Op de terugweg was de zon achter een wolk verdwenen, zodat ik alles goed zag zonder dat ik mijn hand boven mijn ogen hoefde te houden. Het land kwam weer in zicht, maar op de rotsen was niemand te bekennen. Ik keek naar de vissen op de bodem van de boot. De meeste waren nu verstijfd, maar toen de boot over het water stuiterde kwamen er een of twee weer tot leven, een laatste hevige kronkeling voordat ze verstomden. Dan stak zijn hand in het water naast de boot en waste hem. Hij keek naar het water achter ons, hij droomde met open ogen. Hij wilde het er niet over hebben en ik wist dat hij niet zou willen dat ik er met iemand over zou praten. Terug in de haven liet hij mij de boot vastleggen en alles naar binnen dragen en liep hij zelf weg met zijn handen in de zakken van zijn jack. Zonder haast. Hij liep terug over de pier en verdween in de loods alsof er niets gebeurd was.

De haven is een plek van nachtmerries, maar het is de plek waar ik wil zijn. Ik hou van de aanblik van de wijdopen baai en van de wolken als een groot handschrift in de lucht. Ik hou van de maan die 's nachts op het water schijnt en met zacht, poederachtig wit licht boven de wereld zweeft. Ik hoor bij de zee, net als mijn grootvader, John Hamilton, de zeeman met de zachte ogen die door mijn vader in de klerenkast is opgeborgen. Ik weet dat hij is omgekomen toen hij in de Eerste Wereldoorlog aan boord van een Brits marineschip ten val kwam. En toen de Ieren hun land van de Britten hadden bevrijd, verdween hij uit beeld omdat mijn vader Ierland volledig Iers wil maken en hij zijn vader als een landverrader beschouwt. Toen we klein waren, zaten we op een keer vast in de klerenkast, samen met de zeeman, en moesten we eruit worden gered. Nu ben ik net zo oud als mijn grootvader was toen hij bij de marine ging, en dus treed ik in zijn voetsporen.

Ik werk op boten en ga vissen, zoals zijn mensen dat deden in Glandore, aan de kust van West Cork. Soms, als mijn vader aan het werk is, sluip ik naar boven, naar de klerenkast, en kijk naar de foto van John Hamilton in zijn matrozenpak. Ik vraag me af of ik op hem lijk. Ik wil ook zeeman worden en de hele wereld afreizen, zoals hij voor zijn dood. Ik word mijn eigen grootvader. Ik neem zijn naam aan en help hem uit de klerenkast ontsnappen.

Drie

Op weg naar huis vanuit de haven zie ik mensen die gaan zwemmen, met opgerolde handdoeken onder hun arm. Het is hoogwater en ik zie hoe ze zich verkleden, ze laten hun kleren in bundeltjes achter op de blauwe bankjes. De meisjes doen een Houdini-truc achter hun grote handdoeken en komen in zwempak tevoorschijn. Ik blijf even staan om ze van de rotsen te zien springen, ze gillen en spetteren als ze in het water belanden. Ze zwemmen naar de treden en komen weer boven, nat en mager, en dan begint het weer opnieuw. Meisjes die zich in groepjes op de jongens storten en met z'n allen tegelijk springen. Op de duikplank doet een van de jongens alsof hij met een gitaar in zijn handen sterft, hij zingt '*I've got that loving feeling*' en valt met een grote plons achterover. Ik weet dat er, als je op die manier in het water terechtkomt, een moment komt dat je niet meer beweegt en simpelweg een beetje op dezelfde plek onder water blijft hangen, zonder adem te halen, omringd door stilte, terwijl voor je de luchtbellen naar de oppervlakte bewegen. Er is geen zwaartekracht. Je bent gewichtloos.

Iedere avond gaat mijn vader na het eten hameren en zagen. Hij is een grote stereotoren aan het bouwen. Ik heb de bouwtekening gezien, er zijn aparte compartimenten voor de draaitafel en de versterker en heel veel vakjes om platen in te bewaren. Hij heeft het ding in een Duits grammofoontijdschrift ontdekt waarin wordt beloofd dat je wanneer je maar wilt een live-orkest in je eigen voorkamer kunt hebben. Het duurt lang om het te bouwen, en nog langer totdat alle onderdelen uit Zweden en Duitsland zijn aangekomen.

Het frame van de speaker is al klaar, het staat in de voorkamer – een enorme, driehoekige houten kist, ruim anderhalve meter hoog, die een hele hoek van de kamer in beslag neemt. In de constructie zijn spouwwanden vol met zand verwerkt die elke geluidsvervorming tegen moeten gaan. Wekenlang heeft hij het zand gedroogd, in kleine glazen potten die hij elk een uur in de oven zette en vervolgens in de speakerwand leeggoot. Er zit zelfs een klein schuifdeksel onderin om lucht binnen te laten.

Nu bouwt hij aan de kast van de geluidsinstallatie zelf. Met een stompje potlood achter zijn oor legt hij ons uit hoe hij alle panelen met zwaluwstaartverbindingen aan elkaar moet maken, hoe ieder vakje een eigen deurtje met pianoscharnier krijgt en een eigen slot en sleutel. Alle draden die de draaitafel aan de achterzijde met de versterker verbinden zullen worden weggewerkt. Heel binnenkort zal de installatie het doen, en mijn moeder zegt dat we het dan zullen kunnen horen als het orkest de bladzijde omslaat. Maar dan kijkt hij weer naar de tekening, hij houdt het papier ondersteboven en vraagt zich af waarom een bepaald onderdeel van de kast niet goed op zijn plek wil komen. Hij zegt dat hij alle onderdelen met pijltjes of nummertjes had moeten merken. Mijn moeder leest de instructies nog eens voor en hij pakt stukken hout op en steekt zijn tong in zijn mondhoek. Iedereen in huis moet stil zijn en de dingen niet erger maken dan ze zijn; maar dan, op het slechtst denkbare moment, klinkt er een woord in het Engels, de vreemde taal, de verboden taal.

'Help.'

Mijn zus Maria, ze zit vast onder de trap. Als je de tussendeur in huis opendoet en er is iemand in de voorraadkamer onder de trap, dan kan die er niet meer uit. Vroeger namen we elkaar zo gevangen, dan sloten we elkaar daar op. Af en toe overkomt het mijn moeder, dan lacht ze omdat het lijkt alsof je in de gevangenis zit met niets dan blikken erwten en potten jam om je heen. Maria zit dus opgesloten – per ongeluk, maar mijn vader laat al het hout vallen en stormt de kamer uit omdat hij denkt dat ik het heb gedaan.

'Wat heb je gedaan?' schreeuwt hij.

'Niks.'

De onmiddellijke ontkenning. Mijn moeder zegt dat het juist de daders zijn die meteen zeggen dat ze zich alleen met hun eigen zaken hebben beziggehouden. Iets wat je niet hebt gedaan, hoef je niet te ontkennen. Maar waarom zou ik me schuldig voelen? Stiekem ben ik heel opgewonden dat ik onterecht beschuldigd word en ik blijf net zo lang glimlachen tot mijn vader op me afstormt en me een klap tegen de zijkant van mijn gezicht geeft. Het gaat zo snel dat ik mijn evenwicht verlies. Mijn hand gaat omhoog naar mijn oor en ik zie de blik vol woede in zijn ogen. Van verdriet ook, alsof hij er niets aan kan doen dat hij zo uithaalde, alsof hij het helemaal niet zelf deed, maar opeens door alle klappen die hij zelf heeft gekregen gedwongen werd tot deze tuchtmaatregel in de gang. Alsof alle straffen door de geschiedenis heen worden doorgegeven, klap voor klap.

'Ga naar je kamer,' schreeuwt hij.

Mijn moeder probeert hem tegen te houden, maar het is te laat en ik ga al naar boven, met lood in mijn schoenen, ik draai me om en werp hem een laatste blik van vergiftigde glorie toe. Een gerechtelijke dwaling. Je hebt een onschuldige bestraft. En dan komt Maria door de gang gerend om het te bevestigen.

'Hij heeft het niet gedaan.'

'Het is een vergissing,' zegt ook Franz achter haar.

'Natuurlijk, onschuldig. Zoals altijd,' mompelt mijn vader. Hij gaat weer zitten uitvogelen welke kant elk stukje hout op moet wijzen en nu is het mijn beurt om met de deur te slaan, en met een gloeiend oor ga ik in mijn kamer voor het raam staan. Ik weet hoe het voelt om schuldig te zijn – een hulpeloos en misselijk gevoel. Alsof je iets verkeerds hebt gegeten, alsof je heel langzaam doodgaat terwijl het gif je maag binnenstebuiten keert. Rattengif. Blauwe korrels tegen slakken en naaktslakken. Ik zie ze buiten, in de tuin, ze slepen zich voort en laten een dik, geel slijmspoor achter, en in hun doodsstrijd rollen ze zich op.

Als mijn vader bovenkomt om zijn excuses aan te bieden, weiger ik met hem te praten. Ik wil geen verzoening. Ik wil me vastklampen aan mijn woede. Mijn morele overwinning. Maar mijn moeder is er ook nog en ze duwt hem mijn kamer in, ze dwingt ons om het goed te maken en elkaar een hand te geven. Hij houdt mijn gezicht vast en vraagt me om hem in de ogen te kijken. Dan omhelst hij me en geeft hij toe dat hij een vreselijke fout heeft gemaakt. Met mijn gezicht tegen zijn borst gedrukt voel ik me net een kind. Ik ruik het zaagsel op zijn jasje. Ik hoor zijn hart slaan en ik kan hem mijn vergeving niet langer onthouden omdat hij haast huilt van berouw. Dan doet hij een stap terug en glimlacht. Hij zegt dat hij trots op me is, en dat hij me bewondert omdat ik de straf als een man in ontvangst heb genomen, net Kevin Barry op weg naar zijn executie. Mijn moeder zegt dat ik heel dapper ben, even dapper als Hans en Sophie Scholl, die onder de guillotine terechtkwamen omdat ze pamfletten tegen de nazi's verspreidden.

En dan gaan ze weer naar beneden. Ik blijf alleen achter in mijn kamer en ik hoor hoe ze nog een keer de maten doornemen. Opeens vallen alle houten onderdelen op de juiste plaats en ik hoor hem hameren, met een zuiver geweten, terwijl ik nog boven ben en naar buiten kijk, naar de langzame dood in de tuin. Ik blijf denken aan Kevin Barry op het moment van zijn executie, net voordat ze hem een blinddoek voorbonden. Ik vraag me af wat zijn laatste herinnering was voordat ze hem doodschoten, of hij aan zijn kindertijd dacht, hoe hij was opgegroeid en niet eens had gedroomd dat hij op zo'n manier aan zijn einde zou komen. En ik denk aan het mes dat door de nek van Sophie Scholl sneed en hoe haar hoofd met een harde bons voorover moet zijn gevallen. Zelfs als ze een kap over haar hoofd had, moet er iets van een reactie op haar gezicht te zien zijn geweest. Minachting of schok? Knipperde ze met haar ogen, hapte ze naar adem, niesde ze misschien? Hing haar mond open, probeerde ze iets te zeggen? Kon ze haar beulen nog even horen praten, hoorde ze hen zeggen dat het gebeurd was, dat ze de papieren gingen invullen en het exacte tijdstip van overlijden gingen noteren? Hoorde ze hun voetstappen nog voordat ze de duisternis haar omsloot? En waar dacht zij het laatste aan, misschien aan haar vader en moeder, aan de blije momenten in Duitsland, aan die keer dat ze met z'n allen in de bergen hadden gewandeld?

En dan, op een dag, is de stereotoren klaar.

In huis ruikt het dagenlang naar vernis en Franse boenwas. Als de versterker eindelijk arriveert, staan we te kijken hoe mijn vader hem voorzichtig uit de doos haalt, en we zien dat hij perfect in het compartiment past. Mijn vader sluit de kabels aan en elke keer als hij hem aanzet om hem uit te proberen ruikt het naar fabriek. Hij blijft tot diep in de nacht bezig en dan klinkt er plotseling een knal door de luidspreker, haast een ontploffing die het hele huis wakker schudt, misschien zelfs de hele straat. We springen uit bed en rennen de gang op, maar hij staat beneden te glimlachen en knippert als een grote uitvinder met zijn ogen omdat alles perfect werkt, precies zoals het tijdschrift had beloofd.

Op de avond van de onthulling zorgt mijn moeder dat alles er mooi uitziet. Ze legt een geborduurd kleedje op de salontafel in de voorkamer en zet er drankjes en cakejes op. Ze schenkt glaasjes cognac en je ziet hoe trots ze allebei zijn als mijn vader de kast van het slot haalt. Wat een prestatie, zegt mijn moeder steeds, terwijl we toekijken hoe hij een elpee van Elisabeth Schwarzkopf opzet. Hij zegt dat we de oren moeten openhouden voor zijn lievelingsnoten uit 'Panis Angelicus' van John McCormack, en daarna voor Kevin Barry en een paar Ierse liedjes zoals 'An Spailpín Fánach'. Dan terug naar Beethoven en Bach. En dan krijgt hij een nieuw idee. Hij wil weten hoe hard je het geluid kunt zetten zonder dat de luidspreker het geluid vervormt, en dus moeten we allemaal boven aan de trap gaan zitten terwijl hij Bruckner opzet. We horen het gekraak van de naald die op de plaat terechtkomt. Hij komt de trap op gehinkt en voegt zich bij ons, we zitten in rijen achter elkaar zoals in een concertzaal en dan begint het orkest in de voorkamer te spelen met alle instrumenten tegelijk.

Als het concert is afgelopen, kijk ik toe hoe hij de kast op slot doet en ik vraag me af waar hij de sleutels bewaart. Hij bergt ze pas op als iedereen de kamer heeft verlaten, zodat het me weken kost om erachter te komen. Als hij naar zijn werk is, ga ik overal op zoek. Ik denk zoals hij en probeer te bedenken wat de beste plaats is om iets voor je eigen zoon te verbergen.

In de grote luidspreker, natuurlijk. Links achter de schuif onderin. Als ik op een dag alleen thuis ben, als iedereen weg is, ga ik naar de voorkamer en maak de boel open zodat ik mijn eigen plaat kan draaien, geen Duitse plaat, niet van die Ierse liedjes, maar een plaat die ik niet zo lang geleden van mijn eigen spaargeld heb gekocht. Het is een single van de Beatles getiteld 'Get Back'. Maar ik vind de b-kant beter, waarop John Lennon 'Don't Let Me Down' zingt. Voordat de kleine pick-up het begaf, draaide ik hem daar altijd op, maar nu wil ik hem een keer goed horen, op mijn vaders nieuwe systeem, alsof de Beatles in de voorkamer staan.

Ik moet voorzichtig zijn, want als ik ook maar íets verplaats, zal hij weten dat er iemand aan zijn spullen heeft gezeten. Ik moet leren denken als een crimineel. Ik moet een mentale foto maken van alles wat ik aanraak zodat ik het precies op dezelfde plaats kan terugzetten. Ik leg de plaat op de draaitafel en zet het volume hoger. 'Don't Let Me Down'. Ik draai het een paar keer achter elkaar, zodat iedereen in de straat het kan horen en iedereen het vreemd zal vinden dat mijn vader overdag thuis is en zulke liedjes op zijn nieuwe installatie speelt.

Het is al bijna godslastering om alleen al die tekst door het huis te horen klinken: *You done me good*.

Elke keer als ik het lied hoor, wordt het volmaakter. Ik zit achterover in de leunstoel en zie het meisje van de overkant haar huis uit lopen en ik weet dat ze een kort moment naar hetzelfde liedje luistert als ik, totdat ze de hoek om slaat en uit zicht verdwijnt. Muziek maakt mensen gewichtloos. Ik stel me voor dat mijn vader en moeder iedere avond als ze naar Mozart luisteren als astronauten door het huis zweven. Ik zie ze drinken uit cognacglazen die ze niet vast hoeven te houden. Omhoogvliegende familiefoto's van Onkel Gerd en Ta Maria die vanaf de schouw de lucht in zweven. Franz Kaiser en Bertha Kaiser die opstijgen uit Kempen met onder zich het marktplein en de kerk met het rode dak. De hele familie, inclusief Onkel Ted met zijn witte boord, die de trap op zweeft. Allerlei vazen en tafellampjes en potloden en boeken over Duitse en Ierse geschiedenis die bij het plafond rondvliegen. En nu ik, ik luister naar John Lennon en voel me alsof de hele wereld gewichtloos is geworden. Ik merk niets meer van de zwaartekracht en mijn voeten stijgen op langs de leunstoel. Ik drijf het raam uit, zweef de straat door, boven de daken van de huizen en de kerk, ik kijk omlaag naar de mensen bij de bushalte. Omhoog en weg, over de haven, waar ik de jongens op de reling bij de loods zie zitten terwijl Dan Turley vist. Ik bereik de zee, ik drijf steeds verder weg, totdat de plek waar ik vandaan kom niet meer dan een stipje onder me is.

Na afloop moet ik alles terugzetten. Ik denk aan alles. Ik berg alles op en leg de sleutels terug in de schuif, in precies dezelfde positie als waarin ik ze vond. Niemand zal het ooit weten, tegen de tijd dat mijn vader thuiskomt is de echo van John Lennon allang vervlogen: die blijft alleen in mijn hoofd bestaan en laat me zweven.

Aan de eettafel kijkt mijn vader me aan met een achterdochtige blik, alsof hij weet dat ik iets heb uitgespookt. Hij fronst, maar hij kan niets bewijzen. Daar zou hij mijn vingerafdrukken voor moeten nemen. Ik ben onschuldig en onschendbaar. Hij weet dat ik me langzaam losmaak en hij kan er niks aan doen. Hij weet dat ik sinds het begin van de zomer elke dag naar de haven ga, dat ik net als iedereen Engels praat en zijn campagne voor de Ierse taal niet langer steun. Hij weet dat ik niet zo Iers wil zijn als hij, dat ik niet op hem wil lijken, niet eens naar dezelfde muziek wil luisteren of dezelfde boeken wil lezen. Ik kijk hem ook aan, dwars over de tafel heen, in mijn hoofd praat ik Engels en steeds weer zeg ik de verboden woorden: *She done me good.*

En dan herinner ik me iets wat me weer met beide benen op de grond brengt. Ik realiseer me dat ik toen ik geen enkel detail over het hoofd zag en alles precies op de goede plaats heb teruggezet, het allerbelangrijkste ben vergeten. Ik heb John Lennon op de draaitafel laten liggen.

Ik zit in de problemen. Ik voel het gewicht van mijn armen op de tafel. Wat een waardeloze misdadiger ben ik. Ik ga al mijn stappen na, een voor een. Ik herinner me dat ik het toerental terugzette van vijfenveertig op drieëndertig. Dat ik alle vakjes afsloot. Ik heb aan alles gedacht, tot aan het laatste, miezerigste detail, maar ik was zo druk bezig om alles terug te leggen dat ik het meest voor de hand liggende vergeten ben. Als mijn vader na het eten muziek gaat opzetten, zal hij een vreemde plaat op de draaitafel vinden die hij nog in geen miljoen jaar in zijn huis zou hebben toegelaten.

In paniek sta ik op. Achter mij schraapt de stoel over de vloer en ik ren langs mijn moeder in de richting van de deur. Iedereen kijkt op en denkt dat ik moet overgeven. Ze houden op met eten en kijken hoe ik langsren, hoe ik zo snel mogelijk weg probeer te komen. Ik moet John Lennon redden. Ik moet me naar de voorkamer haasten, de sleutels pakken en hem van de draaitafel halen voordat het te laat is. Maar bij de deur verstar ik, ik kijk om en zie hoe ze allemaal rond de tafel zitten en in de tijd bevroren lijken. Mijn broer Franz heeft een stuk wortel aan zijn vork, die halverwege de weg naar zijn mond is verstijfd. Mijn moeder heeft een kan in haar hand, maar er komt geen melk meer uit. Mijn zussen zijn zich rot geschrokken, hun ogen zijn groot en Ita's mond zit vol puree, alsof ze een ballon opblaast. Mijn vader staat op het punt om achter me aan te komen. Met veel gerinkel legt hij zijn mes en vork op tafel. Zijn achterste hangt boven zijn stoel in de lucht.

Het is een race tegen de klok. Ik weet dat het nutteloos is, want hij zal me al inhalen voordat ik op de helft ben. Hoe snel ik ook ben, hij zal me de sleutels zien terugleggen of me tevoorschijn zien komen met mijn handen achter mijn rug en de plaat onder mijn trui. Het is nutteloos en ik draai me om. Ik loop om de hele tafel heen en ga weer zitten, en iedereen vraagt zich af waarom ik opeens geen haast meer heb. Ik wil uitleggen dat ik weliswaar naar de wc moet, maar dat het niet meer zo dringend is. Maar ik zeg niets. Mijn gezicht is rood en mijn benen voelen zwaar aan. Ik probeer een ander plan te bedenken om me uit deze situatie te redden. Ik fantaseer dat dit niet gebeurt, dat John Lennon op wonderbaarlijke wijze op het allerlaatste moment in John McCormack zal veranderen, maar het is hopeloos.

Vier

In de haven krijgt iedereen een nieuwe identiteit. Dat komt door de manier waarop mijn vriend Packer over die plek en de mensen en alles wat er gebeurt praat, door de manier waarop hij iedereen een nieuwe rol geeft, een nieuw leven, soms zelfs een nieuwe naam. Hij heeft de gave om mensen zover te krijgen dat ze dingen doen waar ze nooit van hadden gedroomd. Hij weet iedereen aan het lachen te maken en houdt je met zijn verhalen van het werk. Hij kijkt iedereen in de ogen en laat ze geloven wat hij zegt, terwijl hij ondertussen de hele wereld bij elkaar verzint en zelfs van de saaiste dag een memorabele gebeurtenis maakt; hij glimlacht en maakt dat iedereen het met hem eens is, hoe idioot zijn nieuwste plannetje ook mag zijn.

Als Packer in de buurt is, stap je uit je eigen leven alsof je jezelf in een film ziet of in een boek tegenkomt. Hij heeft de gave om iedereen het gevoel te geven dat ze opnieuw zijn uitgevonden en dat de haven een fictieve plek is die zich niet op deze wereld bevindt, maar op een groot scherm dat voor je hangt.

We zitten voor de loods en luisteren naar Packer, die vertelt over Dan Turley, die er met de boot vandoor is om de kreeftenfuiken op te halen. Packer benoemt alles wat mensen niet eens van zichzelf doorhebben. Hij praat over de manier waarop Dan ons aan het einde van de week uitbetaalt, hoe hij ons één voor één de loods in roept als de anderen niet kijken, en een paar bankbiljetten uit zijn zak trekt die hij heimelijk en een beetje trillend aan je geeft, met zijn hand naar beneden, alsof je de enige bent die wordt uitbetaald. Hij vertelt ons hoe Dan niets over zijn leven weggeeft, hoe hij niemand vertrouwt en denkt dat de hele wereld één grote, tegen hem gerichte samenzwering is. Zelfs de zee en de getijden hebben het op hem gemunt. Fluisterend vertelt Packer over de vijanden die Dan in de haven heeft, dat zijn loods een keer in brand is gestoken en dat niemand er ooit achter is gekomen wie de dader was. Er staat binnenkort iets groots in de haven te gebeuren, verzekert Packer ons, en als het zover is wil je erbij zijn. Hij zegt dat Dan Turley nooit glimlacht en vaak met half dichtgeknepen ogen naar de zee staart, alsof hij wel weet wie zijn loods in brand heeft gestoken, en geduldig zijn tijd afwacht omdat hij er nu nog niks aan kan doen.

Zelfs als Dan terugkomt met de kreeft en weer in de deuropening van de loods geleund staat, praat Packer nog over hem alsof hij een fictief personage is. In het bijzijn van Dan zelf imiteert hij de manier waarop hij vanuit zijn mondhoek praat en tussen zijn tanden door vloekt. 'Gadverdamme' en 'Gadverdamde clown', mompelt hij altijd – zachtjes, want dit is een openbare plek en je mag de nette voorbijgangers niet beledigen. Packer imiteert de manier waarop hij orders geeft, de manier waarop hij schreeuwt als hij kwaad is omdat je iets fout doet en de boot aan de verkeerde kant aanlegt. 'De aandere kaant,' zegt Packer, want zo spreekt Dan het uit, in zijn noordelijke accent met de lange spaties tussen de woorden, alsof hij volkomen uitgeput is en dit de laatste keer is dat hij deze woorden ooit zal zeggen.

'De – aandere – kant.'

Alle havenjongens beginnen die woorden te herhalen totdat Dan naar binnen gaat en weer verschijnt met een grote bijl, die hij heeft aangeschaft om zichzelf te verdedigen nadat zijn loods werd platgebrand. Iedereen stuift weg, hoewel hij maar een grapje maakt en zijn bijl nooit tegen ons zou gebruiken, want wij staan aan zijn kant. Packer is de enige die zijn arm om hem heen kan slaan en hem ertoe kan bewegen om de bijl weg te leggen. 'De aandere kant, gadverdamme...' zegt iedereen steeds, want nu is het één grote grap geworden en Dan moet horen hoe zijn woorden over de hele baai weerklinken. Maar Dan neem je niet lang in de maling. Je weet wanneer het hem ernst is, en om dat te laten zien heeft hij geen bijl nodig. Packer vertelt nog eens over die keer dat Dan een groepje jongeren helemaal tot boven aan toe, tot aan het Shangri La Hotel, achterna had gezeten en ze daarna terug naar de haven had gesleurd om ze voor hun boottocht te laten betalen, terwijl hij al boven de zeventig is. Niemand neemt Dan Turley in de maling.

Als de jongens op de motorfietsen de pier oprijden met hun meisjes achterop, is het net of Packer ze bedacht heeft. Ze komen met heel veel lawaai en damp aangereden en parkeren op een lange rij, totdat Dan begint te mompelen dat ze de hele pier blokkeren. We kijken naar de motorfietsen en naar de meisjes; een van hen bewondert zichzelf in een achteruitkijkspiegel en kust haar eigen lippen. Iemand vraagt Dan de radio harder te zetten, maar hij negeert het verzoek en verdwijnt in de loods, in afwachting van het weerbericht. Iemand zit aan een motorfiets, hij geeft gas of test de remmen, totdat de eigenaar zegt dat hij zijn vieze vuile makrelenpoten thuis moet houden. Dan beginnen de havenjongens weer te lachen, ze zeggen: 'Kaan je dat ding niet met rust laten, verdamme? Sla hem daan meteen maar kapot, waarom ook niet, verdamme?' De eigenaar van de motorfiets moet zijn trui over zijn hand trekken om de makreelschubben van het chromen stuur te vegen. Packer vertelt hoe een van de motorjongens, 'Whiskey' genaamd, op een keer zonder benzine zat en toen gewoon een fles Jameson van zijn vader had gesnaaid, genoeg om naar de garage te rijden en bij te tanken. Ze lachen en ruziën. 'Verdamde fantasten,' zeggen ze. Ze zouden het verhaal gemakkelijk kunnen ontkrachten door te zeggen dat whiskey de motor om zeep zou helpen, maar zoals iedereen in de haven willen ook zij deel uitmaken van de legende die Packer om ons heen spint. Ze geloven het verhaal en vertellen het later zelfs door. En al die tijd gebruikt Packer heel eigen woorden en uitdrukkingen om iedereen te beschrijven, zoals 'vulgair' en 'giftig' en 'veil en vunzig'. Door hem lopen de havenjongens elkaar voor 'verschrompelde tietjes' en 'makrelenpikkies' uit te maken; we gebruiken een zelfbedacht vocabulaire dat niemand begrijpt behalve wij.

'Hoort aan, verschrompelde makrelenpikkies.'

Packer heeft ook mij een nieuwe identiteit gegeven. Hij noemt me de stille getuige en als hij dat zegt, klinkt het alsof het een groot talent is om niet meer te zeggen dan strikt noodzakelijk. Ik heb geen verhaal voor mezelf, dus bedenkt Packer er een voor mij en hij geeft me zelfs een nieuwe naam: 'Spartacus de Inhalator', vanwege mijn longen. Iedereen weet dat ik moeite met ademhalen heb en dat ik nog altijd af en toe wolven in mijn borst hoor huilen. Het is Packer opgevallen dat ik, als iemand me een vraag stelt, altijd diep inadem voordat ik antwoord geef. Hij zegt dat ik ademhaal alsof ik nog moet leren hoe het moet, zoals je op een motorfiets de versnellingen moet leren gebruiken. Hij zegt dat ik nog steeds in- en uitadem alsof ik nooit genoeg lucht zal krijgen en alsof de lucht niet echt van mij is. Dat ik de lucht om me heen alleen maar te leen heb in plaats van hem, zoals verder iedereen, te bezitten. Dus heeft hij me een nieuwe naam en een nieuwe identiteit gegeven, en ga ik elke dag overdekt met makreelschubben naar huis. Mijn handen ruiken altijd naar benzine omdat ik met de motoren in de weer ben, en alles wat ik aanraak, wordt bedekt met uitgedroogde makreelschubben. Minuscule zilveren muntjes op mijn nagels, op mijn schoenen, zelfs op de boeken die ik lees als ik thuis ben. Ik voel me een makreel die onder water ademhaalt en schilferige schubben achterlaat en met vijftig kilometer per uur rondraast alsof hij achterna wordt gezeten en niet kan stoppen.

Toen, op een dag dat Packer er achter op een motorfiets vandoor was, werd ik weer mezelf. Vanuit het niets zag ik mijn moeder over de weg aan komen lopen, langs het kasteel en het verpleeghuis, in gezelschap van mijn broertje Ciarán op zijn fiets. Eerst dacht ik dat er iets aan de hand was en dat ze me iets kwam vertellen. Maar toen realiseerde ik me dat ze alleen maar wilde zien waar ik werkte, omdat ik altijd thuiskwam met makrelen en met hele verhalen over varen en ik altijd probeerde mijn leven te beschrijven op de manier waarop Packer dat doet, door op dezelfde manier als hij te vertellen over de komische dingen die er in de haven gebeuren. Maar dat betekende niet dat ik wilde dat iemand van thuis me hiernaartoe zou volgen. Dit was mijn plek. Hier ontsnapte ik juist aan mijn familie. En daar was mijn moeder! Ik zag haar de bocht om komen en de pier op stappen, terwijl mijn broertje op zijn fiets iets voor haar uit reed; hij stopte om de paar minuten zodat ze hem weer in kon halen.

Dit kon ik niet toestaan. Ze zouden mijn dekmantel kapot maken. Ieder moment zou iemand er nu achter kunnen komen dat ik Duits was, en dus maakte ik me uit de voeten over de rotsen achter de loods. Niemand zag me weggaan. Ik verstopte me op een plek vanwaar ik kon zien wat er op de pier gebeurde en ik hoopte dat mijn moeder gewoon weg zou gaan.

Dan moet hebben gedacht dat ze vis kwam kopen, maar toen zag ik dat ze een gesprek met hem aanknoopte en hem zelfs een hand gaf, en dat ze de loods in keek om te zien of het er echt zo uitzag als ik had beschreven, met alle motoren op een rij en de gele zwemvesten aan hun haakjes alsof er onzichtbare mensen langs de muren stonden. Ik zag dat Dan zich bukte en aan Ciarán vroeg om hem het zelfgemaakte geweer te laten zien dat hij bij zich had. Hij had het wapen helemaal zelf gemaakt, zonder hulp, van hout en allerlei metalen onderdeeltjes die hij her en der verzameld had. We mochten thuis nooit speelgoedwapens kopen en daarom had Ciarán er zelf een gemaakt, met het slot van een wc als grendel en een vizier van meccano-onderdelen. Mijn vader had hem een keer gezegd dat niemand in vredestijd wapens mee naar huis mocht nemen, maar toen zei mijn moeder dat dit een speciaal zelfgemaakt geweer was dat aan zijn eigen fantasie was ontsproten. Het was een vredestichter en daarom mocht hij het altijd aan zijn stoelleuning hangen.

Dan kent me alleen bij mijn voornaam, dus misschien legde hij wel helemaal geen verband tussen mijn moeder en mij. Mogelijk dacht hij dat ze een toeriste was. Hij wees naar de boten en hij wees de loods in. Ik hoopte nog steeds dat ze gewoon weer zou verdwijnen, maar toen zag ik Dan naar de rotsen wijzen. Ik verschool me zo diep als ik kon zonder ervan af te vallen, het water in. Ik hoorde mijn moeder roepen vanaf de voet van de rots. Mijn broertje Ciarán riep ook, ze waren elkaars echo vanaf verschillende plaatsen.

'Hanni,' riepen ze, haar koosnaampje voor mij. 'Hanni.'

Ik kon niet bewegen. Ik leek wel een dode vis, overdekt met makreelschubben, niet in staat om te ademen. Ik wilde dit niet – haar geen antwoord geven, maar ik kon niet anders. Ik had medelijden met mijn moeder omdat ze in Ierland geen andere vrienden had dan haar eigen kinderen. Ik wilde haar niet op deze manier verloochenen, maar niemand mocht weten dat ik een Duitse moeder had, en dus liet ik haar uit mijn gedachten en uit mijn leven verdwijnen. De taal die ze gebruikte was niet de mijne. Ik ont-herinnerde me mijn hele familie, al mijn broers en zussen. Ik ont-herinnerde me alle verhalen die ze me ooit verteld had, de taarten die ze had gebakken, zelfs haar manier van kleren opvouwen. Ik ontkende dat ik ooit foto's had gezien van de plek waar ze was opgegroeid. Ik ontkende dat ik ooit op vakantie in Kempen was geweest, ik ont-herinnerde me alle mensen die ik er had ontmoet, al mijn tantes en ooms, alle pakketjes snoep en chocolade die we met kerst ontvingen, alle verhalenboeken, alle kleren, ik verloochende alles waarmee ik was opgegroeid en liet het land waar mijn moeder vandaan kwam van de kaart verdwijnen.

'Hanni,' hoorde ik Ciarán roepen.

Hij schoot op de zeemeeuwen. Ik hoorde mezelf luidruchtig ademhalen en er was niemand met wie ik nu liever zou praten dan met mijn moeder.

'Kom, we gaan,' hoorde ik haar zeggen.

Ik zag ze vertrekken; Ciarán fietste vooruit en af en toe hielden ze stil en keken om. Ik wachtte tot ze bij het verpleeghuis uit het zicht verdwenen; toen kwam ik weer tevoorschijn.

Later die dag kwam een onderwijzeres van de nonnenschool die hoger aan de weg lag naar de haven. Ik had haar wel vaker gezien, ze ging vaak naar de rotsen om er te zonnebaden. Dit keer reed ze door tot aan de pier; ze stapte uit haar auto met een parelketting om haar nek en een lichtgroene sjaal over haar schouders. Ze liep naar de loods en vroeg of we kreeft hadden. Ik ging de weegschaal halen. Ze volgde me naar de zijkant van de pier en achter me hoorde ik haar schoenen tikken. Ze stond pal achter me toen ik de kist met de kreeftenvoorraad omhoogtrok; hij schraapte langs de kademuur en uit de zijkanten gutste water.

Toen de kist op de pier stond, maakte ik het touw los waarmee het deksel vastzat en haalde de kreeften een voor een tevoorschijn zodat zij ze kon bekijken. De lucht om me heen was zwanger van haar parfum. Haar jurk waaide op in de wind die van zee kwam en ze moest hem naar beneden drukken. Ik dacht dat ze me zou herkennen, dus sprak ik met haar zonder haar te veel aan te kijken. Er zaten een stuk of twaalf kreeften in de kist, allemaal met zwarte elastieken om hun scharen zodat ze elkaar niet te lijf gingen en je ze gemakkelijker kon pakken. Toen ze neerknielde om zelf in de kist te kijken, kon ik recht in haar jurk kijken en ik moest mijn blik afwenden.

Ik woog een paar kreeften en ze koos er twee uit, die ik voor haar opzij legde. Ik deed de kist dicht en berekende de prijs; ze pakte haar portemonnee uit een groen fluwelen tas. En toen ze me het geld gaf, keek ze me recht aan en glimlachte.

'Jij bent die Duitse jongen, hè?' zei ze.

Ik schudde mijn hoofd en keek naar de grond.

'Jawel. Je moeder is die vreselijk aardige Duitse vrouw die altijd taarten voor de school bakt,' zei ze, maar ik bleef mijn hoofd schudden.

'Nee. Ik niet.'

Ik wist dat ze me niet geloofde, want ze bleef me recht in de ogen kijken in een poging de waarheid uit me te trekken. Ik keek naar de grond, naar de twee kreeften op de pier die probeerden hun scharen te openen en weg te kruipen. Ze gaf me het geld en ik deed de kreeften voor haar in een plastic tas. Ze bedankte en wachtte even of ik nog zou toegeven dat ik Duits was, maar uiteindelijk liep ze weg over de pier. Ik zag dat alle havenjongens naar haar bleven kijken totdat ze weer in haar auto stapte en haar jurk omlaag hield om ervoor te zorgen dat de wind hem niet omhoog zou blazen en haar benen zou onthullen.

Ik sloot de kist en liet hem weer langs de rand van de pier zakken, op weg naar beneden schraapte hij langs de muur. Toen hij ongeveer halverwege was, zag ik dat het deksel weer los kwam. Ik had hem niet goed dichtgebonden en hij ging weer open. Ik keek om me heen en zag dat iedereen nog naar de wegrijdende onderwijzeres keek. Ik probeerde de kist weer omhoog te trekken, maar daar werd het alleen maar erger van. Het deksel schoot open en de kreeften vielen eruit, het water in. Ik kon het niet tegenhouden. Ik trok de kist weer op de pier, maar er zaten geen kreeften meer in. Ik overwoog om van de pier te springen en onder water naar ze op zoek te gaan. Ik overwoog om naar Dan toe te gaan en hem te vertellen wat er was gebeurd en aan te bieden om er zelf voor te betalen. Maar daar was ik niet sterk genoeg voor. Ik was zwak en kon niets anders bedenken dan het deksel dicht te binden, steviger ditmaal, de kist weer in het water te laten zakken en te hopen dat niemand zou vermoeden dat het mijn schuld was.

Toen ik thuiskwam, was het huis stil en verlaten, alsof er niemand thuis was. Ik ging naar binnen en zag dat de eikenhouten kist openstond. Mijn moeder had de geschiedenis weer tevoorschijn gehaald. Die hing in het hele huis; ik voelde hem in de lucht, als een bijzonder soort roerloosheid die zich door alle kamers verspreidde. Er klonk geen enkel geluid, alleen de klokken die achteruit tikten. De deur naar de voorkamer stond open en hield zijn adem in. De meubels leken geschokt en onbeweeglijk, alsof niets nog vooruit kon totdat de eikenhouten kist weer was gesloten. De oude Duitse kist die na de oorlog vanuit haar huis in Kempen in Dublin was beland. Ze bewaart er al haar bezittingen in en ik rook de kaarsen, de kerstversieringen, de oude brieven en papieren, zelfs de geur van dennenappels. Hier bewaart ze haar dagboeken, haar oude paspoorten, al haar kostbaarheden.

Ik doorzocht de kamers totdat ik mijn moeder boven vond, ze zat op bed en bladerde door een in leer gebonden boekje dat ze toen ze voor het eerst naar Ierland kwam in haar koffer bij zich had. Ze merkte niet dat ik binnenkwam, alsof ze volledig in een eigen wereld zat, hoewel mijn broers en zussen ook in de kamer waren. We zagen hoe ze het oude boekje naar haar gezicht bracht en de geur van de oude bladzijden opsnoof en probeerde terug te keren naar de tijd van Gutenberg, toen het boek gedrukt was. Haar ogen gingen over de oude letters, stokten aan het begin van ieder hoofdstuk om de eerste letter te bewonderen, die een hele bladzijde in beslag nam, in kleur en complex van vorm; het leek op een Duitse, kleinere versie van het *Book of Kells*. Ze had het boek cadeau gekregen van de familie van haar beste vriendin in Mainz, omdat ze hen aan eten had geholpen toen niemand in Duitsland iets had. Het is een van de weinige schatten die ze bezit en ze haalt het altijd tevoorschijn als ze heimwee heeft en zich wil herinneren waar ze vandaan komt.

Maar deze keer leek er meer aan de hand. Ik vroeg haar wat er was, maar ze bleef zwijgen. Ik dacht dat het iets te maken had met het feit dat ik haar in de haven had verraden, dat ze daarom niet meer met me wilde spreken. Naast haar op bed lag een opengevouwen brief met de envelop ernaast. Er zat een Duitse postzegel op en je kon zien dat ze de brief al heel vaak had gelezen. Ciarán zat op de vloer van de kamer met zijn autootjes te spelen en maakte bromgeluiden. En toen sprak mijn moeder, alsof ze het tegen zichzelf had.

'Ik snap het niet,' zei ze uiteindelijk.

'Wat niet?'

'Het boek. Ze willen het terug hebben.'

Ze vroegen of ze het nog altijd voor hen in bewaring had. In veilige bewaring, stond er in de brief. Ze klemde het boek tegen haar borst alsof ze verwachtte dat ze ieder moment door de deur konden komen om het af te pakken. Alsof je iets kostbaars bezat dat eigenlijk aan een museum toebehoorde. Ze hadden het na de oorlog aan haar gegeven toen het niets waard was, toen de familie haar wilde laten zien hoe dankbaar ze waren voor alles wat ze voor hen had gedaan, voor het feit dat ze hun voedsel was komen brengen om hen in leven te houden. Maar nu was het kostbaar geworden en werd de eigendomskwestie weer van belang. Mijn moeder sprak nooit over de waarde van het boek. Ze hield er gewoon van omdat het zo'n prachtig cadeau was, honderden jaren oud en onder buitengewone omstandigheden aan haar gegeven.

'Kan het ze dan niets meer schelen?' vroeg ze.

Ik zei dat ze terug moest schrijven om te zeggen dat ze het niet meer had. Zeg dat je het kwijt bent, stelde ik voor. Zeg dat je niet weet waar ze het over hebben. Wat voor oud boek met heiligenlevens gedrukt in de tijd van Gutenberg? Mijn moeder keek me aan alsof ik haar tot een misdaad probeerde te verleiden. Ze kon niet liegen. Ze moest terugschrijven, zeggen dat het na haar eigen kinderen de grootste schat in haar huis was. Hoe kónden ze haar vragen om het terug te geven? Ze keek nog een keer naar de brief en zei dat ze haar het gevoel gaven dat ze een dief was, dat ze het van hen had afgepikt in een moeilijke periode, in een tijd van crisis. Dat ze het de rechtmatige eigenaar onthield. Ze voelde dat wat ze in Mainz had gedaan niets meer betekende en dat de herinnering door de tijd was uitgewist. Dat ze nu alles terugnamen en dat ze niet alleen het boek kwijtraakte, maar ook een van haar kostbaarste herinneringen.

'Stefan komt ons opzoeken,' zei ze. 'We moeten ons er maar op voorbereiden.'

Stefan is de zoon van tante Käthe, mijn moeders schoolvriendin. Ik weet nog dat we toen we klein waren bij ze gingen logeren. Ik herinner me de drogisterijen van Onkel Ulrich en tante Käthe in de stad. Onkel Ulrich had een stijf been sinds hij in de oorlog gewond was geraakt. Bij de mis zag ik altijd dat hij zijn been recht voor zich uit stak, en niemand die zich er echt druk om maakte, behalve wij. Ik herinner me dat ik zelf dagenlang uitprobeerde hoe het voelde, ik probeerde uit hoe het was om geraakt zijn en je hele leven je knie niet meer te kunnen buigen. En Stefan. Ik herinner me Stefan omdat hij flink wat ouder was dan ik en niet echt iets met ons te maken wilde hebben en ons niet met zijn speelgoed wilde laten spelen. En nu was hij volwassen en kwam hij naar Ierland om het boek te halen dat ze mijn moeder cadeau hadden gedaan. Maria zei tegen mijn moeder dat ze het op zolder moest verstoppen. Ita zei dat het illegaal was om een cadeau terug te nemen. Mijn moeder sloeg haar armen om ze heen en zei dat ze het boek nooit terug zou geven, net zomin als ze ooit een kind zou weggeven.

Die nacht hoorde ik het haar beneden met mijn vader bespreken en hij zei dat ze moreel niet het recht hadden om een cadeau terug te vragen dat ze te goeder trouw hadden gegeven. Zelfs toen we allemaal naar bed waren en het hele huis stil was, dacht iedereen nog na over het boek en waar we het moesten verstoppen. Ik dacht aan het Duitsland van na de oorlog, aan de platgebombardeerde steden. Ik dacht aan Stefan die hiernaartoe kwam om het boek van mijn moeder af te pakken en ik dacht aan hoe ze huilde omdat haar laatste stukje Duitsland ging verdwijnen. Ik dacht aan de kreeften onder water die hulpeloos door het zeewier kropen met zwarte elastieken om hun scharen. Ik bedacht hoe ik mijn moeder had verraden en hoe de kreeften zich een weg baanden over de zeebodem, verloren en weerloos, niet in staat om hun scharen te openen.

Vijf

Het was al veel eerder begonnen, rond Halloween, in een jaar dat we met iedereen bevriend wilden raken. Mijn broer Franz en ik hadden er genoeg van om altijd buitenstaanders te zijn, altijd alleen. Vanaf nu wilden we erbij horen, zoals iedereen in Ierland, en daarom gingen we op zoek naar een manier om erbij te horen. Ik begon in mijn eentje Engelse praat te oefenen, ik zei dingen tegen de muren als: '*What are you lookin' at?*' Ik oefende hardop gesprekken in mijn kamer, dreigde de klerenkast verrot te slaan en vertelde de deur dat hij op moest passen en dat ik anders zijn bek kwam verbouwen. Ik oefende zelfs op de manier van lopen die ze hier hebben en die mijn moeder het 'Glasthule-loopje' noemt. Voordat ik naar buiten ging, bleef ik staan om mezelf vanuit mijn ooghoeken in de spiegel te bekijken. Ik was de bink in huis en ik voelde me niet minder dan wie dan ook op straat.

Ze waren al wekenlang hout aan het verzamelen. Na school keek ik toe hoe ze met z'n allen pallets en gebroken planken door de straten sleepten. Ze stapelden winkelwagentjes vol met troep van bouwplaatsen, houten platen waar roestige spijkers uitstaken, alles wat maar wilde branden. Zo gaat het ieder jaar. Alles wordt verborgen gehouden tot de nacht van Halloween. Iedereen weet waar het vreugdevuur ontstoken wordt: in het park met het ijzeren hek met aan de ene kant de roodbakstenen openbare school en aan de andere de roodbakstenen huizenblokken van de sociale woningbouw. Ieder jaar zeggen ze dat het vuur groter dan ooit zal worden. En ieder jaar als de vlammen zo hoog zijn als de huizen en de vonken over de daken vliegen, belt iemand de brandweer en begint het gedonder.

We wilden erbij horen, bij dat grote vuur, dus toen we in de steeg een deur vonden, besloten we hem er op de middag van Halloween naartoe te brengen. De blauwe verf was aan het afbladderen en hij was overdekt met onkruid, maar we schopten de brandnetels weg en droegen hem over straat, met aan één kant de slakken en wormen er nog aan. Hij was zo zwaar dat we hem onderweg af en toe neer moesten zetten. Franz bedacht dat we hem ook hadden kunnen laten rollen op de as met wielen van een oude kinderwagen die we nog ergens hadden staan, maar we waren al halverwege en dus liepen we maar door. Toen we aankwamen, waren ze het hout voor het vuur al aan het opstapelen, dus we droegen hem direct het hek door en het park in. We spraken niet, we zeiden geen woord. We dachten dat het een goed moment was voor een wapenstilstand, nu iedereen aan dezelfde kant stond, en we zetten de deur recht overeind bij het andere hout.

'Hé, daar heb je de nazi's,' zei iemand.

Ik was bang dat ze zouden zeggen dat we moesten oprotten met onze deur. Maar alle hout was welkom. Het maakte niet uit dat het nazi-hout was.

'Da's een Duitse deur,' zeiden ze. 'Die zal wel verrotte slecht branden.'

Het voelde raar aan om de mensen te helpen die altijd tegen ons waren, alsof we verraad pleegden aan onszelf. Maar tegelijkertijd voelde het goed, want nu zouden we allemaal vrienden zijn, omwille van het vuur. Mijn moeder zegt dat je voorzichtig moet zijn met mensen van de vuist, omdat die nooit veranderen. Ik wist dat ze ons nog steeds wilden berechten omdat we Duits waren. Ze wilden ons nog altijd terechtstellen, maar misschien was de nacht van het vreugdevuur hét moment waarop we met z'n allen de geschiedenis konden vergeten, bedacht ik. Misschien konden ze alles vergeven en ons mee laten doen.

We deden een stap achteruit en keken toe. Boven op de berg stonden twee jongens die aan een touw een kapot nachtkastje omhoogtrokken. Iedereen schreeuwde en hielp, gaf houten planken aan door het hek en gooide rond de voet van de stapel autobanden neer. Een kleine jongen kwam een berg ijslollystokjes brengen. Toen het donker werd, besteedde niemand nog veel aandacht aan ons en waren we net zo Iers als de rest.

Na het avondeten hielp mijn moeder ons ontsnappen. Ze houdt niet van vuur. Ze is bang voor brandende dingen en de geur van rook doet haar aan de oorlog denken, maar ze legde mijn vader uit dat we erbij móesten zijn omdat we een bijdrage hadden geleverd en onze deur moesten zien branden. Buiten was het nu pikdonker en ik hoorde de rotjes knallen. Mijn vader leek boos, maar ik weet dat hij vanbinnen blij was omdat Halloween een oude Ierse uitvinding is die ook in West Cork bestaat, en dat het Engelse woord voor vreugdevuur, '*bonfire*', voortkwam uit het Ierse '*Tinte Cnáimh*', bottenvuur. De dag van de doden. Zolang we geen Engels spraken en zijn hout niet zouden gebruiken had hij er geen bezwaar tegen als we erheen gingen, zei hij, en dus renden we ernaartoe om te zien hoe het vuur werd aangestoken. Ik had in de stad zelfs drie rotjes gekocht van een vrouw in Moore Street die ze onder haar schort bewaarde. We staken ze af en de explosies voegden zich bij het lawaai van de andere vuurpijlen die de hemel om ons heen verlichtten.

Overal zag je kinderen met maskers en plastic tassen vol snoepgoed. Dat hadden wij vroeger ook gedaan, maar iedereen had altijd geweten dat wij het waren omdat mijn moeder de maskers zelf maakte en ze eruitzagen als Duitse wolven en Duitse monsters. In de straten zag je groepen kinderen verkleed als Frankenstein. Soms zag je drie Dracula's bij elkaar, helemaal identiek behalve in lengte en leeftijd. Er waren ook volwassenen op weg naar een of ander Halloweenfeest dat ergens werd gehouden. Een meisje verkleed als engel, met minirok, hoge, glanzend zwarte laarsjes en vleugels op haar rug, vergezeld van een dokter in een witte jas die een stethoscoop in zijn hand liet rondzwaaien en de kinderen die om sigaretten vroegen wegjoeg. Overal hing damp en rook, en al voordat het vuur was aangestoken was de lucht zwaar en vochtig, als koude stoom.

In het park verzamelde iedereen zich rond een van de oudere jongens, die met een jerrycan boven op het houten bouwsel stond en benzine uitgoot. Een andere jongen goot benzine langs de randen. En toen sloeg het gejoel tegen de huizenblokken en weerkaatste het gele licht van de vlammen tegen de muren en de ramen en alle gezichten rond het vuur. Zelfs de hekken werden van goud.

Het duurde niet lang of de vonken begonnen te knetteren. Er klonken kreten en iemand noemde het een inferno. Sommige mensen beschermden hun ogen met hun ellebogen tegen de vlammen. Anderen rookten en dronken bier en gooiden kleine stukjes hout terug die uit het vuur vielen. Onze blauwe deur stond al in lichterlaaie en het leek of je hem open zou kunnen doen en zomaar naar het midden van het vuur kon lopen. De deur naar de hel. Mijn broer Franz en ik stonden samen met de anderen te kijken. We waren de infernobroeders. We hadden donkere ogen en gele gezichten, alsof we net waren teruggekeerd uit het middelpunt van het vuur en de brandende deur achter ons gesloten hadden.

En toen hoorden we in de verte de brandweersirenes. De

vonken vlogen over het dak van de school en we wisten wat er ging volgen. Zodra de blauwe lichten van de brandweer rond de huizenblokken flitsten, deed Franz een stap achteruit.

'Ik ga ervandoor,' zei hij.

Ik probeerde hem over te halen om te blijven, maar hij wilde geen moeilijkheden. Hij wil geen getuige zijn van dingen waar mijn moeder in Duitsland getuige van is geweest. Ik zei dat hij niet zo bang moest zijn, maar hij stond opeens niet meer naast me. En misschien was het in mijn eentje ook wel gemakkelijker om te voelen dat ik erbij hoorde.

Zodra de brandweer bij het hek verscheen, begonnen ze daarbinnen te joelen. Er werd gescholden en er klonk boegeroep. Iemand zei dat er een rel ging uitbreken, maar de brandweermannen trokken zich nergens wat van aan en bleven glimlachen. Nog niet zo lang geleden hadden ze dit soort dingen zelf gedaan, maar nu was het hun werk om het vuur te blussen. Ze ontrolden de brandslangen en richtten het water op de vlammen. Toen het vuur begon te sissen, begonnen de jongens met van alles te gooien, met lege bierblikjes en losse takken. Daarna met graspollen die ze overal in het park uit de grond trokken en die de zwarte uniformen van de brandweerlieden raakten zonder dat er iets gebeurde, alsof ze het niet eens merkten.

Nu hoorde ik erbij, bij het Ierse vuur. Ik werd meegesleept door de furie van de menigte en kon niet anders dan zelf ook een graspol lostrekken, niet zozeer om iemand te raken, maar om te bewijzen dat het vuur voor mij evenveel betekende als voor de anderen. De brandweermannen reduceerden de enorme vlammen tot niets. Je voelde de hitte wegebben en de kreten werden vijandiger. Klootzakken. Kankerlijers. Ik hoorde mezelf meedoen. Woorden die ik tot nu toe alleen tegen me had horen gebruiken werden nu ook mijn woorden.

Er werden meer graspollen gegooid. Grotere. Ik greep de

grootste graspol beet die ik kon vinden. Ik trok aan het lange gras totdat er een groot stuk aarde meekwam; het voelde alsof ik een afgehakt hoofd bij het haar vasthield. Ik kon hem nauwelijks om me heen zwaaien. Het probleem was dat ik toen ik hem had losgelaten ontdekte dat ik veel beter kon mikken dan ik dacht. Ik zag dat hij een van de brandweermannen vol tegen het hoofd ging raken. De pol vloog door de gele lucht als een zwarte schedel met wapperend gouden haar van gras. Ik zag de schrik in de ogen van de brandweerman toen de graspol tegen de zijkant van zijn gezicht sloeg op het moment dat hij zijn hoofd draaide.

'Jij kleine klootzak,' riep hij.

Hij wreef in zijn ogen en veegde stukjes aarde uit zijn kraag, toen zette hij zijn helm recht.

'Sorry, meneer,' zei ik.

Ik wilde zeggen dat ik hem niet had willen raken. Maar daar was het al te laat voor, want de jongens om me heen stonden te juichen.

'Goede worp.'

'Kijk, hij heeft zo'n kankerbrandweerman onthoofd.'

Voor de allereerste keer had ik iets gedaan wat me tot held maakte. Nu zouden ze me accepteren. Ze zeiden dat Duitsers geweldige scherpschutters moesten zijn als ze iemand van zo'n afstand met een graspol konden raken. Voortaan zouden ze als ik over straat liep over me denken als die jongen die de brandweerman een lesje had geleerd. Ik zou geen buitenstaander meer zijn, ze zouden me joviaal op de rug slaan, vragen of ik het nog eens wou doen, of ik een straatlantaarn met een steen kapot kon gooien. Maar toen ze maar bleven juichen en lachen wist ik dat ze me in de problemen brachten, want nu kreeg ik met de brandweerman te maken.

'Sorry,' zei ik weer. 'Zo bedoelde ik het niet.'

Ik zag de woede op zijn gezicht en rende weg, hopend dat

hij niet achter me aan zou komen. Ik hoorde hem tieren en zijn zware laarzen achter me in het gras stampen. Er was geen ontkomen aan. Dadelijk was ik bij het hek en dan zat ik in de val, ver van het vuur en de menigte, en niemand die me te hulp zou komen.

In de hoek draaide ik me om met mijn handen omhoog, om hem om vergiffenis te smeken. Er zat een opening tussen de spijlen, maar ik geloofde niet echt dat ik daar doorheen zou passen. Ik wist dat er op andere plaatsen ook spijlen misten waardoorheen de jongens een stuk door het park konden afsnijden in plaats van helemaal om te lopen. Ik was te versuft om aan ontsnappen te denken, dus ik gaf me over.

'Alstublieft, meneer, niet slaan,' zei ik. 'Zo was het niet bedoeld.'

De brandweerman vertraagde zijn tempo tot een wandelpas omdat hij wist dat ik in de val zat. Zelfs in het donker zag ik aan zijn ogen dat hij me geen genade zou tonen. Op het laatste ogenblik besloot ik te proberen door het hek te kruipen. Ik voelde zijn hand in mijn nek en zijn stem die 'jij klein klootzakje' in mijn oor siste. Hij was te groot om zelf door de spleet te kunnen, maar hij stak zijn arm door de spijlen heen en hield me stevig aan mijn kleren vast.

'Hou hem vast,' riep hij naar een paar langskomende mannen die iets gingen drinken in het Eagle House. Hij probeerde me terug door de spleet te slepen en ik probeerde me los te rukken met mijn voet tegen het hek.

'Hou hem vast, die kleine teringlijer.'

Een paar jongens kwamen kijken wat er aan de hand was. Ze waren niet meer geïnteresseerd in het vuur, dat nu bijna was gedoofd.

'Hé, daar heb je Eichmann.'

Ze hadden zich tegen me gekeerd. Ze beschouwden me niet meer als de held die zijn best had gedaan om het grote vuur te verdedigen. Het was een vergissing geweest om bij ze in een goed blaadje te proberen te komen, want ze kozen de kant van de brandweerman, die me door de spijlen aanstaarde en afwachtte wat er ging gebeuren. Het enige wat ik kon bedenken was om op de hand van de brandweerman in te hakken en me los te maken uit zijn greep.

'Hou hem tegen,' riep de brandweerman, en een paar van de mannen buiten het hek kwamen op me af. Een van hen, met een rood gezicht, gooide zijn sigaret op de grond en versperde me de weg. Ik ontweek hem, maar hij kwam achter me aan, totdat hij begon te hoesten en stilhield. Ik voelde hun handen op me, maar ik wist me steeds los te draaien en te trekken, zelfs toen ze een voet uitstaken om me te laten struikelen. Er kwam nog iemand achter me aan, maar zijn kleingeld viel uit zijn zak en rolde in de richting van de goot; hij vloekte en noemde me een hoer en bukte zich om zijn geld op te rapen.

Ik durfde niet verder de woonwijk in. Ik wilde omkeren, maar een paar jongens waren door de opening in het hek gekropen.

'Het is Eichmann,' riepen ze. 'Achter hem aan!'

Ik rende door hun straten. Overal om me heen knalden de vuurpijlen. Kinderen staarden me van achter hun maskers aan. Vrouwen stonden voor hun huizen te roken en te praten en zagen me langsrennen met scheuren in mijn overhemd en trui. Enkele deuren stonden wijd open zodat je recht de kamers in kon kijken, waar de televisie aanstond. Ik dacht dat de vrouwen de deksels van de vuilnisbakken zouden pakken om ermee te slaan. Een van de vrouwen lachte of kuchte, wat weet ik niet, en een terriër rende blaffend naar buiten en kwam achter me aan omdat hij wist dat ik niet in de straat thuishoorde.

Toen bedacht ik dat dit mijn moeder ook was overkomen,

lang geleden, toen ze nog klein was. Ze had verteld hoe de dochters van Kaiser voor het huis speelden, op de Buttermarkt in Kempen, en de fontein soms dichtstopten met papier uit de kantoorboekhandel van hun vader. Dan stroomde het water over het hele plein en kwam de veldwachter zijn beklag doen bij hun vader. Op zekere dag zat de veldwachter ze helemaal tot hun huis achterna. En in plaats van ze te beschermen liet hun grootmoeder hem zomaar binnen, zodat hij ze een lesje kon leren en er geen klachten meer zouden komen. Mijn moeder was de enige die de achterdeur wist te bereiken en in de straten verdween; de andere meisjes zaten op de gang in de val van de veldwachter en hun grootmoeder, met straf in het vooruitzicht. Mijn moeder rende de hele middag door de straten van het stadje, om de burcht en langs de windmolen, ze rende en rende en dacht de hele tijd dat de veldwachter haar op de hielen zat. Zelfs toen het al donker werd, was ze nog te bang om naar huis te gaan. Maar aan de andere kant vond ze het nog enger om de hele nacht buiten te moeten blijven en dus besloot ze zich over te geven. Stilletjes sloop ze naar haar eigen huis, en toen ze daar aankwam, was de veldwachter al weg, maar moest ze wel aan haar vader uitleggen waarom ze zo laat was, want iedereen was al klaar met eten en de tafel was al afgeruimd. Dus toen vertelde ze over de veldwachter die hen het huis in had gejaagd en dat ze de enige was die niet gepakt was. Ze verwachtte dat haar vader boos zou zijn, maar hij glimlachte. Hij nam haar op schoot en aaide haar over haar hoofd totdat ze niet bang meer was.

En nu ben ik aan het rennen, net als mijn moeder toen. Nu word ik door de straten gejaagd, door de brandweerman en de andere jongens van het vuur. De brandweerman moet door de poort van het hek zijn gelopen, want ik zag hem de hele tijd achter me met de jongens voor hem, hij rende hard en kwam snel dichterbij. Op grotere afstand volgden nog meer mannen en ik was bang dat de hele stad achter me aan zat. Ik was bang dat de vrouwen me de weg zouden versperren en dat niemand de brandweerman zou vragen om me te sparen.

Aan het einde van de straat wist ik niet welke kant ik op moest, dus klom ik boven op een geparkeerde auto en vandaar op een muur waar een paar glasscherven in staken. Beneden aan de andere kant zag ik niets. Ik zag niet eens hoe diep het was. Het was zwart daar beneden, en hoe hard ik ook naar beneden staarde en mijn best deed om mijn ogen aan het donker te laten wennen, ik zag niets en ik was bang om te springen. Ik stak mijn handen uit alsof ik op die manier zou kunnen ontdekken wat ik daar beneden aan de andere kant zou aantreffen, ik was wanhopig op zoek naar een veilige plek om te landen. Ik had geen idee waar ik terecht zou komen en ik dacht aan grote staken die me zouden spiesen. Ik dacht aan valse honden. Ik dacht dat mijn kin een boomstronk of een omgekeerde kruiwagen ging raken. Ik dacht dat er misschien helemaal niets was daar beneden en dat ik gewoon zou blijven vallen, zonder ooit de grond te bereiken.

Ik bleef op de muur staan wachten tot ze er waren en ik ze onder me op de stoep zag staan. Sommigen klommen al op de auto. De brandweerman stak zijn arm uit naar de muur en probeerde me naar beneden te trekken. En dus sprong ik in het onbekende. Ik wierp mezelf in de duisternis en ik bleef maar vallen, steeds verder naar beneden, voor eeuwig, door de duisternis, totdat ik ten slotte verdween.

Zes

In de periode daarna was ik bang dat de brandweerman bij ons aan de voordeur zou komen. Als hij me niet zelf kon straffen, zou hij proberen om me dan maar door mijn vader te laten straffen. Ik kon niet slapen omdat ik dacht dat ze me zouden komen arresteren als jeugddelinquent. Ik probeerde te bedenken wat ik dan zou zeggen, hoe ik zou liegen en zou blijven volhouden dat het donker was en dat de brandweerman het bij het verkeerde eind had. Dat ik het niet gedaan had. Ze zouden me een misdadiger noemen en vragen waarom ik was weggerend als ik onschuldig was. De brandweerman zou getuigen meebrengen die me zouden aanwijzen en zeggen: ‘Dat is hem, dat is Eichmann.’ Maar ik zou ze allemaal strak blijven aankijken en zeggen dat er sprake was van een persoonsverwisseling. Alleen mijn moeder zou aan mijn kant staan en me geloven.

Er kwam niemand aan de deur. Maar dat betekende niet dat het allemaal vergeten was. Ik wist dat ze nog achter me aan zaten, dus moest ik vluchten, zoals Eichmann naar Argentinië was vertrokken. Voortaan moest ik zorgen dat ik niet op straat gezien zou worden. Ik moest onzichtbaar worden en manieren vinden om me te verplaatsen zonder dat iemand me opmerkte. Ik tekende een kaart met sluipwegen door steegjes en tuinen. In plaats van rechtdoor over straat naar de kade te lopen, liep ik langs de rand van het voetbalveld en de in onbruik geraakte boerderij en dan over het terrein van de houthandel. Ik bedacht allerlei ingewikkelde vluchtroutes in de omgeving, over bouwplaatsen en braakland. En ik leerde elk voetsteuntje in de muur en iedere doorgang in het prikkeldraad kennen.

Ik besloot dat ik moest onderduiken. Doen alsof ik niet meer bestond. Niemand zag me 's ochtends nog de trein naar school nemen. Niemand zag me thuiskomen. Natuurlijk was er altijd de mogelijkheid dat ze me op een van mijn geheime routes zouden staan opwachten, dat ik in een hinderlaag terecht zou komen en opnieuw berecht zou worden. Franz vond altijd dat het veiliger was om in het zicht te blijven, waar er meer volwassenen in de buurt waren. Maar ik zorgde dat ik uit zicht bleef. Af en toe zag iemand me een paar meter over een muur kruipen. Soms hoorde ik een schreeuw of een boze tik op het raam achter me, maar ik was altijd allang weer weg voordat ze me echt opmerkten. Ik zag mensen in hun huizen zitten, in de keuken met het licht aan, mensen die aan tafel thee dronken met hun rug naar het raam, mensen met blauwe gezichten die tv keken, en ik waaide langs als een windvlaag. Ik leefde onder water, rende over de zeebodem en ademde in stilte.

Zelfs thuis werd ik onzichtbaar. Mijn moeder zei dat we altijd al rare en ongewone dingen hadden gedaan, zoals steentjes in onze oren stoppen toen we klein waren, maar dit was een van de vreemdste dingen waar ze ooit van had gehoord en ze hoopte dat ik niet gek aan het worden was. Ze zei dat ik als een spook rondwaarde, en toen ze me op een avond voor het eten riep, ging ik niet langs de trap naar beneden, maar klom ik door het raam. Ik sloop langs de bijenkorven, klom omlaag via de tuinmuur en ging door de achterdeur naar binnen. Toen ging ik aan tafel zitten zonder een woord te zeggen, alsof ik volkomen onzichtbaar was. Ze speelde zelfs even mee, ze vroeg of iemand me gezien had. Maar toen smeekte ze me om weer tot leven te komen, omdat ze bang was dat ik in mezelf zou verdwijnen. Ze wapperde haar hand voor mijn ogen en trok net zo lang rare gezichten totdat ik begon te lachen.

'Je kunt niet onderduiken in je eigen huis,' zei ze.

Aan de eettafel begon ik in mezelf Engels te praten. Elke avond keek ik naar mijn vader die tegenover me zat en voerde ik in mijn hoofd hele gesprekken in de verboden taal. Hij moet hebben geweten dat ik zijn regels overtrad, maar hij kon er op geen enkele manier iets aan doen dat ik stiekem in mezelf praatte, alsof ik naar een ander land was vertrokken.

Mijn moeder zei dat ze begreep waarom je af en toe onzichtbaar moet zijn. Ze herinnert zich de tijd onder de nazi's, toen Onkel Gerd, de burgemeester, moest verdwijnen toen hij tot zwijgen werd gebracht en uit zijn ambt werd gezet omdat hij niet lid wilde worden van de partij. Eerst waren het mensen als Onkel Gerd die onzichtbaar werden, zei ze, maar daarna waren het de joden die je nergens in Duitsland nog op straat zag. Mijn vader zegt dat de Ieren ook ondergronds gingen tegen de Britten. Hij zegt dat ze hun taal zijn kwijtgeraakt en dat ze nu ronddolen als schimmen die aan landkaarten met onzichtbare straten en onzichtbare plaatsnamen gehoorzamen. Hij zegt dat de Ieren nog steeds ondergedoken zitten in een vreemde taal. Maar binnenkort zullen ze tevoorschijn komen en hun eigen taal weer spreken.

's Nachts bleef ik wakker en bedacht ik steeds meer manieren om overal te komen zonder gezien te worden; ik fantaseerde over tunnels waardoor ik me onder de straten van de ene naar de andere plaats kon verplaatsen zonder dat iemand me zou zien en dan door de putdeksels weer boven kon komen. Ik fantaseerde dat ik helemaal zou kunnen verdwijnen en zou kunnen leven zonder ooit een voet op straat te zetten, zonder te ademen. Ik fantaseerde dat ik, als ze me ooit te pakken zouden krijgen, voor hun ogen in rook zou opgaan. Ik bedacht slimme Engelse opmerkingen om ze af te leiden en een kans te krijgen om te ontsnappen. Ik bedacht hoe ik vanaf de muur in de duisternis was gesprongen. Ik lag in bed en bleef maar vallen. Ik dacht dat mijn moeder ook aan het vallen was. Al mijn ooms en tantes in Duitsland vielen ook, zonder ooit op de grond terecht te komen; iedereen in Duitsland viel, viel en viel, eindeloos. Totdat ik continu hoofdpijn kreeg en niet meer in staat was om op te staan en naar school te gaan. Al mijn onzichtbare wereldkaarten werden onbruikbaar en de hoofdpijn werd zo erg dat ik wenste dat ik me zou kunnen overgeven om er maar vanaf te zijn.

Toen Eichmann werd ontdekt in zijn schuilplaats in Argentinië, werd hij herkend aan de verwondingen aan zijn hoofd die hij had opgelopen bij een motorongeluk in de tijd voordat hij bij de SS kwam. Na zo lang ondergedoken te hebben gezeten was hij eenzaam en was alles hem liever dan onzichtbaar te zijn. Toen ze op hem af liepen bij een bushalte en hem identificeerden als Adolf Eichmann, de man die de transporten van het joodse volk naar de concentratiekampen had georganiseerd, was hij waarschijnlijk aanvankelijk geschokt omdat het klonk als de grootst mogelijke belediging, de vloek van zijn eigen naam die hem na al die jaren inhaalde. Hij moet hebben overwogen te ontkennen, maar dat zou zinloos zijn. Misschien was het een opluchting dat hij zichzelf weer mocht zijn. Hij wilde niet gevangengezet of terechtgesteld worden, maar de pijn van de onzichtbaarheid wilde hij ook niet meer hoeven voelen. Men zegt dat hij op dat moment, bij de bushalte, de keus kreeg om óf ter plekke geëxecuteerd te worden, óf naar Jeruzalem gebracht te worden en daar te worden berecht. Hij ging akkoord met een berechting omdat hij erkenning wilde. Hij was het zat om een *nobody* in Argentinië te zijn. Hij bekende geen schuld, zei niet eens dat hij berouw had. Hij gaf zijn misdaden niet toe en zei dat hij alleen zijn plicht had gedaan, dat hij geprobeerd had zo efficiënt mogelijk te zijn. Hij wilde geroemd worden omdat hij zich zo voorbeeldig van zijn taak had gekweten, beter dan wie dan ook. Hij wilde voor eeuwig in de geschiedenis blijven voortleven.

Deze keer wisten de dokters precies wat er met me aan de hand was en ze noemden het hersenvliesontsteking. Ik liep met een rode deken over mijn schouders naar de ambulance. Mijn moeder stond bij het tuinhek met haar hand voor haar mond te huilen. Ze kon niet met me mee in de ambulance omdat ze thuis moest blijven om voor de anderen te zorgen. De buren waren ook naar buiten gekomen en iedereen maakte zich ongerust omdat ik naar een plek ging die Cherry Orchard heette, waar niet iedereen van terugkeerde.

Toen ik aankwam in het ziekenhuis was er aanvankelijk geen enkele haast. Ik moest in bed liggen wachten en keek naar de man naast me, die sigaretten lag te roken en van leer een handtas maakte. Er stond een radiootje op het nachtkastje dat steeds dezelfde liedjes afspeelde, zoals 'Going on a Summer Holiday', alsof er helemaal geen tijd verstreek. Na een stuk of tien, vijftien *summer holidays* werd ik naar de operatiekamer gebracht en op mijn buik op de operatietafel gelegd.

Ze hielden me met z'n drieën vast en een van de verpleegsters legde uit dat hersenvliesontsteking een dodelijke ziekte was. Ze gingen een naald in mijn rug steken om wat vocht uit mijn ruggengraat te halen. Dat moest zonder verdoving gebeuren, legde ze uit, en dus drukten ze mijn armen en benen en hoofd naar beneden en voelde ik de naald als een mes in mijn rug binnendringen.

Zodra hij mijn ruggengraat raakte, begon ik te schreeuwen. Ik schreeuwde zo hard dat ze moesten ophouden. Ik was door het hele ziekenhuis te horen, maar dat maakte me niet uit want die naald deed zo'n pijn dat ik wel moest blijven schreeuwen, totdat ze ophielden.

Aanvankelijk konden ze helemaal geen vocht in mijn ruggengraat vinden, dus moesten ze het steeds opnieuw proberen, op verschillende plaatsen, totdat ik bijna flauwviel en de chirurg ten slotte zijn masker afzette van boosheid.

'Denk je dat ik je hier sta te martelen?' vroeg hij.

'Alstublieft,' zei ik. 'Het is een vergissing, ik ben van een muur gesprongen.'

Ik probeerde uit te leggen dat ik op mijn hoofd terecht moest zijn gekomen en dat ik daarom hoofdpijn had. Ik had geen hersenvliesontsteking.

'Waar heeft hij het over?' vroeg de chirurg.

De verpleegsters schudden het hoofd. Ze zullen wel hebben gedacht dat ik door de hersenvliesontsteking aan het ijlen was geslagen en dat ik niet meer wist wat ik zei. Ik probeerde op te staan van de operatietafel, één been hing al naar beneden en mijn voet stond bijna op de vloer, ik probeerde te ontsnappen. Maar ze bleven me terugduwen en uiteindelijk hadden ze mijn armen en benen weer tegen de tafel gedrukt.

'Zijn we klaar?' zei de chirurg.

Dit keer maakte het ze niet uit in welke taal ik schreeuwde. Een van de verpleegsters zei dat het snel voorbij zou zijn, maar het bleef maar doorgaan. Ze staken de naald steeds opnieuw in me, totdat ik schor was van het huilen. Uiteindelijk voelde ik hun handen zacht worden en ik wist dat ze me zouden laten gaan. Ik hoorde de verpleegster zeggen dat ik een vrij man was. Ze brachten me terug naar de afdeling en er stond een stuk taart op het bed met een briefje van mijn moeder dat ze het jammer vond dat ze me niet had getroffen.

Toen lag ik weer naar de man te kijken die zonder veel te zeggen in bed lag te roken en luisterde ik naar nog meer *sum-*

mer holidays, urenlang, wachtend op de uitslag. Er werd geen hersenvliesontsteking gevonden en ik was bang dat ze nog meer onderzoeken gingen doen. De volgende keer dat mijn moeder op bezoek kwam, bleef ze zo lang ze kon op mijn bed zitten. Ik smeekte haar om niet weg te gaan en ze bleef tot de allerlaatste minuut, totdat de bel allang was gegaan en de andere bezoekers al waren vertrokken.

'*Mein Schatz*,' zei ze. 'Je bent zo weer thuis.'

Er werden geen sporen van hersenvliesontsteking gevonden. Het was alsof ik onschuldig werd verklaard, en mijn vader kwam me ophalen. Hij bracht een tas mee, vol met mijn eigen kleren. Het voelde vreemd om weer schoenen te dragen. Hij glimlachte veel en sprak in het Iers tegen me, hij zei dat ik zou zien dat er een paar dingen veranderd waren in huis. Ik leek wel een emigrant die weer thuiskomt en die niet kan wachten om te zien of alles nog wel hetzelfde is.

Alles was anders. Het huis leek kleiner dan eerst. De straat waarin we woonden leek zich iets van de zee te hebben teruggetrokken en onze achtertuin was heel krap. Het gras was gegroeid. Alle bomen hadden bladeren. Mijn moeder droeg haar marineblauwe jurk met witte kraag en ik voelde me als een gast die nog nooit bij ons thuis was geweest. Bríd en Ita waren verkleed als verpleegsters. Maria liet me de nieuwe wasmachine zien en de nieuwe groene verf van de achterdeur. Franz zei dat de bijen waren gaan zwermen toen ik in het ziekenhuis lag en dat er niemand thuis was geweest om ze te vangen of terug te brengen, zodat ze waren ontsnapt. Hij zei dat hij op een dag uit school kwam en een grote wolk bijen over de tuinen en de daken van de huizen had zien vliegen, en dat hij ze achterna was gerend over de weg om te zien waar ze naar toe gingen, totdat ze boven de kastanjebomen aan de andere kant van het spoor uit zicht verdwenen en hij ze niet meer bij kon houden. Bij het avondeten wilde Ciarán naast me zitten. Iedereen keek naar me en ik was blij dat we allemaal weer in hetzelfde land waren.

Toen het tijd werd om Eichmann te executeren moesten ze beslissen wat ze met het lichaam zouden doen. Het hof had beslist dat hij moest worden opgehangen, maar er waren geen instructies over wat er met het stoffelijk overschot moest gebeuren. Ze wilden het lichaam niet in een crematorium verbranden omdat dat te veel zou lijken op wat er met zijn slachtoffers in Auschwitz was gebeurd. Ze wilden hem ook niet in Jeruzalem begraven, want ze waren bang dat zijn kwade botten de aarde zouden vervuilen. Het is nooit bekend gemaakt en niemand weet wat er uiteindelijk met Eichmanns lichaam is gebeurd, of het nog op Israëlische bodem is of in het geheim naar een ander land is overgevlogen, als kernafval. Misschien ligt hij op dezelfde plaats als zijn slachtoffers. Hij heeft geen graf, geen rustplaats en het ziet ernaar uit dat hij weer onzichtbaar is geworden.

Naderhand probeerde ik alles wat me was overkomen uit mijn hoofd te zetten. Ik werd een expert op het gebied van vergeten. Ik ontwikkelde een slecht geheugen. Ik oefende mezelf om wekenlang te leven zonder me ook maar iets te herinneren, maar dan kwam het weer terug, via mijn ruggengraat. Ik had aan de ingreep een pijn overgehouden die niet wegging. Ik voelde hoe die me achtervolgde, zelfs als ik ging zitten of tegen een stoel leunde. Als iemand me aanraakte, sprong ik op omdat ik de naald weer in mijn ruggengraat voelde binnendringen. 's Nachts moest ik slapen met mijn rug naar de muur. Op school zat ik achter in de klas. Ook in de bus zat ik altijd op de achterbank. Ik begon zelfs zijwaarts naar huis te lopen, als een krab, met mijn rug zo goed als het ging naar de gebouwen gedraaid. Ik keek continu om me heen om er zeker van te zijn dat er niemand achter me aan zat of achter mijn rug fluisterde of lachte.

Op een dag had ik de leiding in de haven en stond ik in de deuropening van de loods toen een paar meisjes iets kwamen vragen. Iedereen was gaan vissen en ik was alleen achtergebleven om een oogje in het zeil te houden; ik leunde tegen de zijkant van de deuropening, zoals Dan Turley dat altijd deed. Ik was de baas en een van de meisjes kwam zomaar naar me toe en keek me kauwgum kauwend aan.

'Wat kost die makreel van je?' vroeg ze.

Ik wist dat ze geen vis kwam kopen, want de andere meisjes bestierven het van het lachen. Ze vielen om waar ik bij stond, ze gingen op de reling zitten, zeiden nog allemaal andere grove dingen over makrelen, vroegen hoe groot ze waren. Ik gaf geen antwoord. Ik kon alleen maar glimlachen.

'Hoeveel kost een tochtje om het eiland?' vroeg ze, en ik rook de zoete geur van de kauwgum in haar mond, zo dicht was ze bij mijn gezicht.

Toen ze geen antwoord kregen, begonnen ze druk onder elkaar te praten, ze legden me allerlei woorden in de mond. Ze vroegen of het uitmaakte met z'n hoevelen ze een boot namen en een van hen zei dat ik het allemaal prima zou vinden zolang ze maar niet met z'n allen boven op me gingen zitten. Ze wilden weten of het een grote boot was en de anderen zeiden: zo groot als je wilt. Ze vroegen of ik ze de geiten op het eiland wilde laten zien en ze gaven zichzelf antwoord en zeiden dat ik wel een geit voor ze zou vangen zodat ze de hele middag over het eiland konden rijden.

'Let maar niet op ze,' zei het meisje met de kauwgum. 'Serieus, hoeveel kost het ons om met z'n vieren naar het eiland te gaan?'

Ik wilde luidkeels lachen en een grappig weerwoord bedenken. Ik overwoog een makreel te pakken en die als grap bij hun gezicht te houden, kijken wat ze dan zouden zeggen. Maar ik kon het niet. Ik was bang dat ze zouden ontdekken wie ik was. Ik bleef tegen de loods geleund staan, met mijn schouder tegen het kozijn geplakt. Ik voelde de pijn opkomen als een groot gewicht op mijn ruggengraat, alsof ik op mijn buik lag met een blok beton op mijn onderrug. Als je zwijgt, worden er woorden in je mond gelegd, dat wist ik. Ze bleven maar raden wat er in mijn hoofd omging. Ze kwamen langs me heen de loods in, liepen er rond en bekeken alles.

'Jullie mogen daar niet naar binnen,' zei ik.

'Hoorde je dat? Hij kan praten.'

Maar ze luisterden absoluut niet en liepen straal langs me heen naar binnen. Ze namen de plek over, zaten overal aan. Een van hen ging op Dans slaapbank liggen. Anderen trokken zwemvesten aan, ze gaven een modeshow en dansten achter me rond op de maat van een liedje op de radio. Ze lachten om een kalender met een plaatje van de Alpen die al drie jaar oud was. Ze zagen de reserveroeiriemen aan het plafond hangen en vroegen waar die witte stokken voor waren, om te voetballen of zo? Ze lieten de bronzen bel aan de muur rinkelen. Ze zetten een loden gewicht op de weegschaal en zeiden dat het heel zwaar was. Een van hen begon haar haar bij elkaar te binden in een nieuwe paardenstaart en in het zonlicht dat door de ramen viel zag ik een blonde haar door de lucht zweven, in de richting van de grond.

Ze liepen rond en zeiden dat alles vies was. Had ik er wel eens aan gedacht om de ramen te lappen, verdomme. Ze wilden weten of hier 's nachts iemand sliep en de anderen zeiden hoe kun je slapen met overal die stank van benzine en vis en waar was verdomme de wc? Ze vonden steeds weer iets nieuws, een dol bijvoorbeeld, en ze vroegen waar dit voor was en waar dat in godsnaam voor was. De anderen gaven antwoord en zeiden wat denk je zelf waar het voor is en dan vielen ze weer om van het lachen. Ze konden doen wat ze wilden. Ze hadden de benzine mee naar buiten kunnen nemen en de boel in brand kunnen steken. Ik bedacht wat Packer gedaan zou hebben, hoe die er een situatie van zou hebben gemaakt die hij later aan de jongens had kunnen navertellen; misschien had hij ze een van Dans roze mikado-beschuiten aangeboden, als ze er tenminste geen bezwaar tegen hadden dat er een paar makreelschubben op zaten. Misschien zou hij met ze op de houten bank zijn gaan zitten en had hij ze Dans blauwe mok laten zien met de jaren oude bruine theeaanslag erin, of hij had in hun bijzijn een makreel opengesneden totdat ze zouden vragen of ze in godsnaam weg mochten. Maar ik kon geen leven om me heen verzinnen. Ik was te zwak en kon niets doen, totdat ze zich gingen vervelen en uit eigen beweging vertrokken en lachend en rokend wegliepen over de pier.

En toen zag ik Dans boot terug naar de haven komen. Er klonk een geronk van motorfietsen en ook de havenjongens kwamen allemaal terug, en een paar minuten later zaten ze weer buiten de loods en had Packer weer het hoogste woord.

'Wat ik nu toch weer heb meegemaakt,' zei hij.

Hij zei dat hij ons een ongelooflijk verhaal ging vertellen. Hij kwam net terug van een trip op het water met Dan. Ze waren de kreeftenfuiken aan het ophalen toen ze opeens een kreeft vonden die al elastieken om zijn scharen had. Echt, geen grap, zei Packer steeds. Eerst zat Dan de hele tijd te klagen dat er steeds minder kreeften waren en nu vonden ze een kreeft die zijn eigen elastieken al had omgedaan, alsof hij zich overgaf.

Ik voelde een trap in mijn onderrug. Ik wachtte tot ze zich naar me toe zouden draaien en me ervan zouden beschuldigen dat ik verantwoordelijk was voor die lege voorraadkist. Ik stond op het punt om mijn handen omhoog te doen, maar niemand begon over de ontbrekende kreeften en ik kreeg het gevoel dat ik eindelijk met iets weg zou komen. Ik vroeg me af of het altijd zo ging in het leven, dat je gepakt wordt voor de dingen die je niet gedaan hebt en wegkomt met de dingen waar je schuldig aan bent, zodat schuld en onschuld uiteindelijk weer in evenwicht komen.

Packer zei dat Dan Turley ruw had gelachen, als een zeemeeuw, toen hij de kreeft met de elastieken uit de fuik had zien komen. 'Hoe is het mogelijk, verdamme nog aan toe,' had hij steeds weer gezegd terwijl hij de kreeft in de lucht stak. Hij dacht vast dat iemand in het water was gedoken en de kreeft de elastieken had omgedaan om hem in de maling te nemen. Hij was sprakeloos en stomverbaasd, keek de hele baai rond, zelfs uit over zee richting Engeland om de schuldige te vinden, hij vloekte en mompelde alsof het allemaal een onderdeel was van de samenzwering tegen hem, waar zelfs de wezens die onder water leefden deel van uitmaakten. Hij tilde zijn witte hoed op om zich op het hoofd te krabben en keek naar de kreeft in zijn handen alsof iemand hem een stuk speelgoed zonder gebruiksaanwijzing had gegeven. En daar gingen de jongens weer, ze lachten en zochten steun bij de zijwand van de loods, ze zeiden 'verdamme dit' en 'verdamme dat', terwijl Dan fronsend met zijn blauwe mok in de hand bij de deur stond.

Zeven

Als ik thuiskom, rocpt vadcr iedereen bij elkaar voor alweer een vergadering in de voorkamer. Dit keer is het een topconferentie, waarbij ook Onkel Ted aanwezig is om ervoor te zorgen dat niemand opstaat en om zich heen begint te slaan. De stilte en de spanning in de kamer zijn te snijden, iedereen is bang om als eerste zijn mond open te doen en de kloof wordt steeds wijder, totdat mijn vader opstaat om een plaat op te zetten. Ik zie hoe hij de sleutels uit zijn zak haalt en het stereomeubel openmaakt. Hij haalt een plaat tevoorschijn – die de vermiste single van John Lennon blijkt te zijn.

'Dit is toch jouw plaat, hè?' vraagt hij.

Ik knik. Ik had een paar keer in de prullenbak gekeken en vroeg me af of hij zich er op de een of andere manier van had ontdaan, misschien had hij hem verbrand. In plaats daarvan heeft hij hem bij zijn eigen verzameling gezet, tussen Bruckner en Verdi en Mendelssohn.

'*Zurück*,' zegt hij, want hij vertaalt wat er op de plaat staat.

'Ja,' antwoord ik, en ongewild bedenk ik hoe stom hij het laat klinken, alsof hij de titel probeert te vermoorden.

'*Na Ciaróga*,' noemt hij de Beatles, in het Iers. 'Goed, laat eens horen.'

Hij doet alles net zo zorgvuldig als altijd. Hoezeer hij deze muziek ook haat, hij behandelt de plaat met alle respect, stoft hem eerst af met een speciale doek en gaat er zelfs met de antistatische borstel overheen voordat hij de naald laat zakken. Dan gaat hij zitten en luisteren we samen naar de Beatles.

'Get back to where you once belong, get back, Jojo.'

Ik zie mijn vader om zich heen kijken alsof hij niet kan wachten om de plaat van de draaitafel te halen, voor het geval hij de naald zou verpesten. Het is duidelijk dat mijn moeder geprobeerd heeft hem over te halen het op haar manier te doen, niet met geweld maar met discussie en compromis. Hij staat zelfs op om het singletje om te draaien, waarna John Lennon 'Don't Let Me Down' zingt, maar het wordt allemaal steeds ondraaglijker om naar te luisteren. De enige die ervan lijkt te genieten is mijn moeder, totdat mijn vader haar scherp aankijkt en ze niet meer met haar voet op de maat kan meetikken. Ze herinnert zich waar deze bijeenkomst voor was en dat er een ernstige kant aan dit alles kleeft. Mijn vader zet de plaat af omdat het hem te veel wordt en hij vreest dat het systeem oververhit raakt.

Ik ben blij dat het voorbij is. Ik wacht op zijn speech over hoe slechte muziek hetzelfde is als slecht eten, als kauwgum die je tanden verpest, als verslaafd zijn aan alcohol, als drugsgebruik. Ik weet dat hij zich verraden voelt omdat je je niet kan verdedigen tegen muziek. Muziek kan elke zee oversteken; je kunt niet voorkomen dat ze Ierland binnenkomt en uit eigen vrije wil weer weggaat. Hij zegt dat ik mezelf laat corrumperen en hij wil me herinneren aan al het goeds waar we in deze familie naar streven. Hij zegt dat je zorgvuldig moet zijn in je keuze van muziek en van degenen door wie je je laat beïnvloeden. Mijn moeder zegt dat ze de muziek best leuk vindt, maar dat ze gehoord heeft over de massahysterie die de Beatles bij jonge mensen teweegbrengen. We hebben het allemaal op televisie kunnen zien, meisjes die gilden en flauwvielen toen de Beatles in Dublin aankwamen. Mijn moeder zegt dat het haar doet denken aan de manier waarop de meisjes gilden en flauwvielen voor Hitler, en ze wil niet dat ik zo gehersenspoeld word.

'We willen niet dat je een *Mitläufer* wordt,' zegt ze.

Ze zegt dat dat het ergste is wat je kan overkomen, omdat het je de macht over je benen ontneemt zodat je alleen nog maar dezelfde kant als de anderen op kunt rennen. Zo was het met de Duitsers gegaan, en ze herinnert zich hoe ze onder Hitler allemaal *Mitläufer* waren geworden, met dezelfde gedachten in het hoofd en dezelfde blik in de ogen. Mijn vader zegt dat dat ook met de Ieren is gebeurd toen ze Engels begonnen te praten en gedwongen werden om achter de Engelsen aan te rennen. Tegenwoordig rennen we met z'n allen gewoon achter Amerika aan, met dezelfde dromen en dezelfde muziek, en mijn moeder zegt dat je niet veel te kiezen hebt als je een meeloper bent. Mijn vader en moeder weten beiden hoe moeilijk het is om de andere kant op te rennen en er zijn heel veel dingen in de wereld waar ze nooit voor mee zouden rennen. Daarom waren ze met elkaar getrouwd en hadden ze een Iers-Duits gezinnetje gesticht met Lederhosen én Aran-truien, zodat wij niet bang zouden zijn om anders te zijn.

Toen John F. Kennedy Ierland bezocht, wilde ik niet gehersenspoeld worden of een meeloper worden, dus was ik de enige die niet naar het huis op de hoek ging om hem op tv te zien. Ik wilde niet zoals iedereen blind achter de leider aan lopen, zoals ze dat in Duitsland onder de nazi's hadden gedaan. Hoewel John F. Kennedy Iers en katholiek was en mijn vader en moeder hem waardeerden omdat hij het opnam tegen de communisten, die geen godsdienst hadden, wilde ik niet bij die volgelingen van hem horen die met Amerikaanse vlaggen en groene vlaggen naar hem stonden te zwaaien. Toen hij op een dag in Dallas werd vermoord, was ik net zo geschokt als iedereen bij het zien van de foto's op de voorpagina's van de kranten. Ik zag hoe mijn moeder al die foto's van de stoet auto's in haar dagboek plakte, maar ik wist dat ik niet bij zijn volgelingen hoorde omdat ze me geleerd had om anders te zijn dan de anderen. Volgens mijn moeder en vader is het prima om achter John F. Kennedy aan te rennen, of achter de paus, God of de heiligen, maar niet achter iemand als John Lennon.

Ik wil ook geen volgeling van John Lennon zijn; ik hou gewoon van zijn muziek, dat is alles. Mijn moeder zegt dat ik voorzichtig moet zijn dat ik niet verslap en de grip op mijn emoties verlies. Onkel Ted zegt dat het moeilijk is om je voor te stellen hoe muziek kwaad kan doen of iemand kan doden, en dat John Lennon geen legers op de been brengt. Mijn vader zegt dat John Lennon een invasieleger is en dat dit vooral een culturele oorlog is. Ik vraag me af wat hij uiteindelijk met die plaat wil gaan doen, of hij hem voor mijn ogen met zijn handen doormidden zal breken of dat hij me op een dag mee naar buiten zal nemen en hem in de tuin op het vuur zal leggen zodat hij over de planten heen smelt, naar het evenbeeld van de eerste Beatle-kapsels. Maar het is duidelijk dat hij dit keer besloten heeft om de zaak met kalmte af te handelen. Mijn moeder is hem aan het veranderen en wil dat hij de dingen op de Duitse manier doet. Ze zegt steeds dat Stefan binnenkort op bezoek komt en dat we ons vanaf nu allemaal heel anders moeten gaan gedragen.

Mijn vader stopt John Lennon terug in de hoes en haalt Elisabeth Schwarzkopf tevoorschijn. Hij doet alle gebruikelijke dingen om ervoor te zorgen dat het stof het gezang niet verstoort en dan schalt haar stem door de kamer, alsof ze in de hoek staat en je haar borst bij het inademen echt ziet opzwellen. Ik zie dat mijn moeder gewichtloos boven haar stoel met de muziek meezweeft. Onkel Ted ook, ze drijven allemaal door de kamer en de beeldjes en vazen stijgen op van de schoorsteenmantel. Mijn vader kijkt me nog steeds aan, nu met een grote glimlach op zijn gezicht, omdat hij weet dat ik van Elisabeth Schwarzkopf hou en dat ik dat nooit zal kunnen ontkennen. Als de plaat is afgelopen, bergt hij hem weer op en draait zich naar me toe.

'Zeg nu eens,' zegt hij. 'Welke van de twee vind je beter?'

'Je denkt toch niet dat hij daar een eerlijk antwoord op kan geven,' zegt mijn moeder.

Onkel Ted is erbij, dus niemand zou het in zijn hoofd halen om boos te worden of het openlijk met elkaar oneens te zijn. Mijn moeder wil een einde maken aan de slaandedeurenoorlog tussen mijn vader en mij; misschien zouden we alle deuren voorlopig uit de hengsels moeten halen om te wennen aan het idee dat ze er niet zijn om mee te slaan. Ze begint weer over Stefan, want ze voorziet problemen.

'Stefan komt,' zegt ze, maar mijn vader steekt zijn hand op om haar het zwijgen op te leggen.

'Eerlijk zeggen,' vraagt hij opnieuw. 'Met je hand op je hart, welke muziek denk je dat beter is?'

Onkel Ted zegt dat je moeilijk kunt kiezen tussen appels en peren als je ze allebei lekker vindt. Mijn moeder probeert een grap te maken en zegt dat het jammer is dat we ze niet samen kunnen horen zingen, in harmonie.

'Wat kies je?' dringt mijn vader aan.

Ik wil me niet achter een van de liedjes hoeven scharen. Ik wil niet over muziek denken als over een oorlog, maar ik vind wel dat ik John Lennon moet verdedigen omdat hij van mijn generatie is en ik bij de nieuwe muziek wil horen waar mijn vader niet naar luistert.

'Hij is half Iers,' zeg ik. 'Zijn moeder is Iers.'

Mijn vader weet niet wat hij daarop moet zeggen. Hij weet dat ik alweer het foute antwoord wil geven en hij zoekt naar een geheime betekenis in mijn woorden waarmee ik hem opzettelijk probeer te beledigen.

'Stefan komt,' zegt mijn moeder. 'We moeten vrolijk zijn.'

'John Lennon is eigenlijk een Ierse zanger,' vervolg ik. 'Ik weet dat hij in het Engels zingt, maar vanbinnen zingt hij eigenlijk in het Iers.'

Ik weet dat dit nogal vergezocht is en mijn vader knippert met zijn ogen alsof ik hem in de maling neem. Maar ik blijf herhalen dat John Lennon in zijn hart nog steeds een Ier is, ook al is zijn tweede naam Winston, naar Winston Churchill. Hij draagt de Ierse taal in zijn hart, ook al spreekt hij hem zelf niet. Maar ik slaag er niet in mijn vader te overtuigen. Ik merk dat hij boos wordt en hij beveelt me de kamer te verlaten. Dan maakt het me niet meer uit wat hij met John Lennon doet, omdat ik nu zelf ook boos ben en ik het hem alleen nog maar betaald wil zetten. Ik sta op om weg te gaan, maar wil toch nog het laatste woord hebben voordat ik de deur achter me dichtsla.

'Hij is een stuk Ierser dan Elisabeth Schwarzkopf,' zeg ik.

Ik hoor dat mijn moeder hem smeekt om het erbij te laten. Maar zijn voetstappen dreunen al over de vloer. Hij rukt de zitkamerdeur open en komt naar buiten gestrompeld met mijn moeder achter zich aan, die zegt dat Stefan heel binnenkort komt en dat we geen slechte sfeer in huis willen. Onkel Ted blijft in de zitkamer staan; hij slaat een kruis, maar het mag niet baten.

Ik vlucht de ontbijtkamer in, waar mijn zussen een jurk zitten te maken, gebogen over een groot patroon dat over de tafel ligt uitgespreid. Ita en Bríd zitten geknield op hun stoel en helpen Maria om alle stukken stof aan elkaar vast te maken. Hun hoofden zijn dicht bij elkaar alsof ze met z'n alleen één zandbruine haardos hebben. Ze kijken op en zien me rond de tafel rennen met mijn vader vlak achter me aan, hij probeert uit te halen met zijn vuist, de stukken van de jurk vliegen alle kanten op. De tafel is te groot, dus pakt hij een liniaal.

'Hier komen jij,' schreeuwt hij.

Mijn zussen laten alles vallen en vluchten naar de keuken, dus nu is er alleen nog mijn vader die me rond de tafel jaagt en mijn moeder die aan hem hangt totdat hij haar van zich af schudt.

'Stefan, Stefan,' blijft ze maar zeggen.

Mijn vader zet zijn bril af en staart me over de tafel heen aan. Links of rechts. Waar zou hij nu heen gaan, vraag ik me af. Een spelletje dat wel vaker gespeeld wordt, maar nu is het menens. Mijn moeder duikt naar de schaar om hem weg te grissen. Mijn vader is buiten adem en ik heb medelijden met hem omdat ik jonger en sneller ben. Ik vind dat ik me uit goedheid zou moeten overgeven zodat hij me kan pakken en het allemaal voorbij zal zijn, maar dan besluit hij de tafel naar me toe te duwen en me klem te zetten in de hoek. Hij kruipt over de jurk die aan stukken ligt en probeert me met zijn hand te grijpen, dus het enige wat ik kan doen is onder de tafel door glippen, langs mijn moeder de trap op schieten en mezelf opsluiten in de badkamer.

Even later komt mijn vader naar boven; hij bonst met zijn vuist op de deur, maar dat heeft geen nut en uiteindelijk slaagt mijn moeder erin hem weer naar beneden te krijgen. Ze doet de deur van de voorkamer dicht, en opnieuw bespreken ze alles rationeel. Door de spijlen van de trap hoor ik mijn zussen in de keuken fluisteren, ze proberen Ciarán vrolijk te houden. In de voorkamer gaat mijn vaders stem op en neer en ik vraag me af wat er met John Lennon gaat gebeuren. Ik hoor mijn vader zeggen dat John Lennon de laatste nagel aan de doodskist van de Ierse taal is. Mijn moeder zegt dat het maar muziek is en dat zij in Duitsland ook naar behoorlijk belachelijke popliedjes luisterde toen die nog niet verboden waren. Onkel Ted zegt dat het belangrijk is om positief te blijven, dit is geen kwestie van principes en muziek is geen gooi- en smijtspel met winnaars en verliezers. Mijn moeder zegt dat het tijd is om iets groots te doen, iets edelmoedigs, iets fantasierijks.

Ze praten lang en het lijkt er zelfs op dat ze alles vergeten zijn en in plaats daarvan over hun levens spreken en over de manier waarop de dingen niet zijn gelopen zoals ze het zich hadden voorgesteld. Misschien denken ze aan die andere keer, toen mijn vader nog jong was en van niemand goede raad wilde aannemen omdat hij vreesde dat dat zijn overtuigingen zou verslappen. Ik weet nog dat hij toen we klein waren naar de begrafenis van zijn neef Gerald ging, in Skibbereen. Van mijn moeder moesten we vaak voor Onkel Gerald bidden, die te veel dronk en te veel verhalen vertelde. We kregen niet te horen hoe hij aan zijn einde was gekomen, alleen dat het heel tragisch was. Korte tijd later ontdekten we dat hij een einde aan zijn leven had gemaakt omdat hij er nooit mee in het reine was gekomen dat zijn oudere broer voor zijn ogen was verdronken. Mijn vader wilde dat ik het als een waarschuwing zou opvatten en bang voor alcohol zou worden omdat Onkel Gerald een groot schrijver had kunnen zijn als hij zijn verhalen niet in de pubs van West Cork had verkwanseld.

Het was een van de grootste begrafenissen ooit in Skibbereen, en na afloop verzamelden alle familieleden en vrienden zich in het huis voor sandwiches, thee en whiskey. Iedereen rookte en praatte en het kleine huis was overvol, tot buiten de voordeur. Steeds weer barstten er mensen in huilen uit omdat Onkel Gerald een goed mens was geweest, die overal geliefd was, vanaf Gougane Barra en Bantry tot in Cork en Mallow aan toe. Niemand wilde geloven dat hij in zijn bloedeigen stad zelfmoord had gepleegd terwijl er toch zoveel was om voor te leven en hij een van de beste journalisten van Ierland had kunnen zijn en er bij de *Southern Star* altijd een baan voor hem beschikbaar was.

Op die begrafenis brak er ruzie uit. Toen alle mensen zich hadden verzameld, zette tante Eily koers richting mijn vader en sprak hem aan op de manier waarop hij zijn kinderen opvoedde. Ze was kapot van verdriet over haar zoon Gerald, en toch vertelde ze mijn vader dat wat hij deed niet goed was. Het was bekend geworden dat mijn vader zijn eigen kinderen niet meer toestond om Engels te spreken. Ze was nog nooit bij ons thuis geweest en had nooit een voet buiten Skibbereen gezet, maar ze had het gehoord van familieleden uit West Cork die wel bij ons op bezoek kwamen en die vertelden dat ze mijn moeder ontmoet hadden en haar taarten hadden geproefd. Ze zeiden dat we erg beleefde kinderen waren, maar dat we vol angst zaten. 'Vreesachtig' was het woord dat ze gebruikten, want altijd als ze ons iets vroegen, haalden we diep adem en durfden we nauwelijks antwoord te geven. Na de begrafenis zei tante Eily tegen mijn vader dat hij ermee moest ophouden voordat het te laat was.

'Zo zet je ze tegen je op,' zei ze.

Hij wilde niet naar haar luisteren. Hij glimlachte en zei dat binnenkort iedereen in Ierland het net zo zou doen. Hij gaf het goede voorbeeld en ons gezin was een model voor de Ierse gezinnen van de toekomst. Hij zou niet toestaan dat wie dan ook zijn missie dwarsboomde of commentaar had op de manier waarop hij zijn gezin wenste te leiden.

Ik hoor Onkel Ted vertrekken en ik weet dat ze tot een besluit zijn gekomen. Ze hebben mijn vader overgehaald om de dingen met kalmte op te lossen en ze lopen de trap op naar mijn kamer. Ik zie dat mijn vader John Lennon in zijn hand heeft en hem aan me teruggeeft als in beslag genomen speelgoed. Hij komt naast me op bed zitten, met mijn moeder naast zich, en hij houdt mijn hand vast.

'Als jij ernaar wilt luisteren,' zegt mijn vader, 'als je naar welke plaat dan ook wilt luisteren, dan moet je het gewoon aan me vragen en dan zet ik hem voor je op.'

Hij begint niet over het feit dat ik als een dief in zijn hifimeubel ben ingebroken. Daar zwijgt hij over. Hij glimlacht, probeert zijn woede van zich af te zetten.

'Ik meen het,' zegt hij, en ik weet dat dit een groots gebaar van hem is. 'Wanneer je maar wilt.'

Dan biecht hij me iets op. Hij vertelt over de bruiloft in Skibbereen waar hij een paar weken geleden naartoe is gegaan. Samen met Onkel Ted is hij met de auto naar de bruiloft van Eleanor en John gereden. Hij vertelt dat tante Eily er ook was, hoewel ze nu heel oud is. Aan haar gezicht en haar trage passen kon hij afmeten hoeveel tijd er was verstreken, alsof de toekomst plotseling op ze af kwam stormen. Naderhand, op de receptie, ging iedereen zingen en verhalen vertellen, maar deze keer was het mijn vader die tranen in zijn ogen had omdat hij naast tante Eily zat en haar vertelde dat hij naar haar had moeten luisteren, lang geleden, toen het nog kon.

'Ik ben bang dat u gelijk had,' zei hij tegen haar. 'Ik heb ze tegen me opgezet.'

Mijn vader zelf vertelt me dit. Hij geeft toe dat hij het bij het verkeerde eind heeft gehad. Ik wil de kamer uit rennen omdat ik de gedachte aan hem als een kleine jongen met tante Eily's armen om zich heen niet kan verdragen. Er staan tranen in zijn ogen en hij zegt dat hij hoopt dat we nog tijd hebben om vrienden te worden. Hij is bang dat ik een dezer dagen uit huis ga om nooit meer terug te komen.

Ik wil grootmoedig zijn. Ik wil zeggen dat hij zich niet verraden hoeft te voelen, dat het Ierse volk nog even Iers is als altijd, ook al spreekt iedereen nu Engels. Het betekent alleen dat ze hebben leren acteren. Dat ze zich gemakkelijk nieuwe rollen en nieuwe talen hebben aangemeten, omdat ze ergens langs het pad van de Ierse geschiedenis hebben geleerd om iemand anders te worden. Ik wil hem vertellen dat mensen als John Lennon en Ernest Hemingway en Franz Kafka nu allemaal in hetzelfde land wonen. Het land waar ik ook deel van uitmaak, een land dat geen vlag heeft. Ik wil hem vertellen dat hij zich nergens druk over hoeft te maken en dat muziek geen oorlog is, maar ik weet niet hoe ik dat moet uitleggen en ik weet niet of het iets betekent. Ik weet niet eens of ik het zelf wel geloof.

Toen ik er op een dag met Dan Turley op uit was met de boot, gebeurde er iets waardoor ik ging denken dat niets nog normaal was. We voeren terug langs het eiland toen ik opeens weer zo'n schreeuw hoorde. Op het eiland stond een man met een fles in zijn hand met zijn vuist te schudden.

'KLOOTZAK!' hoorde ik hem schreeuwen.

Het moet dezelfde man geweest zijn die Dans naam vanaf de top van de klif had geroepen. Ik merkte dat er iets met die man was wat Dan nog stiller dan anders maakte. De man op het eiland reduceerde zijn naam tot een grap, tot een onbetekenende visser. Dan wilde dat hij wegging, dat hij zou verdrinken en verdwijnen. Ik zag dat hij zijn ogen samenkneep en zich voorstelde hoe die man als een dode zeehond op de rotsen van het eiland aanspoelde, met beetsporen in zijn huid en grote zwarte gaten waar zijn ogen hadden gezeten.

Soms droegen stemmen heel ver over het water, afhankelijk van de windrichting en de richting van de golven. Als het rustig en windstil is, draagt geluid zo ver dat je denkt dat de hele baai één grote kamer is waarin je iemand die fluistert mijlenver kunt horen. Maar deze keer droeg de stem van de man niet zo heel ver en konden we hem nauwelijks horen. Het leek of hij geen stem had, hoewel hij zijn vuist in de lucht had gestoken en ik hem over het water tegen ons tekeer zag gaan. Af en toe blies de wind een paar woorden naar ons toe en vaagde ze dan weer weg.

'Buffels,' was alles wat ik kon verstaan. 'Roomse buffels.'

Het was een vloek uit het noorden die je de laatste tijd op de radio wel vaker hoorde. Ik probeerde me voor te stellen wat er zou gebeuren als deze twee mannen tegenover elkaar zouden staan, wat ze elkaar dan zouden aandoen. Dit keer keek Dan terug, alsof het een of andere dronken gek was die op het eiland woonde en van wie je maar het beste zo min mogelijk notie kon nemen. Ik zag de vingerhoedsvorm van de Martellotoren en het wilde gras dat als groene tweed over het eiland lag gedrapeerd. De zeemeeuwen wachtten stilletjes totdat er iets gebeurde. Een aalscholver op een rots spreidde zijn zwarte, olieachtige vleugels uit om ze te drogen. Ik vroeg me af waar de eilandgeiten gebleven waren en waar ze zich op zo'n open plek mogelijkerwijs konden verstoppen. Ik zag de zwarte rand van het getij langs de hele omtrek van het eiland en ik begon te fantaseren dat er ook op de lippen van die man een zwarte rand van het drinken en het schreeuwen zat.

Ik zag hem naderbij komen, hij strompelde, stapte over de rotsen alsof hij over het water liep en Dan eigenhandig kwam vermoorden. Hij begon naar ons te zwaaien, hield de fles bij zijn kruis. En nog altijd ploegde Dan door, zonder een woord, hij voer langs hem heen zonder hem te zien of hem boven het geluid van de motor uit te horen. De boot stuiterde over de golven, sneed door het water en doorkliefde het witte schuim. Dan keek om alsof hij de man van het eiland en uit het leven kon kijken. Daar stond hij, hij hield zich met de fles in zijn hand in evenwicht op de rots en hij schreeuwde, maar hij kon ons met zijn woede niet bereiken. Hij mikte en de fles sloeg kapot op de rand van het eiland, met een piepklein geluidje, als een munt of een koperen knoop die op de grond valt.

We voeren door in de richting van de haven en belandden midden in een wolk. Het begon hevig te regenen en mijn knieën werden nat. Achter ons lag het eiland nog in de zon, het gras stak lichtgevend groen af tegen de donkerblauwe wolken. We wisten dat de regen het eiland snel zou bereiken en dan zouden we allemaal doornat worden. We voeren door terwijl de regen op het water afketste en Dan omkeek naar het eiland totdat het uit het zicht verdween.

Acht

Het eerste wat ons aan Stefan opviel was dat hij geen taart at. Nog nooit had iemand mijn moeders bakkunsten afgeslagen. Misschien had hij belangrijker zaken aan zijn hoofd en was hij niet naar Ierland gekomen om taart te eten, maar toch was het moeilijk je in te denken dat iemand bij zijn volle verstand zijn ogen kon afhouden van de mokkataart die ze speciaal voor zijn komst had gemaakt. De bovenkant was versierd in partjes, als driehoekige velden die van elkaar gescheiden werden met kleine, kronkelende muurtjes mokkaroom die mijn moeder uit haar roestvrijstalen slagroomspuit had geperst, met in het midden van elk een hooiberg. Deze taart maakte ze alleen voor bijzondere gelegenheden, als we gasten kregen of er een verjaardag te vieren viel, dus hij stond te pronken op het tafeltje en iedereen liep er nu en dan naartoe om zich ervan te verzekeren dat hij niet in rook was opgegaan.

We keken naar Stefan alsof we aan de rand van de wereld woonden en hij de eerste bezoeker van elders was in duizend jaar. We waren als de leden van een familie die door een grote afstand van elkaar gescheiden waren, alsof we op een eiland woonden dat zo ver weg lag dat het hem jaren had gekost om hier te komen. We keken hoe hij kauwde. Hoe hij glimlachte. We luisterden naar elk woord dat hij zei. Hij sprak Duits, net als wij, maar het was zo ongebruikelijk om iemand anders dan onszelf aan deze tafel te zien zitten dat we ons allemaal voelden alsof we in de tijd waren achtergebleven. Stefan zat op Franz' plek aan tafel, dus moest iedereen een plaats opschuiven om ruimte te maken, alsof hij een oudere broer was die vermist was geweest en nu eindelijk en voorgoed was teruggekeerd. Maria had haar nieuwe zelfgemaakte jurk aan, met een patroon van vonken en sterren in verschillende kleuren, en bij het minste grapje dat Stefan maakte, begonnen al mijn zussen te lachen totdat de tranen in hun ogen stonden. Ciarán onderzocht Stefans knokige wangen en mijn moeder stelde allerlei vragen, ze zei dat Stefan zo lang was als Ulrich, zijn vader, maar dat hij de ogen en glimlach had van zijn moeder Käthe. Stefan legde uit dat hij medicijnen studeerde maar dat hij even vrijaf had genomen om Ierland te bekijken voordat het te laat was.

Toen het grote moment aanbrak dat mijn moeder de taart aansneed en het eerste stuk met de zilveren taartschep op een bordje legde, heel voorzichtig zodat het niet op zijn kant viel, schudde Stefan zijn hoofd en gaf het bordje terug.

'Nee, dank u,' zei hij met een glimlach. 'Ik hoef niet.'

'Geen taart?' zei mijn moeder, duidelijk verrast.

Ze vroeg het niet nog eens en dwong hem niet, wat ze wel gedaan zou hebben als ze Iers was geweest. In plaats daarvan bood ze hem Florentines en biscuitjes aan, maar opnieuw schudde hij van nee. Toen gaf ze ons allemaal een stuk taart en wij keken naar de bordjes die voor ons stonden alsof we een rare gewoonte hadden in dit huis, iets ouderwets dat andere mensen al jaren niet meer deden, zoals Duits praten of Iers praten. Ook ik verloor mijn interesse voor de taart en mijn moeder dacht dat er iets verschrikkelijks gebeurde, want ik was degene die altijd om een tweede stuk vroeg terwijl ik nu het eerste niet eens op kreeg.

Toen de tafel was afgeruimd, ontvouwde mijn vader een kaart; hij wees alle belangrijke plekken in Ierland aan en vertelde Stefan over de Ierse geschiedenis, liet hem foto's zien van Robert Emmet in Thomas Street en plaatjes van het brandende hoofdpostkantoor, en zei dat hij hem met de auto een paar van die plekken zou laten zien. Stefan luisterde aandachtig en ik zag hoe opgewonden mijn moeder en vader waren nu ze over Ierland spraken. Zij vertelde hoe het was toen ze hier voor het eerst was aangekomen en in haar eentje naar Lough Derg was gefietst. Mijn vader vertelde over Connemara en alle andere plekken die je moest zien om ze te geloven. Het was bijna alsof ze meer tegen elkaar dan tegen Stefan spraken, alsof ze elkaar ervan moesten overtuigen dat al die prachtige plaatsen nog steeds echt bestonden, en niet alleen in hun geheugen. Ze haalden oude foto's en briefkaarten tevoorschijn en spoorden Stefan aan om zo snel mogelijk op rondreis te gaan, voordat alles was verdwenen.

Met al dat gepraat over Ierland stelden ze het moment uit waarop ze over het antieke Duitse boek moesten beginnen, het gekoesterde geschenk uit de tijd van Gutenberg dat Stefan terug kwam halen. Mijn moeder glimlachte voortdurend en praatte heel vriendelijk, zodat hij zich toch vooral welkom zou voelen, maar ik zag dat ze vanbinnen ongerust was en misschien ook wel een beetje boos of teleurgesteld omdat niemand meer wist wat ze voor hen had gedaan. Later, in de keuken, toen mijn vader Stefan mee naar de voorkamer had genomen om hem nog meer boeken over Ierse legendes te laten zien, keek mijn moeder naar de overgebleven taart alsof er iets verkeerd mee was.

'Zo is het niet altijd geweest in Duitsland,' zei ze.

Toen de oorlog voorbij was, reisde mijn moeder met de trein naar Mainz in de hoop op een baan bij de Amerikanen. Net als iedereen moest ze een formulier invullen, '*Fragebogen*' genaamd, waarin je moest vermelden van welke organisaties je lid was geweest en wat je in de oorlog had gedaan.

Ze was nooit lid geweest van de partij. Ze was opgeroepen voor de Wehrmacht, maar ze wilde niet vertellen dat ze in de laatste oorlogswinter opgepakt was als deserteur, omdat ze dacht dat dat tegen haar kon werken.

Haar dossier was in orde, en dus lukte het haar om werk te krijgen bij een Amerikaanse officier en zijn familie in Wiesbaden. Iedereen zei dat ze veel geluk had, dat ze in een prachtig huis op de heuvel mocht wonen om op drie kleine Amerikaanse kinderen te passen, met heel veel voedsel in een tijd dat niemand in Duitsland iets te eten had. Mijn moeder wilde haar geluk delen en smokkelde iedere avond eten het huis uit. Als de kinderen sliepen en ze vrij was, pakte ze de trein naar Rüsselsheim, naar haar zus Elfriede en haar gezin. Mijn moeder zegt dat de twee zoons Bernd en Rheinhold grijze tanden hadden toen ze voor het eerst bij ze kwam, en dat de echtgenoot Adam zo dun was toen hij uit gevangenschap terugkwam dat hij ziek werd als hij ook maar een kruimeltje at, echt meteen ziek werd en moest gaan liggen. Rüsselsheim is bekend vanwege de grote Opelfabrieken waar Onkel Adam nu werkt. En ook vanwege het feit dat de bevolking zo boos was toen de Amerikanen de stad in de oorlog bombardeerden, dat zich op een dag een grote menigte in de straten vormde om een paar Amerikaanse piloten te vermoorden die in de buurt gevangen waren genomen. Na de oorlog veranderde alles en waren de mensen de Amerikanen dankbaar voor hun redding. De Amerikanen bombarderen de steden niet meer met springstof maar met rozijnen, zeiden ze. Mainz was zwaar beschadigd, en mijn moeder herinnert zich de mensen die de bakstenen uit het puin haalden en ze opstapelden voor hergebruik. Ze herinnert zich de mensen die in de velden op aardappeljacht gingen; ze zochten of ze nog iets konden vinden dat de boeren over het hoofd hadden gezien. Ze zegt dat er een tijdlang hongersnood in Duitsland was.

Het terrein rond het huis in Wiesbaden waar de Amerikaanse officier met zijn familie woonde, werd bewaakt door soldaten en patrouilles met jeeps. Iedere keer als mijn moeder van de heuvel naar de poort liep, werd haar tas doorzocht, en dus verborg ze het eten in haar kleren. Ze vervoerde stukjes kaas en vlees onder haar vest. Soms hing ze een pakketje brood en een restje vet in een stukje kaasdoek onder haar arm en passeerde de controlepost in de wetenschap dat ze, als ze betrapt werd, haar baan zou verliezen en niets meer zou hebben.

Op een dag had ze twee stukken zeep in haar kousen verstopt, aan de achterkant van haar benen. Ze moest voorzichtig lopen om te voorkomen dat de soldaten iets zouden merken. Toen ze de controlepost passeerde, glimlachten de soldaten en probeerden een gesprek met haar aan te knopen. Ze wist dat ze altijd naar haar benen keken als ze verder naar beneden liep. Ze probeerde zo elegant mogelijk te lopen, maar toen begonnen de stukken zeep in haar kousen naar beneden te glijden en de soldaten moeten wel gedacht hebben dat Duitse vrouwen wel een heel aparte manier hadden om een heuvel af te lopen. Het lukte haar niet om de zeep met haar handen tegen te houden. Ieder moment zouden de soldaten twee bobbels langs haar enkels kunnen zien glijden, en daarom zette ze haar voet op een hek en begon haar kousen op te hijsen, een voor een, alsof ze het speciaal voor hen deed. Mijn moeder zegt dat ze zich van alles onder haar jurk moeten hebben voorgesteld, behalve zeep. Toen liep ze weg, de hoek om, uit het zicht. Sindsdien waren de soldaten heel aardig tegen haar en lieten haar zelfs langs zonder haar tas te doorzoeken. Iedere dag werd er meer voedsel bij het huis bezorgd en iedere dag verdween er ook meer naar buiten om de bevolking van Mainz te voeden.

Op een gegeven moment, toen de officier met zijn familie

naar Amerika ging voor de zomervakantie, lieten de wachtposten het zelfs toe dat ze mensen mee naar het huis nam om haar te helpen opruimen. Er was meer dan genoeg voedsel voor de drie weken, en dus nodigde mijn moeder iedereen die ze kende in Wiesbaden uit alsof het haar huis was. Ze overnachtten er en sliepen in de grote bedden. En toen het voedsel op begon te raken, besloot ze alles wat er nog was te gebruiken voor een groot feest. Stefans vader en moeder kwamen. Tante Elfriede en Onkel Adam waren er ook. Ze gingen van kamer naar kamer en leefden één avond lang alsof ze rijke Amerikanen waren, ze droegen de pakken en jurken van de officier en zijn vrouw, bekeken zichzelf in de spiegel en hielden een modeshow. Ze staken kaarsen aan en dineerden groots in de eetkamer, met Cubaanse sigaren en Franse cognac. Ze draaiden swingmuziek en dansten door de woonkamer. Ze spraken zelfs Engels met elkaar, vertelde mijn moeder, en moesten zo hard lachen dat ze zich geregeld aan de meubels moesten vasthouden. Maar toen kwam er plotseling een einde aan het feest en raakte het huis in rep en roer, want de familie kwam eerder terug. Ze telefoneerden vanaf het station in Wiesbaden met het bericht dat ze onderweg waren.

De feestvreugde sloeg om in paniek. Ze zetten de muziek af en renden naar boven om alle kleren terug in de kast te hangen. Er heerste zoveel verwarring dat mijn moeder in het trapportaal frontaal met haar hoofd tegen haar zus opbotste, en zelfs toen moesten ze zich nog aan de trapleuning vastklampen van de slappe lach voordat ze zich opeens weer realiseerden dat ze diep in de problemen zaten. Onkel Adam liep rond en zette alle ramen in huis open. De anderen brachten rennend spullen van de eetkamer naar de keuken. Mijn moeder zegt dat ze nog nooit zo snel had zien afwassen. Op het laatste ogenblik vluchtten al haar geheime gasten door de zijdeur en had mijn moeder nog maar tien minuten om het huis door te lopen en alle ramen weer te sluiten voordat het gezin in hun grote Amerikaanse auto voor de deur stopte.

Ze snapt niet hoe het kon dat ze niet merkten dat er een feest was geweest. Ze moeten gedacht hebben dat mijn moeder in haar eentje sigaren had zitten roken om de atmosfeer in huis op peil te houden. Alles stond op zijn plaats, maar er was geen kruimeltje voedsel meer over en de vrouw van de officier zei dat het kennelijk hoog tijd was dat ze terugkwamen. Mijn moeder verwachtte moeilijkheden, maar de Amerikanen waren zo vriendelijk dat ze mijn moeder toen ze uiteindelijk uit Duitsland vertrokken smeekten om met hen mee te gaan en bij hen in het grote huis in Vermont te komen wonen. Ze zouden haar naar de universiteit sturen. Ze gaven haar bedenktijd, maar zij besloot om bij haar familie te blijven. Ze lieten hun adres in Vermont achter en zeiden dat ze haar als ze ooit van gedachten veranderde een ticket en een visum zouden bezorgen zodat ze in Amerika opnieuw kon beginnen.

Ze zou er een goed leven hebben gehad. Amerikanen zijn net Duitsers, zegt ze. Maar dan zou ze nooit in Ierland zijn beland. Mijn vader zou een Amerikaan geweest zijn en wij hadden nooit Iers hoeven leren. We zouden sproetenkoppen zijn, maar we zouden nooit Duits hebben gesproken omdat niemand in die tijd Duits wilde zijn en niemand op straat Duits wilde horen. Soms bedenk ik hoe anders ons leven geweest zou zijn met een andere vader, een Amerikaanse vader of een Ier die Engels met ons sprak. Mijn moeder fantaseert over hoe het eruit zou hebben gezien, dat andere leven zonder mijn vader, maar ze zegt dat je niet te veel spijt moet hebben omdat je dan terugreist in de tijd en niet meer vooruitkomt.

De mensen in Mainz waren nooit vergeten hoe mijn moeder alles op het spel had gezet om hun in de oorlog en tijdens de hongerjaren voedsel te blijven bezorgen. Toen ze uiteindelijk besloot om naar Ierland te vertrekken, wilden de ouders van haar schoolvriendin Käthe haar een cadeau geven. Ze hadden geen geld en ze bezaten niets dat je op de zwarte markt kon verkopen. Mijn moeder wilde niet betaald worden voor de hulp die ze gegeven had, maar de familie van Oom Ulrich was zo dankbaar dat ze besloten haar een antiek boek te geven dat al eeuwenlang in hun bezit was.

Het had geen waarde. Je kon het niet verkopen, in die tijd zou je er nog niet eens een brood voor hebben gekregen. Ze wisten dat mijn moeder van boeken hield en dat het bij haar in goede handen zou zijn. Mijn moeder vond het een te kostbaar bezit, maar ze dwongen haar om het aan te nemen in ruil voor al haar goedheid.

Ik heb haar het boek in de hand zien houden en ik heb haar erdoorheen zien bladeren alsof het al niet meer van haar was. Ik heb haar zien huilen, misschien niet eens omdat ze dat boek kwijt ging raken, maar omdat wat ze toen in Wiesbaden gedaan heeft kennelijk geen waarde meer had. Misschien was ze wel zo geschokt dat haar taart werd afgeslagen omdat ze zich de tijd herinnert dat mensen omkwamen van de honger en alles zouden geven voor een stuk van die taart. Het was moeilijk om je voor te stellen dat er tegenwoordig zoveel taart was dat mensen het gewoon af konden slaan. Moeilijk om je voor te stellen dat er een tijd was geweest dat een stuk taart waardevoller was dan een boek uit de tijd van Gutenberg. Ze zou het nooit, maar dan ook nooit verkopen om eraan te verdienen. Het was een van de eerste gedrukte boeken ter wereld, maar dat was niet hetzelfde als de gedachte dat je er van de ene op de andere dag rijk van kon worden. Als mijn moeder het over rijkdom heeft, heeft ze het nooit over geld of huizen en auto's, maar altijd over kinderen en fantasie, over luisteren naar muziek en kostbare boeken in je hand houden.

Zal ze het teruggeven of niet? Het ene moment is ze strijdbaar en zegt ze dat ze er nooit afstand van zal doen. Ze wil weten met welk recht ze zoiets van haar vragen, of zelfs maar durven beweren dat ze het alleen maar voor hen in bewaring hield in Ierland. Maar ze vindt ook dat ze niet het recht heeft om het te houden. Ze heeft alleen maar mensen geholpen en dat is niet iets waarvoor je betaald moet worden. Ze had er andere beloningen voor gekregen en ze zou het zo weer doen, voor niets. Maar nu sluit ze haar ogen, alsof de herinnering geen waarde meer heeft, alsof iets wat in haar eigen hoofd nog maar heel kort geleden heeft plaatsgevonden, plotseling weg is. Je zou haast denken dat het nooit is gebeurd. Misschien is het boek van zichzelf zo waardevol geworden dat het alle herinneringen heeft uitgewist, al het gelach, alle vreugde over het feit dat ze de oorlog hadden overleefd, alle onschuld van die unieke vriendschap.

Ze heeft erover gedacht het te verstoppen. Het bij de bank in een kluis te leggen. Maar uiteindelijk legt ze het altijd terug in die eikenhouten kist met het zware deksel om het verleden niet te laten ontsnappen.

Ik hoorde mijn vader 's avonds laat met haar praten, hij zegt dat hij niemand ooit zal toestaan het van haar af te nemen omdat het inmiddels ook voor hem heel veel betekent. Het was een van de eerste dingen die ze hem liet zien toen ze elkaar na de oorlog in Dublin ontmoetten. Hij kon haar alles laten zien, er waren allerlei plaatsen waar hij haar mee naartoe kon nemen, de kathedraal van Saint Patrick bijvoorbeeld. Zij had verhalen over Duitsland voor hem en hij had toespraken over Ierland, maar dit boek was het eerste wat mijn moeder hem echt kon laten zien. Hij weet nog dat hij erdoorheen bladerde, in de wetenschap dat hij iets vasthield dat haar zeer na stond. Het was een teken dat ze hem vertrouwde. Hij zei dat het iets weg had van de oude boeken die door Ierse monniken getranscribeerd werden en hij prees de Duitsers voor de uitvinding van de boekdrukkunst. Het was naast haar kleren haar enige bezit, iets wat ze nog nooit iemand vast had laten houden. Het was het begin van hun geluk. Het was het begin van dit Iers-Duitse gezin en van alle verhalen die we onderweg hebben bedacht. Hoe zou ze dat ooit terug kunnen geven?

Negen

Mijn vader is toeristengids van Ierland geworden. Dit is zijn land en vol trots neemt hij een paar dagen vrij om Stefan de belangrijkste dingen uit de Ierse geschiedenis te laten zien. Hij is een uiterst behoedzame automobilist, hij houdt zijn beide handen aan het stuur en als hij iets uit moet leggen wat je niet onder het rijden kunt vertellen, stopt hij. Hij neemt ons mee naar Kilmainham Jail. We stoppen bij het hoofdpostkantoor aan O'Connell Street. We rijden naar Glendalough om de ronde toren te bekijken. We staan op het strand en gooien stenen en duwen de golven weg, alsof we hier uit Duitsland op vakantie zijn gekomen en we al heel lang niet zo'n weidsheid en ruimte hebben gezien. We zien weer schapen en vinden het geweldig. We rijden de bergen in met alle ramen open en voelen ons alsof het landschap, de leegte van het landschap, ons optilt. We stoppen om te lunchen en mijn moeder haalt de mand met pakjes boterhammen tevoorschijn. Ze probeert er nog steeds achter te komen wat Stefan lekker vindt in plaats van taart, maar het blijft een raadsel voor haar. We zitten in een weiland op een kleed op het gras en iedereen lacht als Bríd zijwaarts kauwt als een schaap. We maken een wandeling met een grasspriet tussen onze tanden en onthoofden wilde bloemen. Mijn vader is er niet de man naar om een grasspriet in zijn mond te steken. Zelfs met zijn overhemd open ziet hij eruit alsof hij aan iets denkt dat nog dient te gebeuren om van Ierland een betere plek te maken, om ervoor te zorgen dat dit landschap niet verdwijnt. We klimmen tot halverwege de top van een berg en kijken om naar de kleine, grijze Opel Kadett die als een speelgoedautootje langs de weg staat geparkeerd. We zien de huizen en de kleine Ierse mensjes die onder ons de akkers bewerken. Mijn vader strekt zijn arm uit en zegt dat Stefan met open ogen naar het landschap moet kijken, omdat er dingen zijn die je alleen in de Ierse taal kunt zien.

'In het Engels kun je niet verder kijken dan de horizon,' zegt hij.

Op de terugweg gaat hij op zoek naar het Echohek; lange tijd rijden we landweggetjes af en zeggen we dat het toch onmogelijk verdwenen kan zijn. Mijn moeder wijst allerlei hekken aan en zegt dat hij moet stoppen zodat we eroverheen kunnen schreeuwen om te horen of er iets terugkomt, maar hij rijdt door met een vastberaden uitdrukking op zijn gezicht, totdat hij eindelijk de juiste plek heeft gevonden en we allemaal over het hek in de richting van de kloosterruïne staan te roepen. De echo is heel helder. We tellen hoeveel seconden het duurt voordat een woord terugkomt. We roepen in het Duits, terwijl de zon ondergaat en de koeien omhoogkijken en zich afvragen wat we zeggen. Iedere keer een perfecte echo, alsof de velden onze taal spreken. Een hele familie die opgewonden terug roept, alsof ze hier eeuwen op gewacht hebben en dit de eerste keer is dat er iemand bij het hek staat die ze verstaat. Onze stemmen zijn tevoorschijn gekomen van onder de bemoste stenen en roepen terug in de hoop dat we niet meer weggaan.

'Hoe gaat het met jullie allemaal daar en hoe wisten jullie dat we zouden komen?' roept mijn vader in het Iers. Als de echo terugkomt zegt mijn moeder dat de echo duidelijk Iers is: wie anders zou een vraag met een wedervraag beantwoorden? De lucht verandert in stroken geel en paars en diepgrijs. We zien de donkere omtrek van de ruïne versmelten met de grond. Stefan blaft als een hond. Ciarán klimt op het hek en Maria staat naast hem en zingt een toonladder die zich scherp aftekent tegen de lucht – we lijken wel een gezin dat zichzelf uitlacht in een spiegel. Ook als we weer in de auto zitten en wegrijden, hoor je de stem van mijn moeder nog bij de ruïnes lachen, zelfs als het al donker is geworden.

Als we weer thuis zijn, maakt mijn vader aantekeningen over de tocht, hoeveel kilometers we hebben gereden en hoeveel benzine we hebben verbruikt. Mijn vader is niet zo iemand die zijn auto elk weekend wast, maar wel iemand die in een klein notitieboekje alle details noteert en zoveel mogelijk kilometers uit een liter probeert te halen. Hij controleert de bandenspanning voor en na ieder tochtje, en als we terugkomen van de lange rit naar het Echohek laat hij de lucht weglopen en vervangt hem door verse lucht, totdat Stefan hem uiterst beleefd uitlegt dat dat nergens toe dient en dat het bij banden niet om de kwaliteit van de lucht gaat. Stefan kan dingen tegen mijn vader zeggen die wij niet zouden durven zeggen, want van zijn eigen gezin kan mijn vader geen kritiek verdragen.

Zelf word ik ook een toeristengids, en samen met Franz neem ik Stefan mee uit vissen. Stefan bereidt de makreel die we vangen volgens een grappig nieuw Iers recept dat Dan Turley hem gegeven heeft: hij grilt de vis en strooit er cornflakes overheen. Mijn moeder ontdekt eindelijk iets dat hij lekker vindt in plaats van taart en ze maakt *barm brack* voor hem. We spelen kaart en we schaken en we gaan elke dag naar het veldje om te voetballen. Stefan is zo slim met zijn voeten dat de andere jongens met ons mee gaan doen omdat je voor voetbal geen taal nodig hebt. Hij kan de bal van onder hun voeten laten verdwijnen en ze noemen hem Beckenbauer.

Dus nu staan Eichmann en Beckenbauer en Hitler samen op een veldje te voetballen totdat Stefan genoeg heeft van zijn nieuwe naam.

Ik liet hem een plek zien waar ze op een keer het lichaam van een vermoorde vrouw hadden gevonden. Ik bracht hem naar die plaats bij de boulevard waar ze het lichaam van Peggy Flynn ontdekt hadden. Het stond in alle kranten en in de winkels werd er maandenlang over gepraat. Ze zeiden dat het een veel te mooie plek was voor zoiets vreselijks en dat het er nu voor altijd anders zou zijn, alsof het landschap niet zou genezen. Ze zeiden dat het verschrikkelijk was om te bedenken hoe ze daar was gevonden, dood, met haar gezicht onder water terwijl haar haar als zeewier om haar heen dreef en er krabben en zeeluizen over haar heen kropen. Sommige mensen konden het woord moord niet eens over hun lippen krijgen en noemden het een tragedie, alsof ze haar op die manier haar waardigheid wilden teruggeven. In de zondagse mis werden er speciale gebeden gezegd. De priester sprak over een schok tot in het diepst van je hart. Het was iets on-Iers en men geloofde dat het van elders kwam, uit het buitenland, uit een plek waar geen godsdienst bestond en waar de mensen geen moreel besef hadden. Men was bezorgd omdat de moordenaar nooit gevonden was en bang van de gedachte dat het een normaal iemand kon zijn, die net als iedereen door de straten van Dublin liep.

Tot lang nadat het lichaam was weggehaald en de Gardai hun onderzoek hadden afgerond, werden de mensen weggehouden van de plaats delict. Er werd een patrouillewagen gestationeerd, met twee agenten die naar de zee keken, alsof ze verwachtten dat de dader terug zou komen om iets op te halen dat hij had achtergelaten of per ongeluk had laten vallen.

Ik wist dat ik de moordenaar was. Niet dat ik Peggy Flynn daadwerkelijk vermoord had, maar hoe kon ik met zekerheid zeggen dat ik nooit iemand zou vermoorden? Ik kon mezelf niet vertrouwen. Toen de patrouillewagen uiteindelijk van de boulevard verdween, ging ik elke dag naar die plek toe, als een dader die terugkeert naar de plaats van zijn misdrijf. Ik bleef er even staan en wist precies hoe degene die haar had vermoord zich moest voelen. Hij zou denken dat hij ermee weg was gekomen en dat hij zoals ieder ander naar die plek toe kon gaan, maar hij werd door haar geobsedeerd. Geen dag ging voorbij dat haar naam niet bij hem opkwam. Zijn daad was een rattengif dat zijn maag binnenstebuiten keerde. Ik keek uit over de rotsen waar ze was gevonden, terwijl de golven het zeewier heen en weer lieten bewegen en de meeuwen op de rotsen de wacht hielden. Ik dacht aan haar naam, Peggy Flynn. Ik hoorde haar stem in mijn hoofd, ze sprak met me en vroeg wat er aan de hand was. Ik dacht aan hoe ze eruit had gezien in haar tweedrok tot boven de knie. Ik zag haar lachen en gekke bekken trekken met haar vriendinnen. Ik zag haar uit haar werk komen en door de straten van Dublin lopen waar mijn school staat; ik zag haar op Parnell Square op de bus wachten, ze keek in haar handtas en wierp me een zijdelingse blik toe, ze gooide haar hoofd in haar nek om het haar uit haar ogen te krijgen. Steeds opnieuw gooide ze haar hoofd in haar nek en glimlachte ze naar me, totdat haar haar langzaam over haar voorhoofd viel, als het langzame doek in de bioscoop.

Mijn moeder zei dat ik ermee moest ophouden, dat ik niet meer naar die plek moest teruggaan. Ze gaf me een boek getiteld *Misdaad en straf*, en ik vroeg me af of ze dat van Onkel Ted had gekregen, want als je het uit hebt kun je nooit meer in God geloven, hoe oud je ook wordt. Het boek gaat over een student in Moskou die een oude vrouw vermoordt die in haar eentje in hetzelfde gebouw woont. Onder het lezen bedenk je hoe gemakkelijk het is om iemand van het leven te beroven. En misschien heb ik dit boek daarom gekregen, omdat ik moest beseffen dat een misdaad de rest van je leven bij je blijft, als een metgezel die nooit van je zijde wijkt.

Totdat ik dat boek las, had ik altijd gedacht dat moord verkeerd was omdat iedereen dat zei. Maar toen begon ik na te denken over hoe die moraal ooit was ontstaan, heel lang geleden toen je nog geen dingen als politie en rechtbanken en tien geboden had. Hoe waren de mensen toen tot de conclusie gekomen dat moord verkeerd was? Ze moeten hebben ontdekt dat moord onpraktisch was, omdat de slachtoffers vrienden en familie hadden die wraak kwamen nemen. Zo kreeg je tot in de eeuwigheid een cirkeltje van mensen die moorden pleegden om elkaar te straffen. Misschien is dat wel wat een geweten is, dacht ik, om je de gevolgen van je daden voor te stellen. Misschien is dat ook de reden dat er zoiets als medeleven is ontstaan, omdat de mensen bedachten wat anderen voelden en wat ze zelf zouden voelen als het hun of een naaste zou overkomen. Ik dacht aan mensen als Eichmann die helemaal geen gevoel hadden. Maar zelfs mensen zonder gevoel of geweten hebben nog een ego. Iedere misdadiger wil dat er van hem gehouden wordt en dat hij gerespecteerd wordt. Zelfs als ze geen vergeving willen, willen ze nog wel erkenning. Ze willen niet vergeten worden, want de eenzaamheid van het moordenaarsschap is ondraaglijk.

Aan het einde van het boek voel je je goed, want Raskolnikov zit op een stapel houtblokken en kijkt uit over de rivier. Het is een brede rivier, met aan de andere oever niets anders dan de lege steppe. Hij zit gevangen in Siberië en hij moet nog zeven jaar van zijn straf uitzitten, maar hij ziet dat hij aan het eind van die zeven jaar voor zijn misdaad geboet zal hebben. Hij is blij omdat hij aan de andere kant van de rivier de nomaden hoort zingen en hij bedenkt dat de tijd is verstreken en er een einde aan zijn straf is gekomen. Hij weet dat de vergeving eraan komt en dat hij binnenkort een nieuw mens zal zijn.

Mijn moeder zei dat moord een teken was van gebrek aan fantasie. In haar woorden voelde ik de herinnering aan de oorlog, de angst en de spijt. Ze vertelde dat ze een beroemde regel van een schrijver genaamd George Steiner had gelezen, die zei dat we van de geschiedenis hebben geleerd dat je een gelukkig gezinsleven kunt hebben, 's avonds naar Bach kunt luisteren en de volgende ochtend naar buiten kunt stappen en de meest verschrikkelijke wandaden van Auschwitz kunt plegen. Ze zei dat Bach niet het probleem was en ze hoopte dat ik altijd genoeg fantasie zou hebben om te bedenken hoe het voelt om in de schoenen van een ander te staan. Ze zei dat het niet moeilijk was om iemand te vermoorden. Het was omgekeerd. Het is moeilijk om iemand niet te vermoorden. En het is nog moeilijker om het na een moord weer goed te maken.

'Het moeilijkste van alles is om iemand te ont-vermoorden,' zei ze. 'Om iemand weer tot leven te wekken, heb je een enorme fantasie nodig. En zolang een dode door één iemand wordt herinnerd, is hij nog niet helemaal dood. In je geheugen kun je iemand voor altijd in leven houden.'

Toen ik Stefan de plek liet zien waar Peggy Flynn vermoord was, zei hij niet veel. Er viel ook niet veel te zeggen en hij staarde naar de rotsen zonder iets te vragen. Ik merkte dat hij de dagen daarop stiller was, en kort daarna kondigde hij aan dat hij wegging om in zijn eentje door het land te reizen. Mijn moeder was verbaasd dat hij niet over het antieke boek sprak, waar hij toch voor was gekomen. Ze wilde het niet laten rusten totdat hij terugkwam van zijn rondreis, maar toen ze erover begon, leek Stefan helemaal niet geïnteresseerd, hij had alleen maar belangstelling voor landkaarten van Ierland.

Op de dag voor zijn vertrek ging ik met hem zwemmen. Ik nam hem mee naar een geheime plek die ik enige tijd eerder had ontdekt en aan niemand in de wereld had laten zien. Boven op de heuvel, bij de rij witte huizen die uitkeken over de baai, begon een smal paadje dat naar de rotsen leidde. Het was overgroeid, maar ik zocht een stok en sloeg ons er een pad doorheen, tot we beneden kwamen, vanwaar we de hele baai konden zien en het lange zandstrand dat zich tot in de verte uitstrekte. We zagen de mensenmassa's op het strand en de trein die langs de kust reed. We zwommen vanaf de rotsen en ik zag dat Stefan een vlekje op zijn rug had, een soort moedervlek. Ik zag een dunne zwarte lijn van haargroei die bij zijn navel begon en in zijn zwembroek verdween. Hij had sterke borstspieren en kon heel goed zwemmen.

We gingen zitten op een zonnige plek waar nooit iemand kwam, de hele baai was van ons. De rotsen waren heet, net radiatoren van graniet. Ik snoof de geur op van het opgedroogde zeewier om ons heen; het rook naar soep uit een pakje. Toen ik een rotsblok opzij duwde, kwamen er allerlei zeebeestjes en springende zandvlooien tevoorschijn. Stefan gooide een paar stukjes rots weg, alleen maar om het geluid van rots op rots te horen. Het was niet nodig om te praten, maar hij vroeg me van alles over mijn vader, hij vroeg zich af waarom ik me aan zijn regels hield en waarom we nog steeds geen Engels mochten spreken. Hij wilde weten of we bij ons thuis altijd stiekem naar popmuziek op de radio moesten luisteren. Ik kon hem geen antwoord geven. Ik wist niet hoe ik over mijn vader moest praten met mensen van buiten het gezin. Andere jongens noemden hun vader 'mijn ouweheer' of 'die ouwe', maar daar hield ik niet van. Ik wist niet hoe je disloyaal moest zijn.

'Ik spreek niet meer met mijn vader,' zei Stefan.

Het klonk alsof hij mij ertoe wilde aanzetten hetzelfde te doen.

'Ik heb al een jaar niet met hem gepraat,' zei hij.

'Waarom niet?' vroeg ik.

'Hij was erbij toen er mensen werden geëxecuteerd.'

Ik vroeg waar dat was, en hij keek over het water alsof hij zich herinnerde hoe hij het met eigen ogen had gezien.

'Vrouwen. Naakte vrouwen,' zei hij. 'Hij zat in de oorlog in het oosten, in Rusland.'

Ik wist niet hoe ik hem nog meer zou kunnen vragen. Ik wilde even weggaan en terugkomen met nieuwe vragen, maar ik wist dat hij bijna weg zou gaan en dat het misschien al te laat was. Hij sprak over zijn eigen vader als over een moordenaar. Ik dacht aan mijn vader en vroeg me af of hij ook een moordenaar was, of hij in het belang van Ierland mensen zou willen vermoorden. Ik bedacht dat ik dan niet meer met hem zou praten, en dat mijn moeder me dan in het oor zou fluisteren dat ik als ik niet meer met mijn eigen vader praatte ook niet meer met mezelf kon praten.

We keken naar een klein groepje jachten die om het eiland heen voeren, ze helden allemaal dezelfde kant op. Boven, langs de rand van de klif, passeerde er zo nu en dan een trein die gehaast in de tunnel verdween, zodat het geluid plotseling gedempt werd. Meeuwen wierpen zich van de klifrand en balanceerden in de lucht. In de witte huizenrij leunde een vrouw uit een raam en keek naar de suikerbroodberg in de verte. Stefan zei dat hij zo veel mogelijk afstand tussen zichzelf en zijn vader en zijn land wilde scheppen. Ik vond het eng wat hij zei. Ik had nog nooit iemand zo openlijk over zichzelf horen praten. Hij zei dat hij een vriendinnetje had in Mainz en dat ze ontzettend mooi was. Hij zei dat hij met haar naar bed was geweest en dat hij dat nooit zou vergeten. Maar het was allemaal verkeerd, zei hij, omdat hij alle gevoel in zijn hart was verloren. Hij zei dat hij zich voelde als een moordenaar zonder gevoel. Hij was een on-dode, en daarom was hij naar Ierland gekomen, zodat hij dingen aan kon raken en weer kon ademen. We keken elkaar niet aan toen hij me dit vertelde. We bleven naar het water kijken, naar de boten en de zeemeeuwen die de boten leken te imiteren, zoals ze naar één kant overhelden en in de lucht een wedstrijdje deden.

Tien

De haven heeft de vorm van een Ierse harp, met aan de ene kant de weg die er recht langs loopt, aan de andere kant een boogvormige pier en haaks daarop, aan de bovenkant, een tweede pier bij de opening van de havenmond. De touwen waar de boten mee vastliggen aan hun ankerplaatsen zijn de snaren; soms staan ze strak, soms hangen ze los. De weg wordt omzoomd door granieten meerpalen met boogvormige kettingen. Aan de bolle kant van de harp, op de granieten pier, staan huisjes en vissershutten. De meeste loodsen zijn niet meer in handen van vissers, behalve die van Dan Turley, die het verst op de pier en het dichtst bij de havenmond staat. De onderkant van de harp is het ondiepe deel van de haven met de plek waar kleine boten te water kunnen worden gelaten, terwijl recht tegenover de loods van Dan Turley een hijskraan staat waarmee ze grote boten met riemen in het water laten zakken, waarbij je het hout kunt horen kraken onder de druk. Ze zeggen dat de haven gebouwd is rond een natuurlijke inham die, voordat de weg werd aangelegd, lange tijd in gebruik was bij smokkelaars. Zulke kleine werkhavens heb je overal langs de kust, naast grote veerhavens met twee granieten armen die de zee in steken en een vuurtoren aan weerszijden. Onze haven wordt tegenwoordig vooral gebruikt door plezierboten en vissers op makreel, kreeft en krab. Als het regent, hangen we allemaal rond in Dans loods, we roken en we praten en kijken hoe de pier wordt schoongespoeld, totdat het opklaart en je overal damp ziet opstijgen. Als de zon even doorbreekt, kun je de hitte voelen die in het graniet blijft hangen tot het al lang donker is. Soms gaat Packer naar de winkel en komt terug met een half dozijn waterijsjes om uit te delen, en iedereen lacht om de manier waarop Dan Turley het zijne eet, als een kleine jongen bijt hij een groot stuk af, dat hij vol aandacht door zijn mond laat rollen waarna hij het uiteindelijk inslikt en zijn hersens bevriezen.

Op zaterdagen lijkt het of alle boten in alle havens uitvaren. De hele baai ligt vol jachten met witte zeilen en gekleurde, uitpuilende fokken, als één grote waslijn die kriskras door de baai is gespannen. We zijn de hele middag in touw, we brengen mensen naar de ligplaatsen en sloven ons uit voor de gulste fooiengevers. Packer kent iedereen bij naam, maar hij herinnert zich hen voornamelijk vanwege een persoonskenmerk, zoals de man die praat met een diepe stem die klinkt alsof er applaus uit zijn mond komt. Dan is er de man die Packer 'De afkorter' noemt omdat hij altijd essentiële woorden vergeet en alleen 'Later!' over zijn schouder roept. Dan is er een man die Banjo heet omdat hij altijd hetzelfde liedje neuriet, namelijk '*I come from Alabama with a banjo on my knee...*' Hij laat alle varianten van dat banjoliedje uit Alabama de revue passeren, hij neuriet, fluit, blaast en puft het, soms onderdrukt hij zelfs de melodie en sist alleen de maat, omdat hij niet kan verhinderen dat het op de een of andere manier naar buiten komt. Packer zegt dat hij er vermoedelijk zelfs mee bezig is als hij thuis zit te eten, en 's avonds, als zijn vrouw en hij naar bed gaan, gaapt hij nog steeds hetzelfde rotliedje, een verschrikkelijke muzikale motore-neuronziekte.

Er is een bekende krantenjournalist met borstelige wenkbrauwen die altijd uitvaart in een klein bootje dat naar één kant overhelt. Er is een televisiepresentator die voortdurend

Iers en Engels praat, die midden in de zin van de ene naar de andere taal switcht, als een evenwichtskunstenaar die zich tussen de twee talen in balans houdt. Er is een man die met zijn vrouw uitvaart, ze dragen identieke witte Aran-truien en zwemvesten, dus Packer noemt ze 'Het ensemble'. Een dokter met een pijp die in de haven een zoete tabakslucht achterlaat en die een hele berg kinderen uit de binnenstad meebrengt. Een man die we ons herinneren omdat hij zijn motorbootje op een keer aan de buitenkant van de pier had vastgebonden en die toen hij terugkwam na een borrel in het Shangri La Hotel ontdekte dat het eb was geworden en zijn boot hoog en droog aan de touwen hing. Er zijn heel veel mensen die geen eigen bootje hebben en er daarom regelmatig een van ons nemen, zoals die man die op Henry Kissinger lijkt en een bruine huid heeft, maar niet van de zon. Zodra hij buiten gehoorsafstand is, zeggen de jongens in de haven: 'Hoe gaat het in Vietnam?' Er is een vrouw die naar het eiland gaat om er haar zangstem te oefenen en dan zingen de jongens in de haven toonladders. Er is een politieman in burger van de narcoticabrigade die eigenlijk nooit het water op gaat en meer geïnteresseerd is in het coachen van voetbalelftallen, maar hij komt hier om met Dan te praten en gebruikt allemaal stoere politiepraat, zoals 'over en uit' en 'missie volbracht'.

En dan heb je nog Tyrone, met zijn zandkleurige haar en zijn eeuwige sigaret, met in zijn ene hand een buitenboordmotor en in de andere een tas. Het lijkt of de hele haven stilvalt als hij in de buurt is en je weet dat er iets slechts staat te gebeuren. Dit is de man die naar Dan roept, de man die vanaf het eiland met een fles gooide. Deze keer loopt hij voorbij zonder iets te zeggen en nu mompelt Dan Turley achter zijn rug.

'Daar gaat hij,' zegt Dan zachtjes. 'Die dappere Tyrone.

Onthou goed hoe hij eruitziet, jongens.'

Packer zegt dat je de rancune kunt ruiken op de pier, als oud visaas, overdekt met bromvliegen, in de zon. Hij zegt dat Dan een katholiek uit Derry is en Tyrone een protestant uit Belfast, dus hier hebben we de *Troubles* in miniatuur, vlak voor onze neus. Tyrone draait zich om en werpt Dan een vuile blik toe. Hij mompelt iets terug, misschien iets met het woord 'verdrinken' erin, of misschien komt het gewoon door de manier waarop wij het horen dat alles in een vloek verandert. Hij loopt weg en Dan stapt de pier op om achter zijn rug een zwijgende Ierse dans te doen. En dan lachen we allemaal, omdat de havenjongens Dans woorden herhalen totdat ze schudden van het lachen. We maken deel uit van het winnende team, en nu moet Tyrone de treden aflopen naar zijn boot met achter zich de lachende haven.

Iedereen is op het water, om te vissen, te zeilen of zomaar wat rond te dobberen, en Packer en ik patrouilleren door de baai om erop toe te zien dat geen van onze boten in moeilijkheden komt. We vergeten de periode toen onze vriendschap kapot dreigde te gaan en Packer niet met me wilde praten. Dat is nu allemaal voorbij en hij zegt dat we iets groots gaan doen om die tijd in te halen.

Het begon allemaal toen ik op school met Packer bevriend raakte. Op een dag gingen we op weg naar huis naar binnen bij een speelhal in O'Connell Street om er ons geluk op de fruitautomaten te beproeven. We konden niet verliezen. We waren de absolute winnaars sinds het begin der tijden, en we stopten steeds meer van Packers geld in de machines. Als we geluk hadden lachten we, en als we verloren lachten we nog harder. We konden de jaloezie van degenen die op die dag niet met ons mee waren gegaan al voelen, want de machines bleven maar penny's uitspugen. Het maakte niet uit welke machine we probeerden, de symbolen sprongen voor ons in de rij. Drie citroenen, drie bars, we bleven maar winnen, totdat we op zeker moment zelfs de grote jackpot wonnen. Ster-ster-ster, met z'n drieën op een rij. Belgerinkel en een waterval van penny's in de opvangbak. De vrouwen aan de andere eenarmige bandieten keken om zich heen en vroegen zich af waarom ze achter de verkeerde machine zaten. Het leek of Packer al het geluk van de wereld had.

Toen kwam de manager aangerend en een van de vrouwen zei dat het háár machine was, dat ze er de hele dag achter had gezeten en er een heel pakje sigaretten achter had opgerookt. Die jackpot behoorde haar toe.

'Zo is het toch, Mary?' vroeg ze terwijl ze zich naar een vriendin wendde. Ze zei dat dat haar geld was in die machine en dat wij nu kwamen aanwandelen alsof het niets was en het doodleuk van haar stalen. Struikrovers, noemde ze ons. En dus gooide de manager ons eruit omdat we te jong waren. Packer ging met hem in discussie, maar we konden er niets aan doen. Hij weigerde ons het geld te geven dat we eerlijk gewonnen hadden en duwde ons simpelweg naar de deur, terwijl de vrouwen ons van achter hun machines aanstaarden. Sommigen van hen hadden een sigaret aan hun lip hangen en as op hun kleren. Sommigen hadden kleine plastic emmertjes vol penny's tussen hun knieën en anderen bleven zonder te kijken penny's in de gleuf stoppen en aan de hefboom trekken, alsof ze niet konden stoppen. Bij de deur draaide Packer zich om en staarde een ogenblik naar ze terug.

'Veil en vunzig,' zei hij langzaam en triomfantelijk.

Het deerde ze niet. Ik begon te lachen en de manager duwde me naar buiten. We struikelden voorover, de menigte in die langsliep over de stoep.

'Laat je hier nooit meer zien, verdomme!' schreeuwde de manager, en de mensen op de stoep weken uiteen en vroegen zich af wat voor tuig we waren. Packer zei dat hij nog nooit zoiets oneerlijks had meegemaakt. We konden er niets aan doen, er was niemand om bij te klagen, dus namen we zelf wraak op de wereld: we vielen mensen lastig en kwamen laat thuis, we deden de treindeur op slot als er iemand wilde instappen, we schreeuwden naar de stationschef en zorgden voor heel veel overlast, totdat de school klachten begon te krijgen.

Mijn moeder was bang dat ik een meeloper werd. Straks werd ik nog een *Mitläufer* van Hitler en dan zou alles weer opnieuw beginnen, alles wat de Duitsers van de nazi's hadden moeten verduren. Ze wilde dat ik voor mezelf dacht, dat ik opviel in de menigte, dat ik niet zoals iedereen was en niet achter Packer aan rende. Mijn vader zei dat ik gehersenspoeld was. Er volgden allerlei praatjes over indoctrinatie en slechte invloeden. In de Sovjet-Unie werden heel veel mensen gehersenspoeld, zoals de nazi's eerder ook hadden gehersenspoeld. Nu werd er gehersenspoeld in alle biljartzalen en koffiehuizen en speelhallen van Dublin. Plekken zoals Murray's platenzaak in de kelder, Club Caroline en Club Secret werden beroemd omdat jonge mensen er verlamd werden door alcohol en drugs. Ze werden gehypnotiseerd en konden niet meer zelf denken. Ze dansten als marionetten op de muziek, zonder zeggenschap over hun armen en benen. Onkel Ted moest langskomen en we zaten zwijgend bij elkaar in de voorkamer. Na een hele tijd vertelde hij dat hij een boek had gelezen over mensenmenigtes en macht, waarin werd beschreven hoe iedereen geobsedeerd was door privacy en er alles aan deed om te zorgen dat anderen niet te dichtbij kwamen. Mensen zagen elkaar als een bedreiging – als ze niet in een menigte waren tenminste, want dan voelden ze zich opeens veilig. Mensen die elkaar nog in geen miljoen jaar zouden groeten, werden dan opeens goede vrienden die dezelfde kant op liepen.

'Pas op voor menigtes!' waarschuwde hij me.

Hij sloeg een kruis, maar we wisten allebei dat het al te laat was en dat ik al verloren was. Ik zei dat ik door mijn vader was gehersenspoeld om Iers te spreken. En dat ik ook was gehersenspoeld om Duits te zijn en dat ik nu gehersenspoeld wilde worden om er zo snel mogelijk van af te komen. Kom hier en hersenspoel me, was mijn boodschap aan John Lennon, aan Packer, aan iedereen op straat, aan elke film die in die tijd in de bioscoop werd vertoond. Ik wilde buiten mijn gezin leven. Ik wilde neutraal zijn en ik verschool me achter Packer. Ik begon zijn leven te leven.

Mijn vader zei dat ik echt een lijntrekker geworden was, hetzelfde woord dat hij gebruikt had in zijn speeches op O'Connell Street die hij richtte aan het gehele Ierse volk. Hij zei dat ik een persoonlijkheid had geleend zoals je een stuk tuingereedschap leent en nooit meer teruggeeft. Op school was het geen haar beter, alle broeders en leraren zeiden dat ik een nietsnut en een mislukkeling was. Het was grappig, want ik beschouwde het als een compliment.

Op een dag begon Broeder K met ons over beroepskeuze te praten. Hij wilde een vooruitstrevende opvoeder zijn en begon verhalen af te steken over hoe belangrijk het was om een lijn aan te brengen in wat je deed. Maar het duurde niet lang of zijn praatje over de verschillende keuzemogelijkheden werd één grote waarschuwing over wat er van ons zou worden als we niet hard bleven werken. Hij begon te voorspellen wat er van ons zou worden. Metcalf zou straatveger worden, zei hij. De Barra buschauffeur. Hurdail ambtenaar. Mac een *Easpaig* – een handelsreiziger. Zo ging hij de hele klas langs, een voor een, als een waarzegger die in de toekomst kijkt, hij stelde zich ons voor in jasjes en met dasjes, met koffertjes vol brochures over nieuwe koelkasten. Hij stelde zich voor hoe sommigen van ons in de verte zouden staren vanaf een steiger in Birmingham. Hij zei dat De Pluncead nachtwaker zou worden in een stad die Chiswick heette, omdat hij altijd in slaap viel in de klas. Hij zei dat Delaney een rode dubbeldekker zou besturen, in cirkels rond Trafalgar Square. O Cionnaith zou in Doncaster voor de Britten gaan voetballen. Hij zei dat het merendeel van ons zou moeten emigreren omdat we te dom waren voor iets anders. We waren kennisbestendig, als waterdichte regenkleding, niet in staat om onderwijs te absorberen. Degenen die hier bleven zou het niet beter vergaan. O'Bradaigh zou worstenmaker worden, net als zijn vader. Calthorpe zou het wel ver schoppen, die zou een beroemd chirurg met een vlinderstrikje worden, MacElroy zou het nog beter doen als kernfysicus en Lenniban kreeg de beste carrière van ons allemaal, vonden we, die werd piloot, zodat hij Rothmans zou kunnen roken.

Broeder K gaf mijn vriend Packer speciale aandacht, met de voorspelling dat hij acteur in Hollywood zou worden.

'In elke klas zit wel een Packer,' zei hij. 'Ieder land heeft een Packer. Ieder moment in de geschiedenis heeft een Packer. Hij is de Griekse god van de slimme opmerking, de god waar je je lege verlangens aan ophangt. Jullie onbenullen zullen nog achter deze man aan lopen als hij van een klif springt, want hij vult de leegte in jullie peperkoeken hoofden.'

Toen ik aan de beurt was, leek Broeder K niets meer te zeggen te hebben. Hij zocht in zijn hoofd en kon geen enkel beroep of roeping bedenken die bij me paste, zelfs geen vleesverpakker of hazewindhondentrainer. Hij zei dat ik niets zou worden. Ronduit niks. Een zwerver en een nietsnut.

'Dat wordt een bankje in het park, ben ik bang,' en de hele klas brulde van het lachen.

Iedere zomer liet mijn vader ons thuisblijven om te leren. Als de zomervakantie begon en iedereen vrij kreeg, gaf hij mijn broer Franz en mij drie dagen vrij, maar daarna kregen we weer les, thuis, om de stof van het volgende jaar alvast te bestuderen. Hij wilde briljante leerlingen van ons maken en stelde een lesrooster voor ons op met wiskunde en geschiedenis en korte pauzes tussendoor. Terwijl iedereen zwom, moesten wij opstellen schrijven en dingen uit ons hoofd leren. Hij belde mijn moeder vanaf kantoor om te vragen hoe het met ons ging. Hij had een kopie van het lesrooster in zijn koffertje, dus hij wist altijd welk vak we op dat moment behoorden te doen. Mijn moeder was degene die ons in de gaten moest houden, maar ze liet ons ermee wegkomen. En op een keer, toen tante Minne op bezoek was, nam ze ons een dagje mee naar Glendalough, en toen we terugkwamen stond mijn vader bij de deur op ons te wachten en zei dat we vrij hadden genomen en moesten inhalen wat we hadden gemist, hoewel het al na negen uur 's avonds was. Toen volgde er een hevige ruzie tussen tante Minne en mijn vader. Ze zei dat als hij er echt op stond dat wij zo laat op de avond midden in de zomervakantie huiswerk moesten maken, dat zij dan niet bij ons wilde blijven en dat ze wegging en wel ergens een hotelkamer zou nemen.

Daarna hielp mijn moeder ons om te ontsnappen. Elke keer dat mijn vader van kantoor belde zei ze dat we braaf zaten te leren, terwijl we eigenlijk buiten speelden. Toen we na de zomer weer naar school moesten, had ik er zo'n hekel aan dat ik weigerde iets uit te voeren. Mijn moeder hielp me nog steeds en vond het goed dat ik af en toe niet naar school ging, maar stiekem een bioscoopje pikte. Ik ging naar *Alfie* en *The Graduate*, en naar *Valley of the Dolls*. Maar toen werd ik betrapt en begon er een nieuwe slaandedeurenoorlog.

Mijn vader gaf Packer de schuld. Mijn moeder wilde dat alles zonder geweld werd opgelost, dus ging ze op een dag in de keuken zitten met alle stokken uit de broeikas die ze stuk voor stuk over haar knie in kleine stukjes brak, terwijl mijn zus Bríd zat te huilen omdat mijn moeder zichzelf pijn deed en alle stokslagen van de geschiedenis ongedaan maakte. Ik werd onstrafbaar.

'Wil je dan echt een nietsnut zijn?' bleef mijn vader maar vragen.

'Ja,' antwoordde ik. 'Dat is precies wat ik wil, een nietsnut zijn.'

'Je wilt dus niet meer leren,' zei hij.

Ik zei dat ik geen informatie meer wilde ontvangen. Ik wilde blanco zijn, zonder kennis, wat het ergste was wat je tegen mijn vader kon zeggen omdat hij ooit onderwijzer was geweest en veel moeite had moeten doen om een goede scholing te krijgen. Hij bleef maar zeggen dat kennis macht is en ik bleef maar zeggen dat kennis je slap en schuldig maakt, totdat hij zo woedend werd dat hij een schaaltje appelmoes die mijn moeder van appels uit de tuin had gemaakt over mijn hoofd goot. Ik zag vier of vijf zwarte kruidnagels onder het oppervlak van de groene, halfsolide substantie drijven, als mijnen die op ontploffen stonden. Ik zag de damp ervan af komen omdat hij nog te warm was om op te dienen. Toen ik hem vertelde dat ik een leeghoofd wilde blijven, knipperde hij achter zijn bril snel met zijn ogen, pakte het schaaltje *Apfelkompott* dat midden op tafel stond, stond op en goot het leeg over mijn hoofd. Ik voelde de warme brij langs mijn oren naar beneden glijden. Ik zat daar maar, terwijl de rest van het gezin me aankeek en de gestoofde appel mijn kraag in gleed, en ik voelde me een held die de discussie had gewonnen.

Mijn moeder stond op en zei dat ze vaker *Apfelkompott* moest maken omdat we er kennelijk gek op waren. Ze was boos en het huis was gevuld met slaande deuren. Toen kwam mijn vader op het idee dat ik naar een psychiater moest. Ik was in staat om dit hele gezin kapot te maken. Ik weigerde en zei dat hij een psychiater nodig had, maar toen dreigde hij me het huis uit te zetten. Ik had de keuze: of ik liet me behandelen, of ik werd dakloos. Ik was bang dat ik geen controle over mijn eigen gedachten meer had en gek werd. Ik dacht dat ik als geestelijk gestoorde in een gekkenhuis zou eindigen, omringd door mensen die hun eigen gedachten niet meer konden beheersen. Als ik eenmaal als gestoord te boek kwam te staan, was er geen terugkeer mogelijk.

Ik weet dat mijn moeder geen blaam treft, zij kon niet tegen hem op. Ze wilde niet dat ik mijn fantasie zou kwijtraken en dus smeekte ze me om een compromis te sluiten, wat iets anders is dan een capitulatie. Ze zei dat ik alleen maar met die man hoefde te gaan praten, dat kon toch geen kwaad? En dus ging ik naar de psychiater en luisterde ik naar een man met dikke lippen die me vragen over mezelf stelde. Wat weet hij ervan hoe het is om Duits te zijn, dacht ik. En toen hij me stomme vragen begon te stellen over wat ik over meisjes dacht, zei ik dat hij de pot op kon. Ik dacht dat hij naar mijn huis zou schrijven en dat mijn vader zou merken dat hij heel veel geld betaalde om mij tegen iemand te laten zeggen dat hij de pot op kon, maar gelukkig bleek het gesprek vertrouwelijk te zijn, en in de brief die mijn vader kreeg stond alleen dat de psychiater weinig vooruitgang boekte.

Toen, op een dag, sprak Packer niet meer met me. Zoals gewoonlijk wachtte ik 's ochtends op hem om naar school te gaan, maar hij liep me straal voorbij en stapte de trein in. Ik probeerde met hem te praten, maar hij keek me niet eens aan. Hij deed de deur dicht en ik moest in een andere wagon stappen toen de trein al reed. Hij was opeens mijn vriend niet meer. Ik zag hem elke dag op school, waar iedereen naar zijn verhalen luisterde; alles was nog steeds het grootste en het beste, maar ik hoorde er niet meer bij. Hij deed alsof ik niet bestond. Als ik zijn groepje naderde of probeerde te horen wat hij zei, liep hij gewoon weg, alsof hij het niet kon verdragen in dezelfde kamer te zijn als ik.

Op een dag, toen ik na school naar de snookerhal in Waverly ging om te zien of hij er was, keek hij me zelfs niet één keer aan en concentreerde zich volkomen op het spel.

'Wat is er?' vroeg ik. 'Wat heb ik dan gedaan?'

Toen liet hij zijn keu los en liep naar buiten, alsof hij van zijn leven geen snooker meer zou spelen.

Ik kon het niet bewijzen, maar ik was er zeker van dat mijn vader stiekem een brief aan Packers moeder had gestuurd om te zeggen dat haar zoon een meeloper van me maakte. Packer was bang voor zijn moeder, op de manier waarop ik bang was voor mijn vader, dus misschien had ze hem wel gezegd dat hij niets meer met mij te maken mocht hebben. Iedereen op de wereld is bang voor Packers moeder. Op een keer had ze de televisiekabel doorgeknipt om hem aan zijn huiswerk te krijgen. Dus misschien hadden mijn vader en zij samengewerkt om onze vriendschapskabel door te knippen, want ze had Packer zover gekregen om mij de rug toe te keren en zonder omkijken weg te lopen. Ze moet mijn vader een brief terug hebben geschreven met de boodschap dat ik haar zoon in een monster en een gluiperd had veranderd, want soms geeft een meeloper de leider de moed om allerlei verschrikkelijke dingen te doen waarvan hij op zijn eentje zou denken dat hij er nooit van zijn leven mee weg zou komen.

Toen had ik geen groepje meer om bij te horen. Ik hoorde de jongens op school een paar van de ongelooflijke dingen navertellen die Packer waren overkomen en zeggen wat een geweldig leven hij leidde. Maar ik maakte er geen deel meer van uit. Ik liep weer zijdelings naar huis, met mijn rug naar de muur. Ik was een nietsnut en iedereen bekeek me alsof ik een dode kat was. Ik wist hoe het was om geestelijk gestoord te zijn en niets te zeggen te hebben. Ik had geen leven, geen innerlijke droom, geen verhaal voor mezelf.

Altijd als ik hieraan denk, wil ik mijn vader vermoorden. Ik zeg tegen mijn moeder dat ik weiger nog langer in de klerenkast opgesloten te blijven, zoals zijn vader, de zeeman met de zachte ogen. Ik ga me losbreken en naar de haven ontsnappen. Als hij me probeert tegen te houden, vermoord ik hem en laat ik hem verdwijnen, net als hij met zijn vader heeft gedaan. Mijn moeder zegt dat ik de fouten uit de geschiedenis niet mag herhalen. Als je je vader vermoordt, vermoord je ook jezelf. Als je je vader haat, zul je jezelf voor altijd haten. Mijn moeder spoort me aan om in plaats van openlijk met hem te vechten mijn vrijheid ergens anders te zoeken, in films en boeken in plaats van in woede.

Nu ben ik dus een gluiperd geworden die dingen achter zijn vaders rug doet. Ik ga naar zijn slaapkamer als hij aan het werk is. Ik doe zijn klerenkast open en kijk naar de grote foto die erin staat van de zeeman met de zachte ogen. Die moet zich net zo rot voelen als ik me voelde toen Packer niet meer met me sprak, helemaal bevroren. Ik vraag me af wat voor verschrikkelijks hij heeft gedaan. Niemand verdient het om op deze manier te worden buitengesloten, en ik weet hoe het voelt om in die klerenkast te zitten, omdat ik er als kind ook ooit in opgesloten heb gezeten. Ik kijk naar het gezicht van de zeeman en vraag me af waarom hij bij de Britse marine ging en waarvoor hij nu zo gestraft wordt. Ik kan het maar moeilijk van me afzetten. Voordat hij dienst nam, was hij visser. Nu ben ik een visser, en misschien zijn we vrienden en heb ik zijn plaats ingenomen.

Ik wil hem redden. Ik kan zijn foto er niet uit halen, dus doe ik iets wat het minder eenzaam voor hem maakt in het donker van de kast. Ik pak de plaat van John Lennon die mijn vader me heeft teruggegeven. Ik kan hem toch niet afspelen, en daarom verstop ik hem maar in de klerenkast, achter de foto van de zeeman. Niemand zal ooit weten dat hij daar ligt, maar het is een geweldig gevoel om een geheim te hebben, om te weten dat mijn grootvader een vriend heeft die hem gezelschap houdt. John Hamilton en John Lennon die met elkaar praten en in het donker tegen elkaar fluisteren. John Hamilton die bij de Beatles gaat en met John Lennon in duet zingt, 's nachts in de klerenkast, als mijn vader in slaap probeert te vallen.

Back in the US, *Back in the US*, *back in the USSR*, zingen ze...

Elf

Op een dag kreeg ik op school de kans om te bewijzen dat ik niet onzichtbaar was. Ik was vastbesloten om datgene te doen waar iedereen het meest beducht voor was. Het martelwerktuig. Ik besloot het te stelen.

Zonder Packer aan mijn zijde lachten ze mij en mijn broer continu uit omdat we half-Iers en half-Duits waren. Dat was raar, zeiden ze, een grote tegenstrijdigheid, omdat de Ieren door de Engelsen finaal in elkaar waren getrapt en de Duitsers de joden finaal in elkaar hadden getrapt. We waren onschuldig omdat we Iers waren en schuldig omdat we Duits waren. Slachtoffer en dader tegelijk. Daar konden ze niet mee omgaan en dus zeiden ze dat ze ons finaal in elkaar gingen trappen. Ik was voorzichtig, probeerde uit zicht te blijven, liep zijdelings naar huis zodat er niets achter mijn rug was, maar toen kregen ze Franz te pakken. Het leek of mijn broer een deel was van mijn kwetsbaarheid. Ze ramden zijn hoofd tegen de reling van de Tuin der Herinnering en hij kwam thuis met bloed achter op zijn hemd. Mijn vader stuurde de volgende dag een brief naar de school om te zeggen dat niemand het recht had om zoiets te doen. We leefden tegenwoordig in een vrij land en mensen zouden zich met hun eigen dingen moeten kunnen bezighouden zonder nazi's genoemd te worden en om niets te worden afgetuigd.

Broeder K had altijd geheerst met gebruikmaking van de

preventieve bestraffing. Hij bestrafte de onschuldigen samen met de schuldigen om te voorkomen dat er tot in de eeuwigheid wraakacties en gevechten tussen groepen zouden volgen. Maar het leek niet te werken omdat iedereen zijn methodes overnam. Dus glimlachte hij en herinnerde ons allemaal aan het concept van de plaatsvervangende pijn. Eén jongen wordt gegeseld en iedereen voelt het. Soms kregen de onschuldigen alle straf en kwamen de schuldigen ermee weg, maar plaatsvervangende pijn had nog altijd een grote afschrikkende werking, als het minste van twee kwaden.

Broeder K riep alle jongens die bij het incident betrokken waren bij elkaar en zei dat hij ze tot voorbeeld zou stellen. In een lange toespraak legde hij uit dat de dingen die buiten de school gebeurden niet langer zo konden en dat hij ze zo'n afstraffing ging geven dat de hele school de pijn zou voelen. Hij zei dat hij nooit meer zo'n brief als die van mijn vader onder ogen wenste te krijgen. Mijn broer had nooit om wraak gevraagd. Hij zag niet graag dat iemand werd gestraft. Hij wilde het alleen maar achter zich laten, zodat hij door kon met zijn leven. Maar Broeder K liet ons toekijken, bij iedere slag. Er kwam geen einde aan. En toen de daders hun straf hadden ontvangen, riep Broeder K Franz naar voren en legde hem uit dat het zijn plicht was om ook hem te straffen. Ter voorkoming van bitterheid en represailles was hij verplicht hem evenveel slagen toe te dienen als zijn kwelgeesten hadden gekregen.

Franz huilde, misschien niet zozeer van de pijn als van doodgewone vernedering. Iedereen wist dat het oneerlijk was. Het verhaal ging de hele school rond en ik zag dat iedereen het een geweldige grap vond. Franz liet het achter zich, maar ik kon niet verder met mijn leven. Ik kon deze onrechtvaardigheid niet vergeten. Het maakte me woedend, ik wilde Broeder K vermoorden, een bijl in zijn achterhoofd planten. 's Nachts was ik wakker en ik stelde me voor hoe ik iedereen die ons uitlachte vermoordde, hoe ik hun hoofden tegen de reling sloeg. Ik leek mijn vader wel en ik zat voortdurend manieren te bedenken om te overwinnen. De weegschaal moest weer in balans. De straf van mijn broer moest worden rechtgezet.

Ik besloot het werktuig van het onrecht te stelen. Iedere dag lette ik op waar Broeder K hem bewaarde, soms in zijn zak, soms in zijn aktetas. De gelegenheid deed zich behoorlijk onverwacht voor toen ik op een middag de trap af liep naar de wc en Broeder K's aktetas buiten het kantoor van de rector zag staan, met de deur open. Er was niemand in de buurt. Ik wist dat hij ieder moment door de deur kon komen. Ik wist dat het een enorme misdaad was, groter dan alles wat er ooit op school was gebeurd. Als ik gepakt werd, betekende dat mijn einde. Maar toch deed ik het, zonder erbij na te denken. Ik hoefde de tas niet eens open te maken, want het strafwerktuig stak eruit. Ik verstopte het onder mijn trui en rende weg terwijl mijn hoofd begon te gloeien. Ik wist het fietsenhok te bereiken, waar ik het voorlopig verstopte. Toen ik de klas weer in kwam, zei iedereen dat ik er bleek en ziek uitzag. Later, na school, ging ik terug naar het fietsenhok en stopte het in mijn schooltas. Ik praatte er met niemand over, nam het alleen mee naar een veiliger verstopplaats. Onze school staat in het centrum van de stad, pal naast het gemeentemuseum, dus ik liep naar binnen en begon de schilderijen te bekijken. Ik besloot het martelwerktuig op de vergulde lijst van een Nederlandse vrouw te leggen.

De volgende dag zette Broeder K een enorm onderzoek op touw. Alle lessen werden tot nader order opgeschort, totdat de schuldige gevonden werd, totdat iemand schuld zou bekennen en de verantwoordelijkheid voor de misdaad op zich zou nemen. Twee dagen lang deden we niets anders dan in de rij staan wachten tot we in een lege kamer ondervraagd werden. Hij riep alle jongens om de beurt binnen, keek ze lange tijd zwijgend aan in de hoop dat ze zouden breken. Broeder K had een glanzend rood gezicht waarin een boventand miste, een zwarte opening als hij glimlachte. Maar hij hield zijn mond stijf dicht, met een ernstige grimas, en wachtte alleen maar. Hij had alle tijd van de wereld, zei hij tegen me. Buiten hoorde ik bussen langsrijden en zeemeeuwen krijsen op het dak van de school. We wachtten en wachtten. Ik wist dat hij de macht aan zijn kant had en ik alleen de zwakte, omdat ik altijd schuldig was en op de wereld niet één vriend had. Maar toen besefte ik dat ik ook iets van de macht aan mijn zijde had, omdat hij het grootst mogelijke onrecht jegens mijn bloedeigen broer had begaan. Voor één keer was het goed om geen vrienden te hebben en helemaal alleen in de wereld te staan, want dat maakt je een betere misdadiger. Ik hoefde aan niemand te vertellen wat ik had gedaan, niet eens aan Franz. Ik wachtte alleen op het moment dat ik het Packer kon vertellen, zodat hij weer vrienden met me zou worden. Hij zou het hele verhaal omvormen tot een grote legende en het vertellen alsof het een film was. Hij zou me aan allerlei nieuwe mensen voorstellen met de woorden: hier is de man die het martelwerktuig heeft gestolen, het meest gehate voorwerp van iedereen die hier ooit op school heeft gezeten.

'Ik weet dat je het hebt gedaan,' zei Broeder K.

Ik werd onmiddellijk vuurrood, alsof hij een lichtknopje had omgedraaid. Ik trilde en werd misselijk van angst. Ik stond op het punt om in te storten en alles op te biechten. Maar toen vroeg ik me af hoe hij er zo zeker van kon zijn dat ik het was, tenzij hij echt had gezien dat ik het pakte of het bij de buren in het gemeentemuseum had verstopt. Ik zei niets. Ik vermoedde dat hij dit tegen iedere jongen op school zei, en wachtte tot de schuldige zou breken. Hij zei mijn naam langzaam en herhaalde zijn beschuldiging.

'Jij hebt het gedaan.'

'Niet waar,' zei ik.

'Je maakt het alleen maar moeilijker voor jezelf,' zei hij.

Ik was alles aan het afwegen, de leugen die de oorspronkelijke misdaad verhulde. Ik raakte er de controle over kwijt, het werd een vicieuze cirkel van leugens en bedrog. Hij staarde me lang aan, en toen glimlachte hij. Ik glimlachte zelfs terug, maar toen werd hij plotseling weer heel serieus.

'Je krijgt een laatste kans om erover na te denken,' zei hij.

Uiteindelijk stuurde hij me weg en riep de volgende jongen binnen. Ik wist dat hij het wist – zomaar, door goddelijke inspiratie. Ik werd wanhopig en zon op manieren om mijn daad ongedaan te maken. Ik fantaseerde dat dit allemaal niet gebeurd was, dat mijn broer sowieso nooit buiten de school was aangevallen. Ook de rest van de geschiedenis maakte ik ongedaan, alle dingen die gebeurd waren in de tijd van de nazi's. Ik probeerde me voor te stellen dat er nooit zoiets als een Ierse hongersnood was geweest. Geen Suez-crisis. Geen Praagse Lente, geen Vietnam. Ik wilde in staat zijn om brandende huizen te blussen. Uitvarende schepen en treinen die het station verlieten tegen te houden.

Ik overwoog om ertussenuit te knijpen naar het gemeentemuseum, het martelwerktuig terug te halen en het onopvallend terug te leggen als niemand keek, zodat de andere jongens het op de vloer van het klaslokaal zouden vinden. Maar daar was het te laat voor. Ik bereidde een biecht voor. Na twee dagen stond ik op het punt om te breken. Maar toen deed Broeder K een onverwachte aankondiging. Hij zei dat hij vijf hoofdverdachten had geselecteerd. Hij maakte de namen nog niet bekend, zodat de dader nog de kans had om zich uit eigen beweging te melden. Er was nog tijd, zei hij. Na de lunch zou hij de namen van de vijf verdachten noemen en ze zo ongenadig straffen dat de pijn voelbaar zou zijn door de hele school, ja, tot in de straten van Dublin, langs O'Connell Street, tot in de voorsteden. De pijn zou zich door het hele land verspreiden. Misschien waren er vier onschuldigen, maar het was belangrijk dat de echte dader niet ontkwam.

In de lunchpauze hoorde ik de andere jongens tegen elkaar zeggen dat ze degene die het had gedaan ongenadig zouden afstraffen. Als hij niet naar voren kwam om de onschuldigen hun straf te besparen, zou hij een rolstoel nodig hebben. Ik kon geen kant op. Ik wist zeker dat Broeder K blufte en dat hij geen idee had wie het had gedaan. Hij sloeg als een blinde om zich heen. Maar misschien was het alternatief erger, als de jongens zouden vermoeden dat ik het had gedaan.

Toen Broeder K de vijf verdachten uiteindelijk voor de school opstelde, realiseerde ik me dat ik ermee weg zou komen. Ik zat met het morele probleem dat anderen voor mijn misdaad bestraft zouden worden, maar voordat Broeder K zelfs maar kon beginnen met het ten uitvoer brengen van de straf, raapten een paar jongens uit mijn klas hun moed bij elkaar en zeiden dat hier een groot onrecht geschiedde. Ze beschuldigden Broeder K ervan dat hij zich niet aan het natuurrecht hield. Vooral Packer, meer dan wie dan ook, kwam in verzet en liet van zich horen.

'Het is niet eerlijk,' zei hij. 'U hebt het recht niet om mensen zonder bewijs te straffen. Dat is moreel fout.'

Packer werd de held van de dag, alsof híj het martelwerktuig had ontvreemd. Hij had mijn plaats ingenomen en werd op de hele school bekend als de leider van een of andere grote opstand, die vol moed en onbaatzuchtige innerlijke kracht zat. Anderen in de klas vielen hem bij, alsof hij ze de kracht gaf om eindelijk hun mond open te doen. Hij had ze bevrijd. Zo ging het in die tijd overal ter wereld. Marsen voor zwarte burgerrechten in Amerika. Protesten tegen de oorlog in Vietnam. Burgerrechtenmarsen in Belfast en Derry. Op de tv zagen we het begin van de problemen: de politie die op straat onschuldige mensen te lijf ging die weg wilden rennen. Het Britse leger dat huizen binnenviel. Dingen die zo niet eeuwig door konden gaan.

Nu was iedereen openlijk in verzet. Sommige jongens hadden het over de Geneefse Conventie. Anderen over de ultieme rechter, ze droegen flarden voor uit *The Merchant of Venice* en *The Mayor of Casterbridge*. Te midden van dit alles sprongen er een paar jongens op die begonnen te schreeuwen dat het een terugkeer was naar barbarij en lynchwetten. Snelrecht.

'Iedereen kan het gedaan hebben,' zei iemand.

Nu was de hele klas opgestaan. Ik sprong ook op en opeens werd Broeder K overspoeld door verzet.

'Misschien was ik het wel,' riep ik, en iedereen vond het een geweldige grap, omdat ik wel de laatste was die ze als de schuldige zagen.

'Ja,' zeiden ze me na. 'Ik heb het gedaan. Ik was het, Broeder.'

Uiteindelijk moest Broeder K inbinden. Hij gaf niet gemakkelijk op en richtte zich toen maar op Packer.

'Aanschouw de ware schuldige,' zei hij. 'Hij doet zich voor als bevrijder.'

Voor Broeder K was het de enige uitweg. Hij wilde de rest van de klas als een troep wolven tegen Packer opzetten, in de hoop dat ze hem zouden verscheuren. Hij trok de straf van de vijf verdachten in, in de hoop dat de klas zijn preventieve wraakactie op Packer zou botvieren. De lessen werden hervat en alles werd weer zoals altijd. Hij wachtte geduldig tot de dader erkenning voor zijn misdaad zou zoeken. Hij wist zeker dat het niet lang zou duren voordat de ware schuldige in het licht van de schijnwerpers zou stappen.

Niemand bekende ooit en niemand heeft ooit een vermoeden gehad van de waarheid. Uiteindelijk geloofden ze allemaal dat Packer het gedaan had en er nog steeds niet openlijk voor uit wilde komen. Hoe harder hij ontkende, des te sterker ze geloofden dat hij het was, omdat ze dit mysterie wilden oplossen en tot de slotsom kwamen dat hij hun revolutionaire volksheld was. Als het hem gevraagd werd, zweeg hij, alsof hij boven alle lof stond. Hij had de onkreukbaarheid van de ware leider, zeiden ze, omdat hij weigerde de eer voor zichzelf op te eisen. Alleen de groten van de aarde hadden zo'n zelfverzekerde blik. Hij werd onbereikbaar, en ik denk dat zelfs Broeder K eerbied kreeg voor Packers leiderschap en innerlijke kracht.

Ik had de macht van de waarheid aan mijn zijde. Ik droeg het geheim met me mee dat Packers imago in de ogen van de hele school uiteen zou kunnen doen spatten. Ik had mijn mond kunnen opendoen en hem als bedrieger kunnen ontmaskeren. Ik had kunnen zeggen dat hij een oplichter was, een charlatan, een nepheld die teerde op de moed van zijn onderdanen. Ik had hem kunnen reduceren tot een omgevallen standbeeld uit een vergeten rijk, zoals Nelson. Ik had Broeder K en alle jongens van de school kunnen vragen om me over straat te volgen naar de buren, het gemeentemuseum, om daar het schilderij van de Nederlandse vrouw aan te wijzen. Dáár heb je je martelwerktuig. Maar ik had die eer niet nodig voor mezelf. In plaats daarvan werd het een onderdeel van mijn geheime leven, van het ondergrondse leven waarin ik me verschool. Packer bleef de held, en hoewel hij nog steeds niet met me wilde praten was het een troost om te weten dat hij mij nodig had om zijn geheim te bewaren, ook al wist hij dat niet. Hij streek met de eer en ik was onschuldig.

Op een dag gaf een beroemd kunsthistoricus een lezing in het museum en kregen we een middag vrij om erbij te kunnen zijn. Hij legde de wortels van de Nederlandse portretkunst bloot. Hij noemde het de gouden eeuw van de Nederlandse genrestukken. Hij legde uit hoe ze geobsedeerd waren door schilderijen van vrouwen die brieven schreven of boeken lazen. Iedereen vond het onbeschrijflijk saai en er werd alleen wat gegrinnikt toen de historicus begon over een schilderij getiteld *Vrouw aan haar toilet*. Hij had niet veel te zeggen over het schilderij van de Nederlandse vrouw in de vergulde lijst, alleen dat het interessant was dat er zo weinig meubels op de achtergrond stonden. Ik keek naar het schilderij en iedereen moet zich hebben afgevraagd waarom ik er zo in geïnteresseerd was, alsof ik een of andere verborgen betekenis in dit Nederlandse portret zag dat geen enkele kunstkenner ooit was opgevallen.

Ik bleef maar in mijn eentje naar het museum teruggaan. Ik ging voor het schilderij staan en dacht aan het martelwerktuig dat boven op de lijst verstopt lag. Ik wou dat ik het aan iemand had kunnen vertellen en een verhaal van bevrijding om me heen had kunnen weven. Ik bleef mezelf herinneren aan dingen die mijn moeder me verteld had en die ik ook al niet aan de wereld kon vertellen, geheimen die ze in haar dagboek bewaarde omdat dat de enige echte vriend in haar leven was.

Er was nog een schilderij dat ik in het museum vond, nog interessanter dan de Nederlandse vrouw. Het was *De onthoofding van Johannes de Doper*. Ik wist dat het iets te maken had met mijn eigen verhaal en waarom ik niet door de tijd leek te kunnen gaan. Johannes de Doper lag geknield in het midden van het schilderij, met zijn ogen gesloten, zijn nek ontbloot en zijn handen achter zijn rug. Rechts achter hem staat een soldaat in zweterige kleren die met zijn zwaard zwaait. Ik leerde er de kracht van de kunstenaar door kennen, de geheimen die hij in zijn hoofd met zich meedraagt en de manier waarop hij een moment uit het leven tot stilstand kan brengen. Ik bleef maar denken aan de hartverscheurende, eindeloos terugkerende beweging in dit schilderij. De armen van de soldaat waren sterk en gespannen. Je zag zijn spieren die strak stonden van de inspanning en het zwaard dat slechts twee seconden verwijderd was van het doorklieven van de nek van Johannes de Doper. Je kon het volgende moment duidelijk voorspellen: hoe het hoofd op de grond zou vallen en weg zou rollen terwijl het onthoofde lichaam naschokte en er een fontein van bloed uit de afgehakte nek spoot. Je kon voor het schilderij blijven wachten in de hoop dat het nooit zou gebeuren, denkend dat iemand op het laatste moment iets zou zeggen waardoor het kon worden voorkomen. Je kon er blijven staan en precies weten wat er hierna zou gebeuren en dat het zwaard nooit zo ver zou komen.

Ik keek naar het schilderij als naar een film op een groot scherm. Ik stond ervoor en dacht aan Sophie Scholl, toen ze in München onder de guillotine lag. Ik dacht aan de treinen naar Auschwitz. Ik dacht aan bommen die in de lucht boven een stad tot stilstand kwamen. Ik dacht aan een pistool tegen een hoofd. Mensen die met kappen over hun hoofd in politiebureaus in het noorden moesten wachten. Dat moment van kalmte op straat voordat er een autobom ontploft, voordat het tijdmechanisme alles onherkenbaar verandert. Ik dacht aan de Enola Gay, in de lucht, als een onbeweeglijk bouwpakket in de hemel boven Japan. Ik zat vast in dat steeds terugkerende moment in de geschiedenis, verlamd, niet in staat om vooruit te komen in de tijd, niet in staat om te leven in de nasleep ervan en hopend dat ik als een kunstenaar alles kon uitstellen. Ik zat voor eeuwig vast in dit moment voor de ramp, voor de onthoofding, voor de gaskamer, als het allemaal nog goed is maar toch al te laat.

Toen hoorde ik op een dag dat Packer een motorongeluk had gehad en gewond was geraakt. Hij had zijn been gebroken en lag in het ziekenhuis. Enkele van mijn klasgenoten gingen bij hem op bezoek en zeiden dat hij het er geweldig had, dat alle verpleegsters om zijn grappen moesten lachen. Ik speelde met de gedachte om zelf bij hem op bezoek te gaan, maar ik was bang dat hij me niet zou willen spreken. Toen drong mijn moeder aan dat ik hem op zou zoeken. Ze wist dat ik onzichtbaar was geworden en ze zei dat ik het ziekenhuis in moest lopen en me niet druk moest maken.

Zo kwam het dat ik de zaal in liep, en aanvankelijk leek Packer geschokt mij te zien. Hij wist niet wat hij moest zeggen. We gaven elkaar een hand en hij glimlachte naar me. Hij praatte niet over wat er tussen ons gebeurd was, in plaats daarvan vertelde hij verhalen. Hij ging rechtop in bed zitten met zijn been in het gips vol handtekeningen en tekeningetjes, de meeste gemaakt door meisjes. Overal was chocolade en priklimonade, en overal stonden bloemen. Hij zei dat ze hem morfine hadden gegeven en dat hij zich gevoeld had alsof hij een knikker was die van zijn bed op de vloer rolde, in het stalen nachtkastje dat naast hem stond verdween, waarna het deurtje dichtviel. Hij zou nooit met een woord spreken over het feit dat hij me had buitengesloten. Daar zouden we nooit over spreken, we werden gewoon weer vrienden zoals eerst.

Nu is dat allemaal voorbij en doe ik alsof er nooit iets is gebeurd. Sindsdien doet Packer zijn best om de stilte goed te maken, hij betrekt me bij alles wat hij doet, heeft me mijn baan in de haven bezorgd. Maar er is iets veranderd, alsof ik vanaf die tijd vriendschap nooit meer volledig vertrouw. Ik kan hem nooit iets over mezelf vertellen en ik heb besloten om me te blijven verstoppen. Misschien is dat juist wel wat vriendschap inhoudt, een ongemakkelijk pact tussen twee verschillende mensen, tussen degene die er met de eer vandoor gaat en degene die het geheim met zich meedraagt. Alsof hij me nu net zo hard nodig heeft als ik hem. Het is het pact tussen helden en volgelingen, tussen popsterren en fans, tussen idolen en bewonderaars. Het is het pact tussen de kunstenaar en zijn model, tussen de verhalenverteller en degene die in het verhaal woont.

Nu is dat dus allemaal verleden tijd. Packer en ik werken samen in de haven, we zitten in een boot, dobberen weg en kijken naar de wolken, luisteren naar een hamerend geluid ergens in de verte. We zien Tyrone de haven uit komen met een groep modellen en een fotograaf die hij naar het eiland brengt. We volgen ze op een afstandje en zien hoe ze zich installeren op het eiland terwijl Tyrone op de achtergrond een flesje whiskey drinkt. We blijven lang zitten kijken hoe ze in hun zwemkleding gefotografeerd worden, zich achter een windscherm verkleden en weer in nieuwe kleding tevoorschijn komen. Een van hen moet een mand vol makrelen vasthouden. Een andere draagt een badjas, leunt achterover op de rotsen, valt bijna over de rand in het water en laat haar benen zien. Weer een andere, in een zwempak met luipaardprint en een strooien hoed op, zit achter de geiten aan. Dan een foto van twee meisjes samen, in minirok en hoge laarzen, die de meeuwen voeren.

Als Tyrone terugkomt in de haven met de modellen hoor ik Dan Turley mompelen en vloeken omdat hij jaloers is dat Tyrone de klus heeft gekregen om de modellen naar het eiland te brengen. Tyrone is jonger en knapper en ziet eruit als een man die altijd met fotomodellen op stap is, hij lacht breed en biedt ze sigaretten aan. Tyrone helpt de modellen met hun tassen. Tyrone houdt de hand van een model vast en helpt haar uit de boot alsof ze uit een jurk stapt. Tyrone laat zich op de foto zetten met een grote grijns op zijn gezicht en zijn armen rond de meisjes geslagen.

Als de modellen het trapje naar de kade beklimmen, hoor

ik een van hen zeggen dat ze overdekt is met makreelschubben en zich voelt alsof ze met een dode vis geslapen heeft. Ze zien er bleek en mager uit alsof ze al dagen niet gegeten hebben. Ze doen nieuwe lipstick op en nog wat parfum om de geur van vis, benzine en zeewier die overal in de haven hangt te verdoezelen. Ze proberen eruit te zien alsof ze weer op de vaste wal thuishoren en niets met de zee te maken hebben, maar ze staan te wankelen op hun hoge hakken en moeten elkaar vasthouden alsof de golven hun benen met pap hebben gevuld. Misschien voelen ze zich niet zo goed na de terugweg over de baai in de kleine boot. Packer probeert met ze te praten. Hij is niet bang voor vrouwen en heeft ze van alles te vragen. Hij wil weten in welk blad ze komen te staan, maar de modellen zijn niet zo vriendelijk. Ze willen hem geen antwoord geven en misschien vinden ze dat jongens niet zoveel interesse horen te tonen voor modetijdschriften voor vrouwen.

Dan pakt een van de havenjongens een dode makreel uit de viskist en houdt hem voor zijn kruis. Hij loopt rond en laat de staartkant van de makreel heen en weer zwaaien, hij laat de wereld zijn slappe makrelenpikkie zien. De modellen slaan hem walgend gade. Ze zeggen dat we een bende kleine viezeriken zijn. Smeerlapjes. Een van de modellen begint zelfs over de rand van de pier te kotsen als ze de havenjongens ziet rondrennen met blauw met zilveren makrelenpikkies in hun hand, gillend en lachend, elkaar in cirkels achternazittend totdat een van de modellen wel moet glimlachen.

Maar dan zie ik dat Packer niet meedoet. Hij staat een beetje achteraf met zijn armen over elkaar en kijkt alleen. Hij wil hier niets mee te maken hebben omdat het allemaal veil en vunzig is.

Twaalf

Al het nieuws op radio en tv gaat over Noord-Ierland en Vietnam. Er worden allerlei nieuwe woorden en uitdrukkingen bedacht, zoals sektarisme, *direct rule*, internering, inhoudelijke dialoog, verdenking van terrorisme, honderdprocentscontrole, onmenselijke en vernederende behandeling. Je kunt goed Engels leren door naar het nieuws te luisteren, want iedereen probeert betere manieren te bedenken om uit te drukken wat er aan de hand is en hoe je je daaronder voelt. Er worden nieuwe alternatieven gezocht voor woorden als kwaad en bloedvergieten en schok en doodsangst, want vaak hebben die woorden hun betekenis verloren. Ze bedenken alternatieven voor zaken als 'de situatie in de hand houden', 'op individueel niveau uitschakelen', 'geweldsspiraal'. Er worden nieuwe termen bedacht als geheime wapenopslag, vrijplaats, plastic kogels, nachtelijke invallen, nationalistische belangen en unionistische stellingen. Uit Vietnam leren we woorden als ontbladering, infiltratie, zware beschieting en bomtapijt. En aardrijkskunde kun je er ook van leren, we horen exotische namen weerklinken in ons hoofd, de Ho Chi Minh-route, Falls Road, Da Nang, Divis Street Flats, Portadown, het Tet-offensief en de Ardoyne. In Vietnam gebruiken ze een goedje genaamd Agent Orange om van de bossen af te komen waarin de vijand zich kan verschuilen, en in Noord-Ierland laten ze geen middel onbeproefd om de boosdoeners uit te schakelen. Op een dag vond mijn moeder oranje spetters op de lakens aan de waslijn en ze was bang dat de Agent Orange helemaal op de wolken naar Ierland was gewaaid. Ze was bang dat het weer oorlog werd. Maar toen mijn vader thuiskwam, bekeek hij de lakens en zei dat het niets was, alleen onze bijen die zichzelf zo nu en dan in de lucht ontlastten als ze over de tuin vlogen.

Er gebeurden ook allerlei andere dingen. Er werden nieuwe zaken uitgevonden, er lag nieuw voedsel in de winkels, zoals yoghurt. Er werd gepraat over een ontzettend hippe nieuwe vrucht genaamd avocado. Er was allerlei nieuwe muziek op de radio, van de Rolling Stones en Perry Como en Bob Dylan, die zong over 'No Direction Home'. Iedereen is op weg vooruit, naar de toekomst. Iedereen is verliefd op stewardessen en verpleegsters. Er komen nieuwe auto's uit, zoals de Commodore en de Cortina. En deze zomer wordt het duidelijk dat de dingen nooit meer zoals vroeger zullen zijn, in Ierland niet en nergens niet, want op een dag zie ik op de omslag van de *Irish Post* een foto staan van een vrouw in een witte minirok, met witte laarzen en een witte breedgerande hoed die haar weekendtas in de trein tilt terwijl een non in een zwart habijt geduldig achter haar staat te wachten.

Soms vertelt Packer hoe hij aan een sportwagen gaat komen. Heel binnenkort zullen we rondrijden in een witte tweezitter met open dak, zegt hij. Hij wil een snor laten staan en keihard rondrijden en een boot van zeven meter kopen zodat we samen kunnen varen. Hij praat over wat er in Noord-Ierland aan de hand is en dat zijn moeder daarvandaan komt en dat ze op straat een keer een klap met een trommelstok heeft gekregen toen ze nog maar negen was. Ze stond bij de hekken te kijken naar de Oranjeparade die langskwam toen een van de trommelaars haar een harde klap in de nek gaf, waar ze nog steeds een litteken van heeft.

Op tv zien we de loyalistische protestanten door de straten marcheren op de twaalfde juli, wanneer ze hun belangrijkste dag vieren: de dag dat Koning Willem de Battle of the Boyne won. Ze worden de Oranje-orde genoemd en ze lopen door de katholiek-nationalistische wijken van Belfast met Lambeg-trommels en fluiten die *fifes* heten; mijn vader maakt een grapje, hij zegt dat ze nog erger zijn dan Agent Orange en dat ze met hun lawaai een heel regenwoud kunnen ontbladeren. Hij heeft er voor het Britse leger gewerkt toen hij als kersverse ingenieur van de universiteit afkwam, en hij zegt dat het geluid oorverdovend is. Ze gebruiken buigzame trommelstokken en sommigen bespelen die dingen twaalf uur achter elkaar, totdat hun handen beginnen te bloeden van de haat. Ieder jaar slaan ze op die trommels, om ervoor te zorgen dat niemand hun geschiedenis vergeet. Dé manier om de herinnering levend te houden is om zoveel mogelijk lawaai te maken, zegt mijn vader. Hoe groter de trommel, des te onwaarschijnlijker dat de mensen het ooit zullen vergeten.

Mijn moeder zegt dat de Britse loyalisten en de Ierse nationalisten elkaar wederzijds duidelijk maken dat hún herinneringen het verst teruggaan. Ze ziet ze marcheren en kan maar niet begrijpen waarom er zoveel gedoe van komt, waarom mensen rellen ontketenen en bussen in brand steken. Ze zegt dat het toch niet zo erg is als er mannen rondlopen met trommels als enorme buiken voor zich. Maar mijn vader zegt dat ze zich vergist en dat de Lambeg-trommel een instrument is dat bedoeld is om de katholieken te beledigen en hen eraan te herinneren dat ze niet thuis zijn in hun eigen land.

'Het is niet zo makkelijk,' zegt mijn vader. 'Je kunt de Ierse geschiedenis niet altijd door de Duitse zeef gooien. De loyalisten marcheren tegen de nationalisten, alleen maar om ze op de kast te jagen. Die mensen weigeren om Iers te zijn en maken allemaal herrie om de mensen die wel Iers willen zijn te overstemmen.'

'Waarom doen ze dan niet mee?' vraagt mijn moeder.

Mijn vader glimlacht, en het is duidelijk dat ze de Duitse geschiedenis gebruikt om te verklaren wat er nu in Ierland gebeurt. Ze maakt altijd vergelijkingen, ze zegt dat de Ieren denken met hun hart en de Duitsers alleen met hun hoofd, zoals paarden. Ze probeert positief te blijven en blijft vragen waarom de nationalisten niet gewoon zelf ook een paar trommels pakken en meedoen. Ze denkt dat het daar in het noorden allemaal kinderen zijn die verschillende bendes hebben gevormd en dat ze heel veel plezier zouden hebben als ze één grote drumband zouden vormen, als ze maar toenadering zouden zoeken. Mijn vader probeert uit te leggen dat de nationalisten al jaren onderdrukt worden en dat de loyalisten alles voor zichzelf willen houden. De trommelaars zijn de pestkoppen op het schoolplein die alle anderen willen kwellen en hen eraan willen herinneren dat *zij* de lievelingetjes van de Britse meesters zijn.

'Waarom zou je je beledigd voelen?' vraagt mijn moeder. 'Je bent alleen beledigd als je dat zelf toelaat.'

'Het is een aanval,' zegt mijn vader. 'Een openlijke aanval, ze lopen bewust door de katholieke wijken om hen te provoceren.'

Mijn moeder blijft het proberen en ik vind dat ze een leuke nieuwe manier heeft gevonden om het met mijn vader oneens te zijn, een soort getalenteerd optimisme dat hem hoog op de kast jaagt. Ze denkt dat je mensen voor je kunt winnen door je over te geven, door zo aardig te zijn dat de agressor niets meer heeft om tegen te vechten. Ze heeft ons altijd geleerd om niet te geven om de overwinning, om nooit terug te slaan, om nooit mensen van de vuist te worden. Ze zegt dat ze de loyalisten in hun wijk zouden moeten uitnodigen en zeggen dat ze net zo lang door de straten mogen lopen en net zoveel lawaai mogen maken als ze zelf willen. Ze zouden ze thuis op de thee moeten vragen of kleine taartjes voor ze moeten bakken met gekleurde suikerpareltjes, want vroeg of laat zal die goedheid zich verbreiden en dan verliezen ze alle lol in het provoceren. Uiteindelijk willen beide groepen hetzelfde, ze willen allebei vrede, toch? Wat maakt het uit met welke vlag je zwaait? Over vijftig jaar marcheren ze allemaal samen, zegt ze, en dan is het één groot straatfestival, net als in Rio de Janeiro, of zoals het carnaval van de *Fastnacht* in Duitsland, waar mensen de hele dag en nacht dansen en er van over de hele wereld bezoekers komen om mee te doen. Het wordt het festival van de vergeving, het festival van het goede dat het wint van de agressie.

Mijn vader schudt het hoofd. 'Dat werkt niet,' zegt hij. 'Ik ben er geweest. Ik heb geprobeerd met ze te praten.'

Hij slaat met zijn hand tegen zijn voorhoofd en gooit het over een andere boeg. Hij zegt dat de nationalisten in Noord-Ierland alles al hebben geprobeerd. Ze hebben zich proberen over te geven, zoals de joden in Duitsland gemakkelijk en onderdanig probeerden te zijn, voor wie het ook niet had gewerkt. Nu is het mijn vaders beurt om de Ierse geschiedenis door de Duitse zeef te halen. Hij wil altijd het laatste woord hebben en hij zegt dat de Ieren hun eigen lawaai moeten maken. We moeten zorgen dat we gehoord worden in onze eigen taal, in onze eigen muziek en gedichten en verhalen, want dat is de enige manier om te voorkomen dat je overstemd wordt en uitsterft. Je moet overleven in je eigen taal.

Met de dag wordt de situatie in het noorden erger, op straat ontploffen er autobommen. Mijn moeder kan maar niet begrijpen waarom. Ze knipt een foto uit de krant van een verwoeste straat en plakt hem in het dagboek bij alle andere nachtmerries. Er staan bijna volledig verwoeste gebouwen op waar de ramen uit zijn geslagen, de gordijnen hangen naar buiten en de gewonden worden weggedragen. 's Nachts, in zwart-wit, lijkt het bloed in het geflits van de camera's zwart en de gezichten van de mensen lijkbleek. Ze zien er verward en slaapdronken uit, zoals ze weglopen met hun haar vol wit stof. Mijn moeder zegt dat ze dit soort dingen al heel vaak met eigen ogen heeft gezien en dat het haar doet denken aan Duitsland, toen de steden werden gebombardeerd. Ze ademt scherp in en schudt haar hoofd.

'*Schon wieder*,' zegt ze. 'Niet nog een keer.'

Ze zegt dat ze er misselijk van wordt. In de oorlog had ze dit soort dingen gezien toen ze soep naar Mainz bracht. Ze kende de stad toen die nog schitterend was. De volgende keer dat ze hem zag kon ze nauwelijks geloven dat het dezelfde plek was. Ze verdwaalde continu. Ze zei dat sommige stukken van de stad wel open vlaktes leken, vol grote hopen puin. Veel gebouwen waren tot de helft afgehakt, en de meubels en bedden lagen verstopt onder de brokstukken. Van sommige huizen stonden nog een of twee muren overeind en zag je de schilderijen aan de haakjes hangen, terwijl de gordijnen onbeschadigd wapperden alsof er niets gebeurd was. Ze had gehoord dat er mensen waren omgekomen door omvallende muren, nog lang nadat de bombardementen waren afgelopen. Aan de horizon was een hele straat verdwenen. Sommige van de huizen die nog overeind stonden waren zwartgeblakerd en uitgebrand en rookten nog na. De mensen hadden het over fosfor alsof het een ziekte was die zich door de stad verspreidde. Ze zeiden dat je sommige mensen niet meer kon herkennen vanwege hun brandwonden. Mensen die levend in de kelder waren verbrand als oude lappen, die zich aan elkaar vasthielden, terwijl er naast hen onbeschadigde kommen en kopjes lagen. Een jongen redde zijn familie uit de hel door in een in onbruik geraakte synagoge in te breken en een veilige plaats te vinden in de doopvont in de kelder. De overlevenden haastten zich weg naar het platteland met een paar van hun kostbaarste bezittingen op een kar. Niemand wist wie er nog leefde en wie gevlucht was. Overal huilende mensen die elkaar riepen. Mensen die in het puin naar hun familie groeven, nog dagen na het bombardement, mensen overdekt met wit stof die namen riepen en hun oren spitsten voor een antwoord. Men had tekens achtergelaten, handgeschreven in kalk, om te laten weten waar de bewoners gevonden konden worden. In een van de straten vond een massabegrafenis plaats, er lagen allemaal lichamen op een rij, en mijn moeder zegt dat ze nauwelijks een kruis kon slaan. Ze zegt dat ze haar eigen hand naar haar ogen toe zag komen en dat die zo trilde dat ze zich een oude vrouw voelde.

Steeds als er een bom ontploft in Noord-Ierland zie ik een blik van angst in de ogen van mijn moeder. Ook bij mijn vader, want dit is niet zijn manier van vechten om te overleven.

'In de oorlog noemden ze dit moraalbombardementen,' zegt mijn vader. 'De IRA heeft geleerd van Churchill en Truman. Steden bombarderen. De kwetsbare mensen en de kinderen bombarderen.'

'Het is allemaal deel van dezelfde nachtmerriefabriek,' zegt mijn moeder.

En dan is het tijd om van onderwerp te veranderen. Met je vinger wijzen maakt je niet onschuldig, zegt ze, terwijl ze een Duits bordspel tevoorschijn haalt dat '*Mensch ärgere dich nicht*' heet. Het regent buiten. Het is nutteloos om naar de haven te gaan, dus als mijn vader me uitdaagt voor een spelletje schaak, ga ik akkoord. Mijn moeder doet het licht aan. Uit de radio komt muziek. Ze pakt zelfs de cognacfles en schenkt een glaasje voor zichzelf en voor mijn vader in, want ze wil dat er totaal geen spanningen zijn. Ze haalt een doos chocolaatjes tevoorschijn die verstopt zat in de muurkast in de voorkamer en overal is chocola en de geur van cognac, en stilte, en Maria die 'nee toch' zegt als het geluk haar in de steek laat en ze terug moet naar het eerste vakje. We zijn allemaal heel goed in winnen en verliezen, iedereen blijft spelen, en nog aandachtig ook. Het enige geluid is de regen buiten en het geluid van Bríds adem die op en neer blijft gaan. Mijn moeder slaat haar armen om haar heen en werpt een blik op het schaakbord om te zien hoe het gaat tussen mij en mijn vader.

'Wie is er aan zet?' vraagt ze.

'Ik,' zeg ik.

Ze toont bewondering voor het feit dat we kunnen spelen zonder een woord te zeggen. Mijn vader heeft me leren schaken en ik heb hem nog maar één keer verslagen, toen hij nog beleefd was en me op mijn fouten wees. We waren heel lang hoffelijk tegen elkaar, en wezen elkaar op de mogelijke gevaren. Pas op je dame. Ben je je toren vergeten? Het ging niet om winnen, maar om leren en genieten van de prachtige zetten die je kon doen. Mijn vader wilde niet van me winnen en ik wilde hem ook niet verslaan, dus vermeden we het basisprincipe van het schaakspel. Het was een beleefde vorm van schaken, en dat hield in geen slinkse zetten, geen gambieten. Nu nemen we het spel serieus en zeggen we geen woord meer. Zelfs als de anderen allang niet meer met hun bordspel bezig zijn, zitten mijn vader en ik nog steeds tegenover elkaar, en nemen eeuwen de tijd voor elke zet.

'Wat een concentratie,' zegt mijn moeder. Ze bewondert ons omdat we zo betrokken bij iets kunnen raken dat we alle andere gedachten achter ons laten. Het lijkt of ze ons wil afleiden, want ze biedt ons nog een keer chocolaatjes aan, ze haalt het kartonnetje weg om de tweede laag eronder te tonen. 'Wie wil er nog een laatste voordat ze op zijn?'

Iedereen kijkt naar de doos chocolaatjes en ik pak een toffee waar ik lang mee kan doen. Mijn vader kijkt naar de plaatjes van de bonbons en de namen van de verschillende vormen. Hij kiest een karamelsurprise en steekt hem in zijn mond. Hij kauwt in stilte. Ik probeer geluidloos te kauwen, maar dat wordt een flink gevecht met een toffee die aanvoelt alsof ik een grote voetbal in mijn mond heb.

'Jij bent nog steeds aan zet,' waarschuwt mijn vader.

Dus ik concentreer me zo goed als ik kan. Ik kleef de toffee tegen mijn verhemelte zodat hij er als een plakkerig schild aan vast komt te zitten. Het is onvermijdelijk dat ik erop zuig, maar ik hoef tenminste niet meer te kauwen en dus maak ik geen slikgeluiden meer, die heel irritant zijn wanneer je aan het schaken bent. Mijn vader zit te wachten en als ik weer naar het bord kijk, neem ik snel een beslissing. Pas later besef ik wat een briljante zet het is, een geniaal stukje schaken.

Mijn vader zit in de val. Hij raakt zijn dame kwijt. Hij staart naar het bord, overdenkt alle mogelijke zetten om zich eruit te redden. Ik blijf het plakkerige schild tegen mijn verhemelte drukken. De hele kamer is stil en wacht op het einde, wanneer hij me de hand zal drukken en zegt dat ik steeds beter word. Hij heeft geen uitweg. Hij zit in de val. Ik stel me het spel voor vanuit zijn ogen en ga alle mogelijke zetten langs. Ik voel een vlaag van opwinding, ik weet dat ik hem eindelijk heb verslagen. Maar het is niet beleefd om op te scheppen over een zet als de ander nog nadenkt, dus ik zeg geen woord totdat hij uiteindelijk naar me opkijkt. Hij heeft een felle blik in zijn ogen, ze knipperen achter zijn bril, en ik kan een kleine glimlach niet onderdrukken omdat het pure mazzel was.

Ik wil hem helpen. Misschien moet ik de zet terugnemen en hem de kans geven zich iets beter te verdedigen. Hij bekijkt de stelling nog een keer, maar niet lang. Dan zet hij zijn hand onder het bord, gooit het omver en stormt de kamer uit.

'Wat is er aan de hand?' vraagt mijn moeder.

Ze springt op van haar stoel. Ze had gehoopt dat de avond

vrolijk zou eindigen. De schaakstukken rollen over tafel. Mijn zuster Ita bukt zich om de gevallen zwarte koning van de grond te rapen, maar mijn moeder zegt dat ze hem moet laten liggen.

'Niemand mag iets aanraken.'

Alles wordt gelaten zoals het er ligt, met het schaakbord ondersteboven en een paar stukken die heen en weer rollen, alsof ze nog leven en proberen op te staan om nog één dag door te vechten. Mijn moeder wil dat alles zo blijft liggen, onaangeraakt, als een monument. Mijn vader had geen verschil meer gezien tussen een spelletje schaak en de toestand in de wereld, alsof alles niet meer dan een strijd is tussen de zwarte en de witte stukken. Ze gaat naar de voorkamer om hem te vertellen dat schaken geen oorlog is. Ze wil dat hij terugkomt en de dingen niet achterlaat zoals ze nu zijn. Ze slaat haar arm om hem heen, maar krijgt hem niet in beweging.

Wij, de rest, blijven langdurig staan kijken naar de wrakstukken van het spel op de tafel voor ons en wachten. Maar dan besluit ik om de stukken zelf op te rapen. Ik wil het gemakkelijker voor hem maken om terug te komen en het bord weer opzetten. Ik wil zeggen dat we opnieuw gaan beginnen en dat ik dit keer zal proberen om niet zo vals en gemeen te spelen. Het bord staat klaar en ik wil dat hij terugkomt om te spelen zonder zich druk te maken over winnen of verliezen. Ik wil luisteren naar de regen die klinkt als draaiende wielen aan de andere kant van het raam. Als tientallen wielen die suizend rond hun assen draaien, onophoudelijk. Als kruiwagens. Als omgevallen fietsen waarvan de wielen in stilte draaien. Alle wielen ter wereld rollen door de goten en gorgelen weg door de regenpijp. Ik wacht maar en wacht maar, maar hij komt niet terug en daarna zullen we nooit meer tegen elkaar schaken.

Mijn moeder komt wél terug en ze vertelt me een verhaal

om me mijn vader te laten begrijpen. Ze wil dat ik hem zie als de kleine jongen die met zijn moeder en zijn broertje Ted in het dorp Leap woonde. Zijn moeder vroeg hem op een avond om melk te halen toen de maan al scheen. Het blauwe, stoffige licht viel op de straat en gaf de huizen de aanblik van kartonnen façades. Alles leek onecht in dit zachte, witte licht. Met een emaillen veldfles liep hij de weg af naar de boerderij en bleef staan kijken toen de vrouw even ging melken. De koeien waren onrustig en hij zag de staart in de emmer slaan. Hij hoorde de vrouw tegen de koe praten terwijl ze de veldfles vulde met warme, schuimende melk. Hij hoefde haar niet meteen geld te geven, omdat zijn moeder iedereen altijd in rotatie afbetaalde. Op weg naar huis was de maan zo fel dat mijn vader viel en de melk liet vallen, omdat hij kreupel was geboren en niet op zichzelf kon vertrouwen bij het lopen.

'De maan heeft me omvergeduwd,' huilde hij toen hij thuiskwam.

Zijn moeder wreef over zijn hoofd en zei dat er niets aan de hand was. Ze maakte de snee op zijn knie schoon en zei dat het geen zin had om erom te huilen. Ze wilde niet dat hij dacht dat het de schuld was van zijn kreupelheid, dus liep ze naar de deur en sprak met de maan, ze wees naar de nachthemel. Hou er toch eens mee op om de mensen te laten geloven dat het dag is! Mijn vader moet gedacht hebben dat het toch nog zijn fout was dat er geen melk was voor de volgende ochtend. En nu probeert hij het nog steeds goed te maken door dingen recht te zetten, lang nadat ze gebeurd zijn, als ze toch niet meer veranderd kunnen worden. Hij repareert de geschiedenis, zegt mijn moeder, hij probeert het maanlicht op te rapen van de straat.

Dertien

Er is geen nieuws van Stefan. Er zijn al weken verstreken sinds hij bij ons weg is en mijn moeder is ongerust omdat hij geen briefkaarten meer stuurt. Ze heeft een kaart gekregen uit een plaats die Kilfenora heet, waarop hij bedankt voor de kleine pakjes *barm brack* die ze voor hem had ingepakt, en daarna niets meer. Ze heeft alleen een brief van tante Käthe gekregen, die liet weten dat ze niets meer van Stefan heeft gehoord en erg ongerust is, omdat ze hem geleerd heeft om beleefd te zijn en altijd iets van je te laten horen, en dat er nu kennelijk iets aan de hand is waardoor hij niet meer naar huis kan schrijven.

Ik mag mijn moeder niets vertellen over het gesprek dat ik met Stefan had, omdat dat haar nog ongeruster zou maken. Ik mag haar niet vertellen dat hij weg wilde lopen van zijn vader en dat Kilfenora nog lang niet ver genoeg voor hem is. Ik stel me voor hoe hij ergens in het westen van Ierland nog een pakje *barm brack* vindt dat verstopt zat in een van de geheime vakjes van zijn rugzak. Ik weet hoe dat voelt, want op een keer gingen Franz en ik samen in de zomer op fietsvakantie naar West Cork, en mijn moeder had onze tassen gepakt alsof we de oorlog in gingen en ergens terecht zouden kunnen komen waar geen voedsel was.

Aan de eettafel vraagt ze iedereen om goed na te denken waar Stefan naartoe kan zijn gegaan en waarom hij niets van zich laat horen, zelfs niet dat het goed met hem gaat. Hij hoeft toch niet te wachten tot er iets verschrikkelijks gebeurt voordat hij contact opneemt? Ik zie dat ze probeert om zich niet bij voorbaat ongerust te maken, maar ze voelt zich verantwoordelijk voor iedere Duitse bezoeker die in Ierland verdwaalt. Dus zitten we met z'n allen te bedenken hoe Stefan ergens het laatste stukje *barm brack* zit op te eten, hoe hij schuilt voor de wind en uitkijkt over de Atlantische Oceaan. Iedereen zoekt in zijn hoofd in stilte de kliffen en de stranden af. Ik stel me voor dat hij Iers aan het leren is zodat hij volledig uit zicht kan verdwijnen en even onzichtbaar kan worden als iedereen in Ierland die Iers spreekt. Ik zie hoe hij zich voordoet als volbloed Ier en van elk spoortje Duits accent probeert af te komen, hoe hij een valse naam opgeeft aan de pensionhoudster in Kilfenora en hoe zij bij zichzelf zegt dat zijn slaapkamer iets te netjes is voor een echte Ier. Ik zie hem door bergen en venen trekken, een pub binnenlopen met enkel een hoofdknik als groet, net als iedereen, en zo min mogelijk spreken, misschien zegt hij wel dat hij uit Noord-Ierland komt, uit Belfast, zodat ze zich niet over zijn vreemde accent verbazen. Ik stel me voor hoe de mannen in de pub zeggen dat hij een beetje op die geweldige Duitse voetballer lijkt – Beckenbauer, God zegene hem, en hoe hij dan antwoordt dat hij dat wel zou willen maar dat hij twee linkervoeten heeft, waarvan er eentje achterstevoren staat.

Er komt een brievenstroom met Duitsland op gang en iedereen vraagt zich af waarom Stefan niets van zich laat horen. Na nog een paar keer crisisberaad en nog wat telefoontjes van Tante Käthe besluiten ze uiteindelijk de Gardai te bellen.

Het is voor het eerst dat we iemand in uniform in huis hebben sinds ik heel klein was, toen er een vos in de keuken zat en de Garda ons kwam vertellen dat het helemaal geen vos was maar een rat. Er zijn twee Gardai, ze komen met een patrouillewagen. Ze worden naar de voorkamer gebracht en hoewel mijn moeder ze uitnodigt om plaats te nemen, zoals alle gasten, blijven ze aanvankelijk staan. Een oudere, vrij magere sergeant en een jongere, zwaardere man die aantekeningen maakt. Buren die buiten op straat voorbijkomen zullen zich wel afvragen wat er aan de hand is, of er soms iemand uit ons huis de wet heeft overtreden. Mijn moeder is bang voor politie en begint meteen te praten, ze vertelt allerlei dingen over Stefan die helemaal niet relevant zijn, zoals het feit dat het op school heel goed met hem ging en dat er helemaal geen reden voor hem is om niet terug te gaan naar Duitsland en er medicijnen te studeren. Ze is teleurgesteld dat ze zo weinig aantekeningen maken en begint andere dingen te vertellen, ze is op zoek naar iets wat ze de moeite waard zullen vinden om op te schrijven.

Mijn vader staat bij de open haard en zegt eerst niets, daarna barst hij los en verdikt een paar dingen die mijn moeder heeft geprobeerd te zeggen tot een paar beknopte zinnen, als een samenvatting. De Gardai blijven naar haar kijken, ze lijken te vinden dat de hele affaire meer met haar te maken heeft, omdat zij Duits is en ze hier zijn vanwege Stefan, een vermiste toerist uit Duitsland. Mijn moeder laat de kaart zien die ze uit Kilfenora heeft gekregen en de sergeant geeft hem door aan de jongere agent, die nauwkeurig de datum op het postmerk bekijkt en er een notitie van maakt.

De sergeant vraagt naar Stefans financiële situatie toen hij wegging en mijn moeder zegt dat hij inmiddels wel geen geld meer zal hebben en dat ze daarom zo ongerust zijn, omdat hij ook niet naar huis heeft geschreven om geld. Mijn vader voegt eraan toe dat hij in zijn studententijd met heel weinig geld toe kon, maar dat niemand kan rondkomen van wat Stefan heeft. Dan vraagt de sergeant mijn moeder om te gaan zitten, alsof dit zijn huis is en zij de gast. Hij legt uit dat de

Gardai hun best zullen doen om Stefan te vinden, maar dat er in dit vroege stadium geen reden is om je zorgen te maken en dat ze hem nog niet officieel als vermist willen opgeven. De Gardai in het westen zullen naar hem uitkijken, zegt hij, en in de tussentijd kan het geen kwaad om een persoonsbeschrijving op te maken.

Iedereen probeert zich te herinneren hoe Stefan eruitziet en wat hij aanhad toen hij wegging. Mijn moeder begint met te zeggen dat Stefan groot is, net als zijn vader. Dat hij een vriendelijk gezicht en bruine ogen heeft, net als zijn moeder. Mijn vader weet wat de Gardai willen horen en geeft een gedetailleerde beschrijving van Stefans rugzak, maar dan wordt wel duidelijk dat hij nog nooit iemand in dit soort termen heeft beschreven en niet eens meer weet wat voor kleur haar of jack Stefan heeft. Ze moeten Franz erbij roepen, want die heeft het beste geheugen en kan zich altijd allerlei data en gebeurtenissen herinneren die verder iedereen is vergeten. Hij begint met te zeggen dat Stefan dunne benen heeft en heel snel loopt, maar de sergeant zegt dat hij het tot uiterlijkheden wil beperken, en dan wordt Franz nerveus en herinnert zich alleen nog dat Stefan een grijs jack met capuchon aanhad en een spijkerbroek droeg. De jongere Garda zegt dat dat precies is wat ze wilden horen en leest de beschrijving voor.

'Groot, normaal postuur, toen hij voor het laatst is gezien gekleed in een spijkerbroek en een grijze parka met capuchon, reizend met een witgroene rugzak.'

Bij het horen van die woorden lijkt het of Stefan nooit meer terug zal komen. Dit is een omschrijving die niemand wil horen, want al het leven is uit hem verdwenen, hij is een vermiste geworden.

Ik kan er niets aan toevoegen, alleen dat Stefan een moedervlek op zijn rug heeft, maar ik weet dat de politie daar niets aan heeft. Het enige waar ik aan kan denken nu de politie bij ons thuis is, is dat ik een misdadiger ben. Ik laat alle misdaden die ik heb begaan de revue passeren. Ik hoor ze vanaf de gang en stel me voor hoe ze me wegleiden naar de surveillancewagen die buiten staat. Ik zie de buren al voor me, ze verzamelen zich op straat en kijken toe hoe we wegrijden, en ik kijk om vanaf de achterbank en werp een laatste blik op het huis waar ik ben opgegroeid. Vanaf dit moment krijg ik een terugkerende droom waarin ik me voorstel dat mijn moeder bij de deur staat te huilen en zegt dat ze me in de gevangenis taart zal komen brengen.

Als mijn moeder begint over het weer tot leven wekken van mensen, weet ik dat ze stilletjes aan Stefan denkt. Ik denk aan Stefan, daar in het westen van Ierland, hoe hij over de weggetjes van County Clare en Connemara loopt, op al die plekken waar ik ook ben geweest, en hoe hij denkt dat iets hem continu op de hielen zit, als een schreeuw in de lucht. Hij blijft maar lopen en lopen, maar hij zal nooit ontsnappen aan zijn eigen naam en zijn eigen familie en zijn eigen land. Ik verbeeld me dat hij uitkijkt over de zee met niets dan het geluid van de wind in zijn oren. En hoewel er niemand in de buurt is en hij de eenzaamste plek ter wereld heeft gevonden, waar kilometers lang niets te vinden is, voelt hij nog steeds dat ze achter hem aan zitten. Ik bedenk hoe hij over de Atlantische Oceaan uitkijkt, als een opgejaagd konijn dat niet om kan keren. Hij heeft geen land om naar terug te gaan.

De Gardai zeiden dat ze het nog een week op zijn beloop zouden laten. Ze zeiden dat ze in de tussentijd naar hem zouden uitkijken, maar we weten dat het onmogelijk is om iemand te vinden die niet gevonden wil worden. We zagen hem als een vluchteling, zoals in een televisieserie, altijd op weg naar een nieuwe plek. Er waren mensen in Ierland die waren verdwenen naar plekken als Amerika en Canada, dus waarschijnlijk begrepen ze wel waarom iemand niets van zich wilde laten horen. Mijn moeder zat vaak in de voorkamer te denken dat het allemaal haar schuld was. Ze dacht aan al die dingen die hem zouden kunnen zijn overkomen, ze bedacht allerlei ongelukken, dat hij van een klif viel, zijn been brak op een berghelling en daar lag te verhongeren omdat hij zich niet naar het volgende dorp kon slepen. Ze zette de nachtmerriefabriek weer in werking.

En toen besloot ik dat ik haar moest vertellen dat Stefan alleen wilde zijn. Ik wilde haar hoofd wat rust geven en vertelde dat hij wilde ontsnappen aan Duitsland, aan zijn vader.

'Hij probeert te verdwijnen,' zei ik.

'Wat zei je daar?'

Ik kon zien hoezeer het haar raakte om dit te horen. Ze wilde precies weten wat Stefan tegen me gezegd had.

'Zorg er maar liever voor dat je alles heel duidelijk vertelt,' zei ze, 'want dit is een zaak voor de politie.'

Ik wist niet zeker wat ik de Gardai zou vertellen als ze me iets zouden vragen. Nu was het bekend. Aan haar vertelde ik dat Stefan had gezegd dat hij zich in Duitsland verdoofd voelde en dat zij misschien hetzelfde had gevoeld toen ze naar Ierland kwam.

'Hij praat al heel lang niet meer met zijn vader,' vertelde ik haar.

'Dat heeft hij je gezegd?' vroeg ze.

'Al meer dan een jaar niet,' zei ik. 'Hij wil zo ver mogelijk van huis weg zijn, en dan verdwijnen. Hij wil onderduiken.'

Mijn moeder was even stil. Deze Duitse vader-en-zoonstrijd leek haar bang te maken, want ze moest er al van gehoord hebben van tante Käthe. Ze zei dat ze wist dat er moeilijkheden thuis waren en nu begon ze zich ongerust te maken dat Stefan een gevaar voor zichzelf zou worden, met de kliffen van Moher in de buurt.

'Hij kent het Ierse landschap niet,' zei ze. 'Het is hier heel anders dan in de bergen in Duitsland. Soms scheert de wind langs de kliffen en tilt de mensen op als een onzichtbare hand.'

Ze zei dat de wind in Ierland haar continu overrompelde. Na haar huwelijk met mijn vader nam hij haar bij wijze van huwelijksreis mee op pelgrimstocht naar Croagh Patrick, en ze zei dat ze zich had moeten bukken en aan de rotsen vast had moeten houden omdat de wind haar anders weer van de berg af zou hebben geblazen. Ze begon zich het allerergste voor te stellen. Ze kon niet begrijpen hoe Stefan zijn familie, de plaats waar hij was opgegroeid en zijn eigen huis zo de rug kon toekeren.

'Krijgt hij dan geen heimwee?' wilde ze weten.

Maar dat was juist wat hij wilde voelen: heimwee. Dat was wat hij wilde leren kennen.

Een tijdlang blijven de telefoontjes komen. Mijn moeders schoolvriendin dacht erover om hiernaartoe te komen en een zoekactie op touw te zetten, maar mijn vader zei dat Ierland veel te groot was om iemand te zoeken die misschien niet gevonden wilde worden. Iedere dag hing mijn moeder in tranen aan de telefoon, want bij vlagen dachten ze dat Stefan al dood was. Onkel Ted kwam een speciale mis opdragen. Ze wachtten alleen nog op de dag dat zijn lichaam gevonden zou worden, en in haar ogen kon ik zien hoe enorm bedroefd Stefans moeder in Duitsland moest zijn.

Ons huis was nu heel stil 's nachts, als een kerk waar iedereen bad voor zijn terugkomst. Iedereen probeerde hem weer tot leven te brengen via de herinnering. En toen, op een dag dat ze telefoneerde met haar vriendin, werd mijn moeder woedend, omdat Käthe een vraag stelde die haar op dat moment zeer ondoordacht voorkwam: ze wilde weten of mijn moeder het antieke boek uit Gutenbergs tijd al aan Stefan had gegeven. Anders gezegd, of hij het kostbare boek bij zich had. Mijn moeder vond dat het leek of Stefans moeder minder om haar eigen zoon gaf dan om het kostbare boek, en alsof ze als haar zoon niet terugkwam hoopte dat ze in ieder geval wel het boek zou terugkrijgen. Mijn moeder kon het niet begrijpen. Ze zei dat het geen wonder was dat Stefan nooit had leren voelen.

De Gardai vonden geen spoor van Stefan en besloten een openbare oproep te doen. Hij werd officieel als vermist geregistreerd en op een dag werd er na het nieuws een politiebericht uitgezonden. We zaten allemaal in de ontbijtkamer te luisteren naar het nieuws in het Engels, voordat het bericht kwam, aan het eind van de uitzending, net voor het weer.

'Hier volgt een bericht van de Garda voor Stefan Haas, een ingezetene van Duitsland die vermoedelijk door het westen van Ierland reist. Hem wordt dringend verzocht om contact op te nemen met zijn familie of met de plaatselijke Garda.'

Het was geweldig om dat bericht op de radio te horen. Ik wou dat ik Stefan was. Het was geweldig om je voor te stellen dat hij zich daar in het westen van Ierland verscholen hield. Ik stelde me voor hoe hij zijn naam op een dag op de radio hoorde, net toen hij wilde gaan eten, of misschien toen hij langs een pub kwam waar de radio aanstond. Ik wilde ook vermist zijn en nooit terugkomen. Ik stelde me voor hoe hij uit een stadje wegglipte en hoe de mensen hem nakeken en zich afvroegen of hij die ingezetene van Duitsland was naar wie iedereen op zoek was. Ik stelde me voor hoe hij door de Burren en door de venen van Connemara trok, hoe hij uit het zicht probeerde te blijven, en verder, steeds verder liep, weg van plaatsen waar hij misschien gezien zou worden.

Een week later werd de boodschap van de Garda opnieuw uitgezonden, nu iets anders geformuleerd.

'Hier volgt een bericht van de Garda voor een ingezetene van Duitsland met de naam Stefan Haas, die vermist is en van wie wordt aangenomen dat hij in het westen van Ierland verblijft. Hij is lang, heeft een normaal postuur en was toen hij voor het laatst is gezien gekleed in een grijs jack en een spijkerbroek. Indien u hem heeft gezien, verzoeken wij u om contact op te nemen met de plaatselijke Garda.'

Iedere keer als we het bericht hoorden, bedacht ik dat de omschrijving helemaal niet bij hem paste. Dit was niet zoals ik me hem herinnerde. Ze hadden moeten zeggen dat hij op Beckenbauer leek, dan had iedereen hem meteen herkend. Ze hadden moeten vragen of iemand Beckenbauer ergens in het westen had zien rondhangen, misschien in een kamer in een of ander pension onder een valse naam, waar hij deed alsof hij absoluut niet in voetbal geïnteresseerd was, alleen maar in wandelen door de heuvels. Ze zouden de mensen moeten vragen om uit te kijken naar iemand die op straat tegen steentjes of lege sigarettenpakjes trapte. Misschien had iemand hem wel over een veld zien lopen en distels of jakobskruiskruid zien onthoofden met de punt van zijn schoen.

Veertien

In de haven begonnen de zaken te escaleren, nog zo'n woord dat uit Noord-Ierland was overgewaaid. Toen we op een ochtend aankwamen, merkten we dat een van Dan Turleys boten ontbrak. Dan was zelf al in de baai aan het zoeken, maar Packer en ik vonden de boot uiteindelijk terug, voorbij het eiland. Hij was zwaar beschadigd, het getij had hem tegen de rotsen geslagen, en hij moest uit het water worden getakeld. De kraan op de pier werd aan het werk gezet en toen de boot uiteindelijk op zijn rug lag en op schragen was gezet zodat je hem kon bekijken, zei Packer dat het leek of een wild dier hem te lijf was gegaan. Over de hele boeg en bodem zaten krassen. Hier en daar was de verf afgeschaafd en zag je het witte, tanige hout eronder, zacht en geel, als gescheurde spieren.

Dan Turley zei dat er flink wat herstelwerk aan te pas zou moeten komen voordat hij het water weer in kon. Hij zat vol woede, alsof dit allemaal deel uitmaakte van het complot in de haven om hem uit de weg te ruimen. Je kon de kwetsbaarheid in zijn ogen zien als hij naar de woeste beetsporen keek en met zijn hand over de beschadigde delen streek, alsof de boot veel pijn had moeten doorstaan, alsof de boot een kind van hem was. Hij gaf een klopje op de boeg en zei dat het allemaal weer prima met hem in orde zou komen als we hem hadden overgeverfd met rode, schimmelwerende loodverf. Toen draaide hij zich om met een gepijnigde uitdrukking op zijn gezicht, en hij wenste dat hij het beest dat hier verantwoordelijk voor was te pakken kreeg, dat hij hem de benen als twijgjes kon breken met zijn grote handen van staal.

En toen, een paar dagen later, raakte er weer een boot zoek. Dan was in staat om iemand te vermoorden. En hoewel de havenjongens de boot onbeschadigd op het strand vonden, zei Dan dat de daders het bewust op hem gemunt hadden. Ze werkten van binnenuit en wisten hoe je bij de ligplaatsen kon komen. Ze moesten eerst de voorste boot zien te bereiken, die tussen de twee pieren vastlag met lange touwen, die behoorlijk los hingen voor als het eb werd. Die touwen lagen meestal onzichtbaar onder water. Alleen iemand die iets van de haven wist, kon weten hoe je de andere boten moest bereiken. De Gardai kwamen de boel onderzoeken en ze beloofden een oogje in het zeil te houden, maar daar was Dan niet echt tevreden mee, en twee of drie nachten lang hield hij zich schuil in zijn loods, sliep er op de bank en spitste zijn oren voor elk geluidje dat van buiten kwam. Maar het had geen zin dat hij 's nachts waakte, dan zou hij elke nacht van de week wakker moeten blijven, vierentwintig uur per dag.

De havenjongens praatten Dan na, ze zeiden dat ze de verantwoordelijke in de grond zouden stampen. Hem aan de mast zouden spijkeren. Aan een kreeftenfuik zouden vastbinden en laten zinken, de klootzak. Dan had al een goed idee wie het zou kunnen zijn en keek rancuneus uit over de haven, alsof hij een dezer dagen zijn wraak ging halen. Onder het repareren van de beschadigde boot begon hij steeds harder te vloeken.

Packer besloot dat we een reis naar het westen van Ierland gingen maken. Hij zei tegen Dan dat we een week of twee weg zouden zijn en Dan zag ook dit als een samenzwering, dat we hem zomaar in de steek lieten, midden in zijn crisis.

'Dat pleurt gewoon op naar de Aran-eilanden,' gromde hij.

Ik dacht dat hij niet zou willen dat we ooit weer voor hem zouden komen werken, maar Packer wist hem voor zich te winnen door de manier na te doen waarop Dan 'pleuren' en 'verdamme' en 'zomaar op reis, als een bende verdamde zigeuners' zei. Uiteindelijk begonnen de havenjongens weer te lachen en vatten ze de zaak van de gestolen boten licht op, alsof het een toevalligheid was.

Mijn vader had er niets op tegen dat ik naar de Aran-eilanden wilde. Hij was blij dat ik ergens naartoe ging waar ze nog Iers spraken, maar hij wist niet dat Packer er ook bij betrokken was. Ik had mijn eigen geld en misschien dacht mijn vader dat het fijn was om het huis een tijdje voor zichzelf te hebben, want ik was een vijand binnen de muren.

Packer zei dat het de eerste van vele reizen zou zijn. We zouden door heel Europa trekken, door de hele wereld. Hij had een groepje goede vrienden van school en uit de buurt verzameld, alsof we een expeditie naar de zuidpool gingen maken, Packer als de leider en wij als bemanning: een met lang haar en gescheurde tennisschoenen, een ander met een bril op die altijd een jas bij zich had, zelfs als de zon scheen. Een derde expeditielid stuiterde over de straat als hij liep. Packer had het continu over de reis, over hoe we de Aran-eilanden gingen ontdekken, hoeveel bier we gingen drinken, hoeveel vrouwen we zouden ontmoeten, en hoe we allemaal een rol zouden spelen in de grote film: Packers expeditie naar de Westrand van de Wereld.

Het eerste wat ons opviel toen we naar Aran voeren, was het licht. Het kwam van de andere kant en dat voelde vreemd aan. Voor ons, die in Dublin woonden, aan de oostkust van Ierland, leek het toen we de boot van Galway naar de eilanden namen alsof de wereld de volle honderdtachtig graden was gedraaid. Het witte schijnsel van de zon dat we verwachtten te zien toen we aan wal gingen, was recht achter ons, aan de zeekant. Een omgekeerde thuiskomst; Packer zei dat het zoiets was als aan boord van een vliegtuig stappen in de herfst en ergens aan de andere kant van de wereld aankomen in de lente. Op de Naomh Éanna, de veerpont naar Inishmore, voelde het alsof we teruggingen in de tijd, door de spiegel reisden. We staarden naar het licht boven de zuidpool. We konden de omtrek van de drie eilanden in de verte nauwelijks onderscheiden. We roken de zee en de dieseldampen en voelden de bonkende motoren in alles wat we aanraakten. We hoorden om ons heen op de boot Iers mompelen en zonder het hardop te zeggen merkten we dat onze aandacht niet langer op het oosten was gericht, op Londen of Europa, maar op een oudere, onberoerde wereld in het westen.

Toen we in Kilronan op de pier stapten, scheen de middagzon de andere kant op, richting vasteland. We liepen omhoog naar de American Bar, die zo'n beetje de wachtkamer van het eiland was waarvandaan de mensen uitkeken of de boot er al aankwam, waar mannen het weer bespraken en besloten of ze zouden uitvaren of nog een nacht op het eiland zouden doorbrengen. De mensen die het eiland verlieten, liepen omlaag in de richting van de pier en de mensen die aankwamen namen hun lege plaatsen in de American Bar in. De toeristen gingen direct door naar het uitstekende fort op de klip in Dun Aengus, te voet, met de ponywagen of op een huurfiets. Wij namen onze intrek aan de andere kant van het eiland, in Killeany, en dus togen we langs de danszaal, langs de lage kliffen met de klimop, over de weg in de richting van het vishaventje en het witte strand, dat *trá na ladies* wordt genoemd, het damesstrand.

In de dagen die volgden verkenden we het eiland en prentten ons het lege landschap om ons heen in. We zagen de kleine velden van Aran en de hoge stenen muren van scherpe grijze leisteenrots, die zo gebouwd waren dat ze de wind doorlieten. We zagen hoe er aan weerszijden van de geasfalteerde weg altijd een strook wit zand en gras lag. We roken de turfrook en hoorden het geluid van de emaillen emmers als we langs de huizen liepen. Hier en daar vergezelde een hond ons op een stuk van onze tocht en we realiseerden ons hoe weinig verkeer er op deze weg was en wat een sensatie wij moesten vormen, vreemdelingen uit Dublin. We zagen de landingsbaan in de verte met een enkele rode brandweerwagen in het midden geparkeerd en zo'n vijfentwintig eilandezels die vrij rondliepen over het gras. We hoorden dat elk van hen een eigenaar had, maar dat ze de vrijheid hadden om op het eiland te gaan en staan waar ze wilden en onderwijl iedereen uit te lachen. We renden achter ze aan en sloten er een of twee in, we bereden ze als in een rodeo en vielen eraf zodra ze met hun oren omlaag begonnen te steigeren. We gingen naar de Glasen-rotsen en naar de kliffen in de Atlantische Oceaan en we zagen er niemand, alleen de schuimballen die uit zee kwamen aandrijven met het bulderende geluid van de golven tegen de rotsterrassen onder ons.

Af en toe dacht ik dat ik Stefan zo wel ergens op een klif zou zien staan, zwijgend uitkijkend over de zee. Ik dacht dat hij iets verder weg zou staan, helemaal aan de rand van de rots, en dat hij daar naar beneden zou turen, naar de golven die de grotten in sloegen, voor zich uit starend alsof hij zich nooit meer om kon draaien of terug kon gaan naar Duitsland.

Op de terugweg van de kliffen zagen we mannen die de velden bewerkten. Soms zagen we vrouwen en kinderen over de weg lopen en het viel ons op dat ze aan de rand van de weg liepen, vlak langs de muur, terwijl wij midden op de weg liepen. Maar meestal zagen we helemaal niemand en pas na een paar dagen begonnen we te begrijpen hoe leeg dit landschap écht was, hoe zwaar het moest zijn om hier te leven, ver weg van het vasteland met zijn winkels en drukke straten. 's Nachts was het zo donker dat je de sterren heel duidelijk zag, niet alleen de belangrijkste, zoals de Grote Beer, maar een hele kantachtige wolk van witte stipjes daartussen. Soms was het zo donker dat we onze armen moesten uitsteken en naar de stenen muren moesten tasten om zeker te weten dat we nog op de weg waren.

In de Tigh Fitz bar in Killeany hoorden we de mannen Iers praten en sterke verhalen vertellen. We hoorden hoe er in de Eerste Wereldoorlog eens een vliegtuig op het eiland was geland en dat alle koeien en paarden bang waren geworden omdat ze niet gewend waren aan het geluid van motoren en motorfietsen. Een van de paarden bleef wekenlang gek en rende als een dolle over het hele eiland, dag en nacht, terwijl alle eilanders hem probeerden in te sluiten om hem weer bij zinnen te brengen. Toen een jongeman met een touw om zijn middel hem uiteindelijk wist te besluipen en in een moment van uitputting wist op te tuigen, raakte hij compleet over zijn toeren en rende de golven in bij het strand van *trá na ladies*, waarbij hij de man met zich meesleurde.

We hoorden andere verhalen over verdrinkingen en over het bovennatuurlijke. Dat was mijn verhaal, zeiden ze dan. Geen woord gelogen. We hoorden over de regisseur uit Hollywood die naar Aran kwam en hier een broer en zus vond die zo knap waren dat hij ze vroeg om mee te gaan en de rest van hun leven in Amerika bij de film door te brengen. Toen ze op de boot zaten en naar de achterblijvers op de pier in Kilronan wuifden, veranderde de broer plotseling van gedachten en sprong in het water om terug naar de wal te zwemmen. Hij werd gered door zijn vrienden, die hem uit het water trokken terwijl zijn zus aan boord bleef en naar Amerika vertrok, waar ze een beroemd actrice werd; ze zouden elkaar nooit meer zien. 's Avonds laat zongen de mannen de oude *sean nós*-liedjes. 'The Rocks a Bawn' was een soort hit van het eiland, en elke avond moest iemand het zingen, anders mocht niemand naar huis. En onder het zingen moest de zanger de hand van een ander levend mens vasthouden, gewoonlijk die van een vreemdeling, en ermee zwaaiden als met een pijporgel om het lied te laten voortduren.

Op school hadden we *The Playboy of the Western World* bestudeerd, dus we wisten dat mannen om het even welk verhaal om zich heen weven om de bewondering van een vrouw te winnen. Mannen zetten zelf een levensverhaal in elkaar om onderdak te krijgen en zich thuis te kunnen voelen, ze zouden alles aan zichzelf veranderen en zich schikken naar elk beeld dat nodig was om geaccepteerd te worden. We wisten dat John Millington Synge de inspiratie voor zijn stuk had gehaald uit het verhaal van een man die ooit naar het eiland was gekomen en daar verteld had dat hij zijn vader had vermoord met een klap van een schop en dat hij toen door de eilanders verstopt werd in een kuil bij Kilmurvy, terwijl de politie stad en land naar hem afzocht.

Ik vroeg me af of de eilandmensen Stefan ook zo zouden behandelen. Als ze de boodschap van de Garda op de radio hoorden, zouden ze die dan in de wind slaan omdat ze doorhadden wanneer een man vrijwillig vermist wilde raken? Ze wisten donders goed dat hij de Duitser was die niet terug wilde, de man die zijn eigen vader had vermoord, niet op grond van de beschrijving van zijn kleding of zijn uiterlijk, maar door de blik in zijn ogen en de manier waarop hij zijn dagen doorbracht met het staren naar de Atlantische Oceaan. Ze zouden niets zeggen, ze zouden hem zelfs verbergen voor de Gardai, want ze stonden graag aan de kant van iemand die wilde verdwijnen.

We wisten dat het stuk bij de eerste uitvoering een rel had veroorzaakt, omdat het Ierse volk niet graag zo wordt geportretteerd. Ze waren er niet blij mee dat Synge de Aran-eilanders primitieve instincten had meegegeven en hen immorele dingen over zichzelf liet zeggen. Alle onrust kwam voort uit het woord '*shift*', een woord dat lang geleden gebruikt werd voor vrouwenondergoed. We wisten dat de rel in het Abbeytheater Yeats woedend had gemaakt en hem de uitspraak had ontlokt: 'Jullie hebben jezelf te schande gemaakt,' een uitspraak die we in de klas vaak tegen elkaar gebruikten. En we wisten dat het woord '*shift*' nu een heel andere betekenis had. Nu staat het voor succes hebben bij een vrouw, scoren, versieren. Packer zou het woord zelf nooit gebruikt hebben, want het was een plattelandswoord uit de cultuur van de danszalen, zei hij, waar 'een vrouw *shiften*' betekende dat je een vrouw die binnen is mee naar buiten krijgt. Maar we wisten dat het meer dan dat betekende en uiteindelijk iets impliceerde dat veel verder ging, iets waarvoor je enorm veel leugens en verhaaltjes moest verzinnen. We wisten ook dat het Ierse werkwoord '*bréagadh*' meerdere betekenissen had. Naast 'liegen' betekende het ook 'het hof maken' of 'flirten'.

In de danszaal raakten we aan de praat met een paar meisjes uit Killeany. Ze beschuldigden ons ervan dat we wat dons op onze kin lieten groeien om door te kunnen gaan voor mannen. Ze vroegen of ze ons gezicht mochten aanraken en zeiden dat er op de achterkant van een deur nog meer haar te voelen was. We spraken met ze af langs de weg of buiten, maar bijna nooit in de pub, die voornamelijk werd bezocht door mannen en toeristen. Ze nodigden ons thuis uit voor thee met *barm brack*, en Packer deed namens ons allemaal het woord, hij vertelde geweldige verhalen en maakte van ons wondere helden met enorm interessante levens. Op een avond in Tigh Fitz raakte Packer aan de praat met een Nederlands meisje dat de zomer op het eiland doorbracht. Ze had een motorongeluk gehad en haar been zat in het gips, en als ze op de bank in de pub zat, staken haar gelakte teennagels er aan de onderkant uit. Packer kon vertellen dat hij ook een motorongeluk had gehad en dat zijn been maanden in het gips had gezeten. Ze was zo prachtig dat iedereen met haar wilde praten en haar alle leugens wilde vertellen die nodig waren. Ze keken toe hoe ze met haar gelakte teennagels wiebelde en ze vertelden grappen en verhalen. De oude mannen zwaaiden haar hand heen en weer als ze zongen, maar uiteindelijk was het Packer die toen ze wegging zijn arm om haar heen sloeg en haar hielp met haar krukken zodat ze niet zou vallen.

De volgende dag liepen we met z'n allen naar een oude kerk boven Killeany. We beklommen de heuvel aan de andere kant van de huizen, terwijl het Nederlandse meisje en Packer op een afstandje volgden. Ze droeg een rood, Schots geruit rokje dat af en toe opwaaide in de wind. Soms riep Packer een van ons terug om haar over de rotsen te helpen dragen. Bij de kloosterruïne van *Teampall Bheannáin* onthulde de bries geregeld het hele gipsverband. We keken naar de vervallen muren vol geel korstmos en begrepen heel even hoe oud het hier was. Iedereen lette vooral goed op het Nederlandse meisje en keek toe hoe Packer met haar praatte.

Die middag, op de terugweg door Killeany, liepen we langs de huizen en zagen we honderden gezouten vissen die langs de muren lagen te drogen. Buiten het hek van de huisjes lagen vistuig, kreeftenfuiken, roeiriemen en boeien. In de haven zagen we een paar mannen en honden op de kleine pier, ik keek lange tijd naar ze en vergeleek alles met onze eigen haven.

We liepen verder langs de huisjes, Packer en de Hollandse liepen voor ons uit. Haar krukken tikten langzaam tegen de weg, het klonk als een ziekenzaal in de open lucht. Af en toe stopte ze om haar handen rust te geven en dan hinkte ze even verder op haar goede been, viel tegen Packer aan met haar armen om hem heen en keek om naar ons met een grote glimlach in haar bruine ogen. Bij een van de huisjes stond een oude vrouw tegen het hek geleund, ze keek uit over de zee en zag onze langzame processie aankomen. Ze begon tegen ons te praten in het Iers, eerst zei ze dat het een mooie dag was om te wandelen en te lummelen. Ze wilde weten waar het meisje vandaan kwam en wat er met haar been was gebeurd. Ik legde uit dat ze haar been had gebroken bij een motorongeluk en dat ze op het eiland bleef totdat het been genezen was en ze terug kon naar Amsterdam. De oude vrouw begon te lachen en zei dat er niet veel te doen was op het eiland voor een jonge vrouw met een gipsbeen.

Packer en het Nederlandse meisje liepen nu al een eind voor ons, terwijl wij nog steeds naar de oude vrouw luisterden en haar provocatieve vragen beantwoordden met glimlachen en schouderophalen. Ze vroeg waarom we geen vriendinnetjes hadden en wat er mis was met de meisjes van het eiland die dag en nacht zonder krukken over de weg liepen.

De oude vrouw glimlachte. Ze keek geamuseerd en ontspannen naar ons en leunde lui met haar elleboog op de muur. We zagen de stokoude tanden die nog in haar mond zaten en de diepe groeven in haar gezicht. We zagen de sporen van het weer en de wind en de regen op haar uitgeteerde wangen, maar daaronder had ze de uitdrukking van een jong meisje uit Killeany. Niets kon de schalksheid in haar ogen verhullen toen ze ons langzaam zag weglopen en ze ons een laatste kreet in het Iers nariep.

'*Seaoil amach an deabhailín*,' riep ze met een knipoog. Laat je duiveltje vrij.

Het duurde even voor we begrepen wat ze precies bedoelde. We begonnen te begrijpen waarom we het gevoel hadden dat de wereld hier omgekeerd was. Het had niet alleen met de richting van het zonlicht te maken. We werden misleid door het landschap en alle sporen van eenzaamheid, omdat alles waarvan we gedacht hadden dat het uit Londen of uit Europa moest komen hier op de Aran-eilanden in overvloed te vinden was.

'Laat je *deabhailín* vrij,' herhaalde Packer maar steeds in de trein naar huis, alsof we het advies van de oude vrouw de rest van ons leven moesten opvolgen. Het was zijn nieuwe uitspraak: '*shift*en' in het Iers. Hij was de leider van de grote expeditie en hij herhaalde de woorden als een souvenir, de hele weg naar Dublin.

Toen we weer in de haven kwamen, werd alles op de wereld weer honderdtachtig graden teruggedraaid. Dan Turley was woedend aan het mompelen, niet alleen omdat we hem in de steek gelaten hadden maar ook omdat er nog een boot was verdwenen, die dit keer niet eens was teruggevonden. Dan had iemand gevraagd om hem langs de kust te rijden, hij had in alle havens gekeken, halfweg tot aan Wexford, maar tevergeefs.

'Ik weet wie erachter zit,' zei hij steeds. 'Ik weet wie het is, de klootzak.'

Dan zei dat het altijd zijn boten waren die vermist raakten en nooit die van Tyrone. En dat was duidelijk genoeg. Inmiddels was de plek door de havenjongens in een rechtszaal veranderd. Ze vonden alles verdacht, net als Dan, en ze zeiden er dingen over die ze anderen hadden horen zeggen. Ze grossierden in roddelpraatjes, allerlei dingen die niets met de verdwenen boten te maken hadden. Ze waren als het ware het geweten van de haven, een jury die uit zijn mondhoek mompelt. Ze zagen de onderwijzeres en zeiden dat ze het deed met de man van de trawler. Ze hadden zijn busje bij haar huis zien staan, en dat scheen te betekenen dat haar man op zakenreis was. Ze kenden een vent op de heuvel die naar de haven afdaalde voor een bouwvergunning om appartementen langs de bovenrand van de klif, achter de haven, te bouwen. Hoeveel steekpenningen had hij wel niet moeten betalen om de meest pittoreske plek van de kust te kunnen volproppen met lelijke flatgebouwen? fluisterden ze. Elke nieuwe auto, elk huwelijk, elk overlijden, elk ongeluk en elke aanklacht van rijden onder invloed werd in de haven besproken.

Packer zei dat we Dan gingen helpen om degene te pakken die zijn boten stal. Zijn idee was om de hele nacht buiten te blijven en iets van een nachtwake in de haven te houden. De havenwacht, noemde hij ons, zonder het aan de andere havenjongens of zelfs aan Dan te vertellen.

Ik moest uit mijn slaapkamerraam glippen als iedereen sliep en het dak met de bijenkasten oversteken, dan langs de muur, en weg langs het steegje achter het huis. Mijn moeder zei dat ik een schooltas en extra kussens in mijn bed moest leggen zodat het leek of ik sliep. Ze hielp me ontsnappen. In de haven kon ik Packer aanvankelijk nergens vinden en hij stapte pas uit de schaduw naast Dans loods toen ik hem fluisterend begon te roepen. Hij had al besloten waar we ons gingen verstoppen. Hij zei dat we in een van de boten zouden gaan zitten, de beste plek om niet opgemerkt te worden. Ze zouden ons er nooit van beschuldigen dat wij de botendieven waren, want wij waren er toen niet geweest, wij zaten toen op de Aran-eilanden.

We klommen in een van de boten en maakten het ons gemakkelijk. Hij had twee blikjes bier bij zich en ik had broodjes meegenomen die mijn moeder had klaargemaakt. Toen Packer begreep dat mijn moeder wist dat ik de hele nacht weg zou blijven, was hij geïrriteerd.

'Jezus, het is niet te geloven.'

Maar ik zei dat het in orde was, dat mijn moeder heel goed geheimen kon bewaren. En bovendien wist ze niets van ons plan voor een havenwacht. Want uiteindelijk zaten we toch alleen maar een paar uur in een boot? We deden toch niets illegaals, we zaten alleen te fluisteren. Packer praatte over het Nederlandse meisje en vertelde dat hij een brief van haar had gekregen waarin ze hem vroeg om haar in Amsterdam te komen opzoeken.

Toen luisterden we naar het geluid van het water onder de boot en naar een paar masten die met een metaalachtig geluid tegen elkaar aan sloegen. De boten deinden heen en weer, overal om ons heen bewogen ze als vee in een schuur. Op zeker moment zagen we de patrouillewagen langskomen over de weg, even afremmen en dan achter het kasteel verdwijnen. Maar het was niet erg dat er niemand kwam, want we vonden het wel prettig om zo 's nachts buiten te zijn, als iedereen sliep.

En toen zagen we iemand naar de haven lopen, een man die eerst verlicht werd en dan weer verdween in de schaduw toen hij van onder de straatlantaarns op de pier stapte.

'Hoort aan,' zei Packer, en ik moest lachen.

Packer duwde tegen mijn schouder om me stil te krijgen. We hielden onze hoofden laag om niet gezien te worden. De pier was achter me, dus liet ik het aan Packer over om af en toe op te kijken en te zien wie het was, of we hem herkenden. De man stond achter de omgekeerde boot, die nog steeds geverfd werd. Hij bleef even achter de hijskraan staan, toen liep hij vooruit naar de rand van de pier.

'Het is Tyrone,' fluisterde Packer.

We hadden onze man. Ik zag ons al met Dan en de Gardai praten. Ik stelde me voor hoe ze Tyrone zouden meenemen om hem te ondervragen.

'Hij komt deze kant op,' zei Packer.

We zagen Tyrone bukken en de touwen op de pier losmaken, toen trok hij een boot naar zich toe en ging de trap af. We zagen hem aan boord van de boot gaan, van zijn eigen boot. Hij stond rechtop en bleef even stilstaan om een fles uit zijn zak te halen en er een slok uit te nemen voordat hij de roeiriem oppakte en langs de pier roeide. Hij kwam recht op ons af. Ik dacht dat hij al die tijd al had geweten dat wij hier zaten en dat hij stilletjes op ons afkwam om ons bij de kladden te grijpen, dat hij ons er met de roeiriem van langs wilde geven en zou gaan schreeuwen om ons duidelijk te maken dat hij niet gek was en dat hij wist wat we hier deden. Een moment was hij vlak naast ons, hij stond rechtop in de boot, praatte in zichzelf en neuriede.

Bij de havenmond ging hij weer zitten en pakte de tweede riem, toen begon hij langzaam en geluidloos te roeien. Hij was zo bedreven in het insteken van de riemen dat ze niet meer geluid maakten dan het water dat tegen de granieten treden sloeg. Nu stond hij terecht. Hij deed niets anders dan er met zijn eigen boot op uitgaan, stilletjes de haven uit glippen, maar voor ons was hij schuldig.

'Laat je verdomde *deabhailín* vrij,' fluisterde Packer.

En toen moesten we zo hard lachen dat we er slap van werden. Ik moest mijn hoofd tegen het bankje van de boot drukken omdat ik zo moest trillen van het geluidloze lachen. Packer herhaalde de zin en we begonnen nog harder te lachen. Toen we weer op de pier stonden, liepen we dubbel gebogen en moesten af en toe stilstaan om de lach te bevrijden die in ons zat opgesloten. We liepen naar de klif boven de haven waar ze de luxeappartementen wilden gaan bouwen. Voorlopig was alles er nog van ons en we gingen zitten en keken vanuit de hoogte uit over de baai. In de verte zagen we Tyrone in zijn boot zitten, met zijn rug naar de boeg. Hij had de boot vastgelegd aan de boei van een rij kreeftenfuiken, dronk uit zijn fles en rookte een sigaret. Hij begon te zingen, hoorden we. Met zijn voeten op de bank begon hij als een onschuldig man te zingen.

Vijftien

Ik weet dat ik beoordeeld zal worden naar wat de Duitsers hebben gedaan.

Toen er een einde kwam aan mijn moeders baan als gouvernante in Wiesbaden, toen de Amerikaanse luitenant met zijn gezin terug was in Vermont, beloofden ze haar dat ze een baan bij de Amerikaanse strijdkrachten in Duitsland voor haar zouden vinden. Ze had verteld dat ze apothekeres wilde worden of rechten wilde studeren, en dus vonden ze een baan voor haar als griffier bij de denazificatierechtbank. Iedereen in Duitsland moest na de oorlog zijn onschuld aantonen en er waren rechtbanken in het leven geroepen om ervoor te zorgen dat geen enkele nazi op een belangrijke post terecht zou komen. Iedereen moest een formulier invullen, de '*Fragebogen*' genaamd, en daarin uitleggen wat ze in de oorlogsjaren hadden gedaan en of ze lid waren geweest van de NSDAP. Bij mijn moeder was het formulier blanco, op één vakje na, waarin stond dat ze lid was geweest van de *Bund Deutsche Mädel*, de Hitlerjugend voor meisjes, maar dat was omdat ze geen keus had gehad, en tegen ons zei ze altijd dat ze de 'zwijgende afwijzing' had gebruikt, zoals ze dat bij haar thuis noemden: de Führer je steun onthouden door in je hoofd een stil verzet te voeren. Haar nieuwe baan bestond eruit dat ze aantekeningen moest maken van wat er in de rechtszaal werd gezegd en het naderhand uittypen. Ze kreeg kleedgeld, een prima salaris en een appartement voor haar alleen, wat in die tijd een onvoorstelbare luxe was, zegt ze. Ze kon net zoveel voedsel krijgen als ze maar wilde, dus het was geen probleem meer om het in Mainz en Rüsselsheim uit te delen.

Na de oorlog moesten veel mensen in sleutelposities voor het tribunaal verschijnen om aan te tonen dat ze zich niet onbehoorlijk hadden gedragen in de nazi-jaren. Voordat ze toestemming kregen om hun oude baan weer op te nemen als toneelregisseur, ziekenhuisadviseur of hoogleraar moesten velen van hen zich verdedigen voor de rechtbank en mijn moeder zei dat ze volwassen mannen in de rechtbank had zien instorten als ze hoorden dat ze niet meer mochten werken vanwege hun nazi-verleden. Ze zag een bedrijfsleider van een bakkerij die de bakkerij niet had stilgelegd toen zijn joodse werknemers eruit gegooid werden en die vervolgens na de oorlog zelf uit zijn baan werd gesmeten, al had hij niets te maken gehad met alle veranderingen en beweerde hij dat hij zijn hele leven alleen maar '*Brötchen*' had gebakken. Sommige mensen geloofden nog in de nazi's en andere maakte het sowieso niet zoveel uit wie er aan de macht was. Er waren heel veel mensen die beweerden dat ze alleen lid van de partij waren geworden omdat dat moest. Mijn moeder zei dat de mensen die beweerden dat ze onschuldig waren gewoonlijk de meest overtuigde nazi's waren geweest, en de mensen die schuld bekenden gewoonlijk de onschuldigsten. In de kleine rechtszaal pasten hooguit vijftig mensen, vertelde ze. Degene die terechtstond werd meestal vergezeld door zijn familie, omdat de uitkomst hen allemaal aanging. Mijn moeder was nooit eerder in een rechtszaal geweest en het was precies zoals ze het zich had voorgesteld, een paar rijen banken voor de toeschouwers en nog wat banken voor de aanklager en de rechter. De mensen die hier terechtstonden hadden geen advocaten en gewoonlijk verdedigden ze zichzelf. Het tribunaal werd voorgezeten door een Amerikaanse officier, maar mijn moeder zegt dat zij werkte voor een Duitse aanklager genaamd Willenberger, die de zaken leidde. Mijn moeder zegt dat Willenberger een geslepen man was die het belangrijkste bewijs tot het allerlaatst bewaarde: als degene die terechtstond al overtuigd was dat hij onschuldig zou worden bevonden, liet hij het meest verwoestende feit vallen, iets wat de aangeklaagde en zijn familie deed verbleken van schrik. En daarna vertelde ze me hoe bij degenen die het groene licht kregen de familieleden elkaar na afloop buiten de rechtszaal omhelsden.

Gewoonlijk werden alleen degenen die onmiskenbare connecties met de nazi's hadden gehad in staat van beschuldiging gesteld. Je voelde de haat en rancune door hun verklaringen heen sijpelen, want zij hadden aan het roer gestaan en nu waren ze machteloos. Maar soms waren er grensgevallen waarbij het moeilijk was te differentiëren tussen Duits zijn en nazi zijn. Soms bestond de moeilijkheid voor het tribunaal eruit dat ze moesten kiezen tussen patriottisme en nazisme.

Op een dag werd een bekende gynaecoloog voor het tribunaal gebracht om verantwoording af te leggen over zijn gedrag in de Hitlertijd, vertelt mijn moeder. Ze kan zich zijn naam niet meer herinneren, maar hij had aan het hoofd gestaan van de kraamafdeling van een ziekenhuis in Frankfurt en werd beschuldigd van antisemitisme. Hij was een erg rustige man die zichzelf nauwelijks probeerde te verdedigen, hij gaf alleen antwoord op de vragen, bondig en feitelijk. Hij zei dat hij zijn positie nooit tegen wie dan ook had gebruikt. Hij zei dat hij gedwongen was geweest om lid te worden van de NSDAP en dat hij nu gedwongen werd om er afstand van te nemen, terwijl hij eigenlijk alleen maar geïnteresseerd was in het ter wereld brengen van baby's.

De aanklager beschuldigde hem ervan rechtstreeks voor de

nazi's te hebben gewerkt, omdat elke baby die in het Derde Rijk geboren werd een geschenk voor Hitler was. Toen zei de gynaecoloog dat kinderen niet als nazi's geboren werden. Dagenlang gingen de argumenten over en weer, de aanklager zei dat hij uitsluitend nazi-baby's op de wereld had gezet en de gynaecoloog zei dat het hem niet uitmaakte wat voor baby's hij verloste, als ze maar gezond waren. Voor mijn moeder, die alles moest uittypen, was het duidelijk dat ze in een kringetje ronddraaiden. Iedereen wachtte op de laatste truc van de aanklager, maar deze keer was het de gynaecoloog die tot het eind wachtte om zijn kroongetuige te introduceren. Een joodse vrouw was helemaal uit Londen gekomen om te getuigen dat ze van een jongen was bevallen toen ze onder behandeling van deze gynaecoloog stond. Ze zei dat hij wist dat de baby joods was, maar dat hij het geheim had gehouden.

De aanklager voerde aan dat hij van andere patiënten had gehoord dat het een slecht mens was, maar de joodse vrouw zei dat hij tegen haar altijd aardig was geweest.

Mijn moeder zegt dat het heel erg leek op de beroemde zaak van Wilhelm Furtwängler, de beroemde dirigent van het Berlijns Filharmonisch Orkest, die in Duitsland bleef en gedurende de Hitlerjaren bleef dirigeren. Voor de nazi's was hij het grote uithangbord van de Duitse muziek, maar Furtwängler zelf zei dat het hem alleen om de muziek ging. Maar muziek was niet neutraal, zegt mijn moeder, net zomin als baby's neutraal waren, omdat alles onderdeel was van de grote oorlogsmachine. Toen er bij wet werd bepaald dat joden geen deel konden nemen aan de Duitse cultuur, protesteerde Furtwängler en kwam hij op voor zijn joodse collega's in het orkest, hij zond persoonlijk brieven aan Goebbels om ze te beschermen en te zorgen dat ze bij hem konden blijven werken. Omdat Furtwängler zo'n beroemd dirigent was, gingen de nazi's een tijdlang met hem mee. Maar toen de tijd verstreek en de nazi's aan macht wonnen, moest hij onder de swastika staan dirigeren, met Goebbels en andere vooraanstaande nazi-figuren in het publiek. Er is een bekend moment na afloop van een van die concerten, als Goebbels hem een hand komt geven. Meteen daarna haalt Furtwängler zijn zakdoek tevoorschijn om zijn hand schoon te vegen. Misschien was dat een teken van wat hij werkelijk van de nazi's en hun concentratiekampen vond, of misschien was het alleen een teken dat hij zweethanden had na de uitvoering, het maakte niet uit, want de grote Duitse dirigent had zijn muziek bezoedeld, zoals de grote gynaecoloog zijn beroep had bezoedeld, ook al werden er in de nazi-tijd heel veel gezonde baby's geboren. Mijn vader zegt dat er een opname van Beethovens Negende is die hij heel graag zou willen horen, omdat die in de oorlog is opgenomen, met het geluid van vallende bommen op de achtergrond, wat aantoont dat Furtwängler niet bang was om voor zijn muziek te sterven.

De moeilijkheden bij de denazificatierechtbank begonnen toen mijn moeder het verslag van die zaak moest uittypen en de aanklager haar vroeg een paar dingen te veranderen. Hij zei dat ze een deel van de getuigenis niet goed had begrepen en dat de joodse vrouw eigenlijk gezegd had dat de gynaecoloog altijd boos en vijandig jegens haar was geweest. Mijn moeder moest opschrijven dat de joodse vrouw gevreesd had voor haar leven als de gynaecoloog erachter zou zijn gekomen dat ze joods was.

Mijn moeder weigerde het op te schrijven. Ze zei dat ze zeer nauwkeurige aantekeningen had gemaakt, ze mochten al haar notities controleren. De aanklager zei dat ze haar baan kon verliezen als ze niet meewerkte, dat hij haar ervan zou beschuldigen dat ze een voormalige nazi hielp. Toen ze bleef weigeren, vroeg hij of ze soms steekpenningen had aangenomen. Toen pas realiseerde ze zich wat er aan het gebeuren was. Ze had meermalen pakjes sigaretten en andere dingen, zoals cognac en ingeblikt vlees, in het kantoor van de aanklager zien liggen, dus ze begon te begrijpen waarom sommige mensen toestemming kregen om te blijven werken en andere niet.

Ze besloot dat ze onder deze omstandigheden niet langer wilde werken. Ze schreef een ontslagbrief waarin stond dat ze hier niet in mee kon gaan. De brief veroorzaakte onmiddellijk een crisis. Nog voordat ze haar bureau had kunnen uitruimen en het kantoor had kunnen verlaten, vroeg de aanklager, Willenberger, haar om de brief in te trekken. Hij zei dat hij het gemakkelijk voor haar zou maken, dat ze alleen maar hoefde te zeggen dat ze zich had vergist en dat hij de gynaecoloog zou voordragen voor goedkeuring. Toen veranderde hij van gedachten en zei hij dat hij haar zelf voor het gerecht zou slepen en zou zeggen dat ze bevriend was geweest met de gynaecoloog, dat ze samen waren geweest. Hij zou ervoor zorgen dat ze op de zwarte lijst terechtkwam.

Mijn moeder zei dat ze het leven toch niet altijd zo moeilijk voor zichzelf hoefde te maken, maar dat ze de gynaecoloog niet kon vergeten, hoe rustig hij daar had gezeten zonder boos te worden. De ontslagbrief kwam onder de aandacht van de Amerikaanse bestuurders die verantwoordelijk waren voor de denazificatierechtbanken, en dus kwamen ze mijn moeder vragen of ze die brief uit vrije wil had geschreven, zonder druk van wie dan ook. Ze vroegen of ze de brief wilde intrekken. Mijn moeder legde uit waarom ze tot deze beslissing was gekomen en vertelt dat ze zich heel stom had gevoeld, zoals ze daar zat met een aantal rokende officieren die haar sigaretten aanboden en vroegen waarom ze zo graag zo'n goede baan opgaf. Ze konden niet geloven dat iemand in Duitsland een geweten had en wilden achterhalen wat er écht achter de brief zat. Pas na een paar dagen beseften ze dat ze niet van gedachten zou veranderen, en toen pas begonnen ze haar te geloven.

Het probleem was dat de brief nu in het systeem zat. Ze zullen wel gedacht hebben dat ze contact zou opnemen met de luitenant uit Vermont om hem te vertellen wat er was gebeurd, en dus moesten ze de brief serieus nemen. Ze deden nog een paar pogingen om haar op andere gedachten te brengen. De aanklager vroeg of ze iets nodig had, dingen die hij haar en haar familie zou kunnen bezorgen. Hij had het zelfs over het gebruik van een auto. Het ene moment was hij bang, dan weer agressief. Zij vertrouwde het niet en besloot om meteen te vertrekken.

Terug in Kempen dacht ze dat ze veilig was, maar Willenberger, de aanklager, was haar gevolgd, hij stond voor de deur en smeekte haar om de brief in te trekken. Ze nam aan dat hij zijn baan inmiddels was kwijtgeraakt als gevolg van die brief. Het zou op haar geweten drukken als Willenberger op de zwarte lijst was gezet. Hij legde uit dat hij vrouw en kinderen had en dat ze allemaal aan de bedelstaf geraakt waren door haar en haar o zo grote, onaantastbare geweten. En wat had zij wel niet gedaan in de nazi-jaren, waarom maakte ze zich plotseling zo bezorgd over haar geweten als ze het hele Derde Rijk had weten te doorstaan zonder ooit zo'n brief te schrijven?

Mijn moeder zegt dat ze wou dat ze de moed had gehad om die brief te schrijven in de tijd van de nazi's, en dat ze wenste dat ze meer op Sophie Scholl had geleken en openlijk had durven protesteren. Maar dan zou ze nu niet meer in leven zijn. En nu is het tijd om je geweten opnieuw vorm te geven, zegt ze. Misschien was het dat de zwijgende afwijzing die zij en haar familie in hun hoofd hadden gehad nu eindelijk in woorden werd uitgedrukt. Er komt een moment dat je ophoudt met zwijgen. Ze zegt dat het nu nog moeilijker is om tegenstand te bieden dan ooit onder de nazi's, omdat er nu meer te verliezen is. Het is nu gemakkelijker dan ooit om te zeggen dat het allemaal eigenlijk niet zoveel uitmaakt. Enkel alle hakenkruisen van de aardbodem laten verdwijnen is niet genoeg. Dat de nazi's zijn verdwenen betekent niet dat het onrecht is verdwenen.

Ze weigerde van gedachten te veranderen. Willenberger bleef haar door de stad volgen en de mensen in Kempen moeten hebben gedacht dat hij een ex-verloofde was met wie ze niet meer wilde trouwen. Hij ging achter haar zitten in de kerk. Hij fluisterde dat ze hem tot wanhoop dreef en dat hij, als ze niet van gedachten veranderde, iets heel drastisch zou doen, iets waar zij niet verantwoordelijk voor zou willen zijn. Hij haalde zelfs een envelop tevoorschijn en zei dat hij haar aan een aardig geldbedrag kon helpen.

'Ik ben niet omkoopbaar,' zei ze hardop buiten de kerk.

Ze zag de woede in zijn ogen en dacht dat hij haar aan ging vallen. Ze zegt dat een vrouw het weet als haar leven in gevaar is, omdat je dan dode bladeren in de lucht ruikt, je benen zwak worden en de kleur uit je gezicht verdwijnt. Ze dacht dat ze haar moordenaar ontmoet had. En als ze een vrouwenlichaam vonden, namen ze heel vaak eerst aan dat het een prostituee was.

Een van de dingen die Willenberger toen tegen haar zei, overtuigde haar ervan dat hij al die tijd de echte nazi was geweest: 'Jij zou het niet lang hebben uitgehouden,' zei hij. Ze deed een paar stappen achteruit. Ze was bang om zich om te draaien en bleef daar staan tot hij uiteindelijk wegging.

In die tijd had mijn moeder al een visum voor Ierland aangevraagd. Ze wilde zo ver mogelijk weg. Ze was bang om nog langer in haar geboorteplaats te blijven. Ze wilde haar zussen en tante niets over de dreigementen vertellen. Onkel Gerd wist ervan en zorgde ervoor dat er altijd iemand bij haar was als ze uitging. De weken dat ze moest wachten waren een kwelling. Maar toen kwam eindelijk het visum en het hele huis was in rep en roer. Zelfs toen de trein vertrok nadat ze haar familie omhelsd had, toen ze in de trein zat en haar tranen wegveegde, wist ze dat ze nog niet was ontkomen, want Willenberger volgde haar nog steeds.

Mijn moeder zegt dat ze in haar hele leven niet zo bang is geweest als toen ze hem achter zijn krant zag glimlachen. Maar er komt een moment dat je zo lang bang bent geweest dat het je niets meer kan schelen, zegt ze. Opeens word je licht in je hoofd van de moed. De trein zat vol mensen die naar Krefeld en Düsseldorf gingen, dus ze begon gewoon hardop te praten, zodat de hele wagon het kon horen.

'Ik wil dat je me met rust laat,' zei ze met stemverheffing. Iedereen in de wagon keek op en staarde naar Willenberger, die tegenover haar zat, zodat hij uiteindelijk ergens anders moest gaan zitten. Soms denkt mijn moeder nog steeds dat hij haar in Dublin achterna zal komen, dat hij opeens zal aankloppen. Jarenlang had ze nachtmerries over mannen die buiten het huis in auto's zaten te wachten totdat ze met haar kinderen naar buiten kwam. Ze was naar Ierland gevlucht en zo had ze haar geweten schoon kunnen houden. En dan lacht ze en zegt dat ze een verschrikkelijk slechte advocaat zou zijn.

Toen ze die eerste keer aankwam in Ierland, voelde ze zich heerlijk vrij. Ze was vastbesloten op pelgrimstocht naar Lough Derg te gaan. Ze had een baan als gouvernante en werd in Shannon afgehaald door meneer en mevrouw Bradley, die een pub en een winkel in de hoofdstraat van Ballymahon hadden, in het hart van Ierland. Ze hadden drie zoons. Ze herinnert zich nog hoe ze op het vliegveld door meneer Bradley werd ontvangen. Hoe hij haar hand met zijn beide handen vastgreep en daarna de koffer van haar aannam. Ze brachten haar naar de auto en lieten haar voorin zitten zodat ze onderweg zoveel mogelijk zou kunnen zien. Mijn moeder dacht dat ze rechtstreeks naar Ballymahon zouden rijden en ze verwachtte meteen te moeten beginnen met werken, maar zo doen Ieren de dingen niet, zegt ze, en de Bradleys namen haar eerst mee naar Ennis, waar ze in een hotel overnachtten en een feest organiseerden. Meneer Bradley kende heel veel mensen in Ennis en nodigde ze allemaal uit voor een drankje. Ze zei dat ze niet kon begrijpen waarom Ieren al een reden voor een feest zagen voordat ze ook maar een dag had gewerkt. Het was een arm land, een land dat niet gebombardeerd was in de oorlog maar er veel uitgehongerder en verwoester uitzag dan Duitsland. Het feest duurde tot laat op de avond, mensen proostten op haar en zongen, en een priester legde haar de regels van *hurley* uit, hoewel ze niet begreep hoe je met stokken kon spelen zonder elkaar pijn te doen, en dus vertelde de priester haar dat *hurley* een substituut voor oorlogvoering was, zoals alle vormen van sport en zang.

In Ballymahon had iedereen het over haar en allemaal kwamen ze op bezoek om haar met eigen ogen te zien, alsof ze nooit zulke mooie kleren als die van haar hadden gezien behalve in de film. Groepen kinderen kwamen naar de pub om haar naar buiten te zien komen en als zij naar ze glimlachte, werden ze verlegen en hielden elkaar vast. Ze voelde zich als een beroemdheid op bezoek. Ze werd elke avond te eten gevraagd, in tegenstelling tot de andere mensen die in de pub en het huis werkten. De Bradleys hadden heel veel geld verdiend in de oorlog, toen meneer Bradley liters whiskey en dozen thee had opgeslagen, die bijna niet meer te krijgen waren. Toen hij die verkocht in de periode dat alles op de bon was, had hij zoveel winst gemaakt dat zelfs de Ierse Nationale Bank geld bij hem kwam lenen op het moment dat die blut was. Maar algauw kwam mijn moeder erachter hoe Ierland écht was en waarom er zoveel armoede heerste die niet door bommen kon worden verklaard.

Het buurhuis was een klein arbeidershuisje waar de deur altijd openstond. Als de drie zoons van Bradley erlangs renden, riepen ze altijd: 'Vies, vies.' Ze zei dat ze daarmee op moesten houden, maar ze luisterden niet. Het maakte ze niet uit en ze bleven 'vies, vies' roepen.

Mijn moeder ging naar de deur van het huisje en keek naar binnen. Het was er donker en rokerig vanwege de kleine raampjes. Het was er inderdaad vies. Ze kon niet geloven dat mensen zo konden leven. Er stond niet één meubelstuk in het huis, nog geen stoel, en de man zat op de aarden vloer bij het vuur, met zijn vrouw. Mijn moeder zegt dat je zijn blote benen onder de versleten broek uit zag steken als die van een skelet. Het leek of ze nooit buitenshuis kwamen. Ze moeten zich hebben geschaamd om in het stadje gezien te worden en kwamen nooit meer van de plek waar ze zaten.

Mijn moeder praatte met de Bradleys en vertelde wat er aan de hand was. Meneer Bradley moest lachen. Mevrouw zei dat de kleermaker en zijn vrouw vieze mensen waren die in smerigheid leefden. Mijn moeder kon ze niet zover krijgen dat ze de jongens in bedwang hielden, dus probeerde ze het op een andere manier. De eerstvolgende keer dat ze 'vies' door de deur riepen, besloot zij naar binnen te gaan en namens hen haar excuses aan te bieden. Ze stapte het huisje in en rook de geur van armoede die van de twee oudjes opsteeg. Ze verontschuldigde zich voor het gedrag van de kinderen en zei dat ze hoopte dat ze zich niet beledigd voelden. De oude mensen keken op en zeiden niets, omdat ze geen Engels verstonden. Ze spraken alleen Iers en de jongens van Bradley begonnen te lachen. Zelfs meneer en mevrouw Bradley vonden het grappig en mijn moeder zegt dat de hele stad moest lachen bij het idee dat een Duitse vrouw haar verontschuldigingen probeerde aan te bieden aan de arme kleermaker en zijn vrouw, die alleen Iers verstonden.

Zo leerde mijn moeder haar eerste woordjes Iers, zodat ze het huis binnen kon gaan en ze in hun eigen taal kon begroeten. Ze kwam erachter hoe ze heetten, hoe ze bekendstonden onder de andere Ierssprekenden in de stad. Páraic Mháirtín en Sinéad gan Cainte. De kleermaker stond zelfs op van de vloer om naar de deur te komen en haar de hand te drukken. Ze zegt dat het aanvoelde als een dunne, zwartleren handschoen. Zacht en knokig, zonder enig gewicht en bijna zonder warmte. Ze kan nooit vergeten dat ze de hand heeft geschud van iemand die zo arm en behoeftig was maar toch zo levend.

Ze begon restjes voedsel te verzamelen om ze naar het huisje te brengen en de kleermaker bedankte haar in het Iers. Mevrouw Bradley vond het niet prettig dat het voedsel het huis verliet, maar ze zei er niets van, alleen dat ze wilde dat haar kinderen schoon opgroeiden. Iedereen was bang om zoals de kleermaker te worden en ze wilde dat mijn moeder de jongens een paar woorden Duits zou leren in plaats van Iers.

Mijn moeder bleef af en toe voedsel naar het huisje brengen, dat ze onder haar jas verstopte, zoals ze dat in Duitsland had gedaan. Maar in tegenstelling tot de Amerikanen in Wiesbaden raakten de Bradleys geïrriteerd omdat mijn moeder te ver ging. Op een dag vroeg ze of ze een oude jas van meneer Bradley weg mocht geven. Die ging anders toch naar de vuilverbranding, een oude bruine gescheurde jas, die ze opknapte. Ze naaide er nieuwe knopen aan en repareerde de mouwen en bracht hem toen naar de kleermaker. Een paar dagen later kwam meneer Bradley woedend thuis en zei dat hij de Duitsers niet meer snapte, want hij had op straat die vieze vuile Gaelische kleermaker bij de deur van zijn huisje zien staan in zíjn oude jas. Het was een schok geweest om te zien hoe hij eruit zou zien als hij niet zoveel verdiend had met de verkoop van whiskey en thee. Mevrouw Bradley zei dat het een schande was en dat de mensen in de stad de kleermaker voor haar echtgenoot zouden aanzien. Daarna besloot mijn moeder dat het beter was om maar niet meer voor deze familie te werken, en dus vertrok ze naar Dublin, waar ze mijn vader leerde kennen. Maar toen Mevrouw Bradley haar naar de bus bracht om afscheid te nemen, merkte mijn moeder dat ze misschien toch een heel klein beetje begon te veranderen, want ze zei dat mijn moeder iets gedaan had wat niemand in het stadje ooit had durven doen. Ze wenste haar succes en zei dat ze haar zou missen.

Mijn vader slaat zijn arm om mijn moeder heen en prijst haar omdat ze zich schrap zette voor de Ierse taal, en voor een volk dat doodgaat en langzaam uitsterft. Hij zegt dat het Ierse volk zich begon te gedragen alsof ze uit een ander land kwamen dan de kleermaker en zijn vrouw. Ze hadden van hun eigen taal een vreemde taal gemaakt en zo konden ze hun eigen volk discrimineren. Hij glimlachte en zei dat mijn moeder een dode taal de hand had geschud en weer tot leven had gewekt.

Zestien

Ik weet dat ik beoordeeld zal worden om wat de Ieren hebben gedaan.

Toen mijn vader werktuigbouwkunde studeerde in Dublin en alle studenten op een dag in een collegezaal van de UCD op de hoogleraar zaten te wachten, brak er ruzie uit over Groot-Brittannië en Ierland, over Ierse soldaten die voor de Queen vochten, over vlaggen en talen, over een verenigd Ierland en over Ierse neutraliteit. Iedereen gooide al zijn wapens in de strijd en praatte door elkaar heen. Sommigen hadden hun voeten op de banken, rookten sigaretten en zeiden dat het tijdverspilling was om over iets anders te praten dan over vrouwen, whiskey en emigratie. Mijn vader noemde ze lafaards. Hij was goed in wiskunde en kon in de breedte denken, dus bond hij de strijd aan met hen allemaal en wist ze met zijn ideeën even stil te krijgen.

Hij vertelde de andere studenten dat de Ieren niet meer weg moesten rennen en voortaan met hun hoofd moesten denken. Sommigen waren het met hem eens en zeiden dat het enige wat Ierland tegenhield de Noord-Ierse situatie was en het feit dat de brievenbussen daar nog steeds Engels rood waren. Anderen zeiden dat het alleen met bloedvergieten kon worden opgelost. Weer anderen zeiden dat het allemaal geen zin had en dat de helden van 1916 voor niets gestorven waren, alleen om het mogelijk te maken dat de brievenbussen in het zuiden groen geverfd konden worden. De studenten die met hun voeten op tafel zaten, zeiden dat het punt was dat Ierse vrouwen hun kleren niet uitdeden voordat ze getrouwd waren. En toen brak het grote tumult los in de collegezaal, omdat iemand de opmerking maakte dat de vrouwen in Ierland zwarte omslagdoeken om hun hoofd droegen en dat Ierland daardoor achteruit ging, terwijl alle vrouwen in Engeland en Frankrijk nu sjaaltjes en panty's droegen.

Iedereen lachte, behalve mijn vader. Zijn moeder, Mary Francis, droeg een omslagdoek. Ze was met haar omslagdoek, met twee andere vrouwen die ook omslagdoeken droegen, op straat gefotografeerd in Leap, West Cork, door de beroemde fotograaf Father Browne.

Mijn vader stond abrupt op. Hij pakte een metalen stoel en smeet hem door de zaal. Hij vertelde aan niemand wat hem daartoe had gebracht en niemand wist welke geheime gedachte hem zo woedend had gemaakt. Ze moeten hebben gedacht dat de stoel een enorme elektrische lading had doorgeleid, alsof er een Van de Graaff-generator onder zat. Mijn vader moet zelf verbaasd zijn geweest over al het lawaai dat de stoel maakte toen hij tegen de houten vloer kwakte. Ik weet niet hoe hij erbij kwam, maar hij tilde nog een stoel op en dreigde dat hij iedereen ging vermoorden. De studenten haalden hun voeten van de banken, gingen met hun rug naar het raam staan en smeekten om genade.

Daar stond mijn vader, met een verwilderde blik in zijn ogen. Die heb ik zelf ook vaak gezien, dan lijken zijn ogen op harde, bruine stippen in zijn ronde bril, dan staat zijn mond strak van woede en zijn zijn oren roodgloeiend. Hij is klein van stuk en hij loopt mank, maar hij kan zo serieus woedend worden van het horen van zijn eigen woorden dat je bang bent om wat hij je zou kunnen aandoen. De studenten wisten dat ze hem gemakkelijk aankonden en dat hij niet goed was in vechten, zelfs niet met een stoel in zijn hand. Maar hij was wel goed in zijn geduld verliezen zonder te vertellen waarom. Dus begonnen ze op hem in te praten en te vragen wat hem zo woedend had gemaakt. Ze waren stomverbaasd toen ze erachter kwamen dat het om de Ierse omslagdoek ging en niet om iets veel belangrijkers, zoals schadevergoeding voor de oorlog eisen van de Engelsen, of de Ierse bevolking in het land houden en voorkomen dat ze emigreerden en voor de Britten gingen werken. Ze zeiden dat ze er niets mee bedoeld hadden, niet tegen hem en niet tegen wie dan ook die in Ierland nog een omslagdoek droeg, en langzaam zette mijn vader de stoel weer neer en toen schudde iedereen elkaar de hand. Iemand zette de stoel die nog op de grond lag rechtop en daarna waren ze heel voorzichtig, omdat ze zagen dat mijn vader lichtgeraakt was en een kort lontje had en om niets over de rooie kon gaan.

Die keer dat ik een stoel oppakte en hem naar mijn moeder gooide, wist ik hier nog niets vanaf. Op een ochtend was er ruzie in de keuken over weggaan zonder te helpen de tafel af te ruimen en ik werd boos op haar. Ik kon haar niet van mijn gelijk overtuigen en daarom pakte ik een stoel om haar te vermoorden. Ik wilde haar niet echt pijn doen, alleen bang maken. Ze zei dat ze wel bang was gemaakt met ergere dingen dan stoelen, en dus smeet ik hem tegen de keukenvloer. Ze zette hem niet overeind en ze zei ook niet veel, alleen dat rondvliegende stoelen haar nooit van gedachten zouden doen veranderen, net zomin als rondvliegende woorden ooit iemand zouden overtuigen om het met mij eens te worden. Ze zei dat ze de stoel zou laten liggen waar hij terecht was gekomen. Voor eeuwig. Als monument voor de nutteloosheid van woede. Iedereen die erlangs liep, zou aan die omgevallen stoel kunnen zien dat iemand er niet in geslaagd was de wereld te overtuigen. De vliegende stoel van de verloren ruzies, noemde ze hem. En dus zette ik hem maar weer overeind. We schudden elkaar de hand en het was voorbij. Maar ik besefte dat ik vanbinnen net als mijn vader was. Het was zijn idee om stoelen op te pakken als mensen niet luisterden, en het enige waardoor ze je zouden opmerken was de aanblik van iets ongebruikelijks, zoals een stoel die ondersteboven in de lucht hing met niemand erop. Ik kon er niet langer aan ontkomen dat ik op mijn vader leek, zoals Stefan er niet aan kon ontkomen dat hij op die van hem leek. Ik ben een stoelengooier in naam van Ierland en ik vraag me af wat ik hierna ga doen.

Misschien is het een soort valstrik voor vaders en zonen. Hoe hard ik ook probeer om het tegenovergestelde te zijn, uiteindelijk zal ik precies zoals mijn vader zijn. Zo zit de evolutie in elkaar, elke zoon stapt in de schoenen van zijn vader, hoe anders je je ook kleedt, hoe lang je haar ook is, hoe verschillend de muziek waar je naar luistert. Al mijn vrienden zullen in de voetsporen van hun vaders treden, ook al worden ze niet kaal en zullen ze nooit een bril dragen, omdat vaders en zonen niet twee naast elkaar staande groepen aparte individuen zijn, voor zover ik het kan beoordelen. Het lijkt meer op een keten van onvoltooide mensen, waarbij alle zoons dingen verbeteren of nog erger maken. Een lange rij vaders en zonen die zich uitstrekt tot in de toekomst, helemaal tot in de oneindigheid. Zonen die vooruit gaan, zonen die achteruit gaan en zonen die geen haar beter of slechter zijn dan hun vaders. Ik weet dat wij verantwoordelijk zullen worden gehouden, niet voor wat we zelf doen maar voor wat er in de tijd van onze ouders is gebeurd, want zo lang duurt het voordat mensen achterom kunnen kijken om te zien wat er echt is gebeurd en er geschiedenis van te maken. Wij worden beoordeeld op wat degenen vóór ons hebben gedaan.

Op een dag vielen mijn vader en zijn vrienden Noord-Ierland binnen. Voor zijn huwelijk was hij politiek actief geweest als lid van een partij die besloten had om de zes graafschappen die nog onder Brits gezag stonden binnen te vallen. De leider van de partij was Gearóid, een goede vriend die zoiets voor hem moet zijn geweest als Packer voor mij was, iemand die voor iedereen om zich heen een verhaal wist te bedenken, die speeches hield en de toekomst vorm gaf. Het was een culturele beweging die het Ierse volk weer wakker moest schudden. De Ierse taal zou het volk zijn kracht en moed teruggeven. Door de Ierse taal zouden de mensen geen honger meer lijden en niet meer naar Amerika vertrekken.

Soms schiet het door me heen dat mijn moeder en vader gelijktijdig in de trein moeten hebben gezeten. Ik kan me niet losmaken van de gedachte aan hen voordat ze elkaar ontmoetten, in treinen die heel verschillende kanten op reden in heel verschillende landen. Mijn vader met zijn vrienden in de trein naar Belfast en mijn moeder in haar eentje in de trein naar Mainz. Hij ging ernaartoe om het deel van de Noord-Ierse bevolking dat bij de Britten wilde blijven horen ervan te overtuigen dat ze een grote fout maakten. Zij was op weg naar een stad die verwoest was door bommen. Hij ging naar een stad waar de bommen nog maar net begonnen te ontploffen en zij ging naar een stad waar nog maar weinig over was dat verwoest kon worden. Het is grappig om te bedenken dat ze elkaar helemaal niet kenden. Grappig om aan een tijd te denken dat ze elkaar op straat voorbij zouden zijn gelopen zonder elkaar zelfs maar aan te kijken, omdat ze beiden alleen maar dachten aan wat ze voor hun land moesten doen. Duitsland en Ierland waren in die tijd heel ver van elkaar verwijderd. Maar in mijn hoofd komen ze samen. Het zijn geen afzonderlijke landen meer, omdat mijn vader en moeder trouwden en ik de Ierse en de Duitse geschiedenis zo door elkaar heb gehaald dat het nu een en dezelfde plek is.

Toen ze het noorden binnenvielen, droeg mijn vader een

donker pak met een wit overhemd en een witte stropdas. Hij had een ruime pet van tweed op die iets te groot voor hem was, zodat hij eruitzag als een jochie. Hij had een jas van tweed over zijn arm en hij liep met een groep mensen te glimlachen en te praten, hij volgde Gearóid. Die stond aan het hoofd van een beweging genaamd Aiseirí, en met z'n allen pakten ze in Dublin de trein naar Belfast. Je kunt ze in kleur zien, want er was een man bij die de hele reis met hen meemaakte en de gehele gebeurtenis filmde. Soms glimlachten ze naar de camera, maar over het algemeen liepen ze vastberaden en serieus door, omdat er geen weg terug meer was en ze precies wisten waar ze mee bezig waren, ze gingen naar het noorden om de mensen te vertellen dat Ierland een prachtig land zou worden en dat je gek was als je niet Iers wilde zijn.

In de trein kijkt mijn vader uit het raampje, met zijn tweed pet nog op zijn hoofd. Het lijkt of de reis heel kort duurt, want nu stappen ze alweer uit, ze steken de grens over, lopen over een landweg met koeien in de wei en mensen die hen volgen. Ze lopen zomaar het noorden binnen en niemand die ze tegenhoudt. Ze bereiken Newry, waar ze een paar toespraken houden en een paar mensen komen luisteren en twee politiemannen van de Royal Ulster Constabulary met de handen op de rug staan toe te kijken.

Dan komen ze aan in Belfast. Mijn vader en de andere mannen en vrouwen halen spandoeken en borden uit de kofferbak van een auto en zetten ze overeind in een straat met huizen van rode baksteen. Gearóid, de leider, praat door een megafoon tegen een groepje omstanders, voornamelijk kinderen en honden die niets beters te doen hebben dan te kijken naar mensen die lawaai komen maken. De omstanders zien eruit alsof het hen allemaal niet echt interesseert en de megafoon is eigenlijk overbodig. Mijn vader loopt rond met zijn manke been en probeert exemplaren van het krantje van de Aiseirí te verkopen die hij onder zijn arm houdt, en deelt links en rechts pamfletten uit aan iedereen die er een wil. Pamfletten met tekeningen van bommenwerpers die groene folders met de woorden 'Spreek Iers' uitwerpen. De Duitsers hebben de Britse steden gebombardeerd, de Britten hebben de Duitse steden gebombardeerd en de Ieren bombardeerden alles met pamfletten voor de Ierse taal.

Het was hun kruistocht naar Belfast. Mijn vader heeft me al vaak verteld dat het niet uitmaakt of ze luisteren of niet, omdat ze vroeg of laat de waarheid zullen inzien en mee zullen doen. Vroeg of laat zullen ze allemaal aan onze kant staan. Ze vertelden de bevolking van Belfast dat je taal je thuisland is. Daarom waren de loyalisten in het noorden zo verloren en verdwaasd, want ze hadden geen thuisland en waren alleen verbonden met Groot-Brittannië, aan de andere kant van de zee. Ze waren bang om Iers te zijn, maar zodra ze zich zouden realiseren dat Ierland een land met een eigen taal was, net als Frankrijk of Duitsland of Israël, zouden ze dolblij zijn met die gedachte. Ze zouden zich zo vlug mogelijk aansluiten en het hele land zou weer één zijn. Alle loyalisten zouden Iers gaan praten. Dat was een ding dat zeker was. Het ging om overtuigen, niet om geweld. Het leek misschien raar om mensen naar de Ierse republiek te noden die er een bloedhekel aan hadden, maar dat zou snel veranderen als ze zagen hoe gelukkig wij in het zuiden waren. Een dezer dagen zouden de loyalisten niet meer bang zijn om toe te geven dat ze vanbinnen Iers waren.

Maar toen vonden de agenten van de RUC het welletjes dat Gearóid en zijn volgelingen in de straten van Belfast toespraken over de Koningin van Engeland hielden, er folders uitdeelden met Ierse bommenwerpers erop en gratis postzegels met een groot zwart kruis door de rode hand van Ulster. En dus werd Gearóid, de leider, gearresteerd en in de gevangenis in Crumlin Road gegooid om zijn daden te overdenken. Toen hij werd vrijgelaten en over de grens werd gezet, lang nadat mijn vader en de anderen weer thuis waren, kreeg hij het bevel om nooit terug te komen, hoewel hij in Belfast was geboren en getogen.

Gearóid was zo boos dat hij uit zijn eigen land was getrapt dat hij zwoer dat hij de volgende keer dat hij kwam aan het hoofd van honderdduizend gewapende mannen zou staan. Hij vertelde iedereen dat ze nog steeds een culturele organisatie waren, maar dat ze heel binnenkort een leger zouden mobiliseren.

Toen de Tweede Wereldoorlog begon en mijn moeder nog vastzat in Duitsland, schreven de kranten dat de Duitsers Groot-Brittannië én Ierland zouden binnenvallen. De Valera, de toenmalige *taoiseach*, hield Ierland neutraal en zorgde ervoor dat het Ierse volk niet meegesleept werd in de oorlog aan de zijde van de Britten of de Duitsers, voor de geallieerden of de nazi's. De Ieren hadden zichzelf net van de Britten bevrijd en wilden niet weer in een oorlog verzeild raken. Dit was andermans gevecht, wij moesten ons erbuiten houden.

Sommige mensen, zoals Gearóid, wilden dat de Duitsers Ierland zouden binnenvallen. Hij reisde het land door en vertelde de soldaten van het Ierse leger dat ze zich, als de Duitsers kwamen, niet moesten verzetten maar met hen mee moesten doen. Natuurlijk wilden ze niet opnieuw binnengevallen worden zo kort nadat ze de Britten eruit hadden gewerkt, maar als de nazi's naar Ierland kwamen, zou dat eigenlijk heel veel goede kanten voor ons hebben. Volgens Gearóid en zijn volgelingen in Aiseirí zouden de nazi's Ierland verenigen. Ze zouden het probleem van Noord-Ierland oplossen en voor altijd een einde maken aan het Britse imperialisme. Dat zouden ze vervangen door nazi-imperialisme, maar we zouden wel een verenigd Ierland hebben en het Iers en het Duits zouden in het hele land de boventoon voeren. Het sprak voor zich dat ze de joden die toen in Ierland leefden misschien wel zouden moeten uitleveren. Sommige leden van de beweging hielden anti-joodse toespraken. Zolang de kwestie van het noorden maar werd opgelost en het onverdraagzame apartheidsbewind van de protestantse loyalisten zou verdwijnen, kon het hun niet schelen wat er met de joden gebeurde. Het leek een simpele oplossing, een moreel compromis.

In die tijd leerde mijn vader Duits en misschien mocht Gearóid hem daarom wel en gaf hij hem de baan van penningmeester van de partij, als zijn rechterhand. Mijn vader was gek op de Duitse cultuur en droomde ervan dat Ierland weer een sterke, bruisende natie zou worden. Net als anderen in de partij geloofde hij dat Ierland een sterke leider nodig had, die een einde zou kunnen maken aan alle innerlijke twijfel die het land teisterde en het half-Brits hield. Toen het duidelijk werd dat Hitler elders al te veel te doen had en dat Ierland wel het laatste was dat hij aan zijn problemen wilde toevoegen, werden Gearóid en anderen in de partij wanhopig en begonnen ze te denken dat de Noord-Ierse kwestie nooit zou worden opgelost. Het gouden moment was voorbij. Aangezien ze het nu zonder hulp van buitenaf zouden moeten stellen, begon Gearóid links en rechts onder vier ogen te vertellen dat hij de richting van een gewapende revolutie op ging. Hij ronselde nieuwe leden, verklaarde officieel dat het een zuiver culturele beweging was, maar zei in het geheim precies het tegenovergestelde, dat hij de beweging binnenkort ging bewapenen, nu Groot-Brittannië nog in een oorlog verwikkeld was en Churchill bepaald niet op een akkefietje met de Ieren zat te wachten.

Gearóid wilde laten zien dat het zijn partij was waar in de toekomst het meest mee gerekend moest worden. Zijn partij was verantwoordelijk voor de schade aan het Gough-monument in Phoenix Park en ook voor een rel buiten de Metropole-bioscoop in O'Connel Street, waar de Gardai charges uitvoerden. Het krantje van de Aiseirí sprak over oorlogsvoorbereidingen in Ierland en Gearóid hield toespraken over zijn aanstaande terugkeer naar Belfast met een groot, tot de tanden gewapend leger. Maar de eerste wapens waar ze echt de hand op wisten te leggen in de strijd voor de bevrijding van Noord-Ierland waren geen geweren, maar spijkerschoenen. Spijkerschoenen en rebellenliederen. Er werd gezegd dat de jonge leden van Aiseirí zich begonnen te gedragen als bruinhemden, dat ze vreedzame bijeenkomsten van andere partijen verstoorden door toeschouwers tegen de schenen en enkels te trappen. In die tijd werd er heel wat afgetrapt en er werd gezegd dat de partij van Eamon de Valera, de Fianna Fáil, de spijkerschoen in de Ierse politiek had geïntroduceerd. Hij had zijn eigen bendes, die door het land trokken en heel veel herrie schopten als ze door de straten liepen. Sommige mensen zeiden dat het schoolkindergedoe was en dat Ierland er nooit in zou slagen om Duitsland te imiteren. Ze zeiden dat Aiseirí onbelangrijk was, maar misschien begrepen ze het niet, want Ierland had het geluk dat Aiseirí nooit aan de macht kwam, dat Gearóid nooit zijn honderdduizend paar spijkerschoenen bij elkaar wist te krijgen, in tegenstelling tot de nationaal-socialisten in Duitsland.

Mijn vader zegt dat het niet eerlijk is om de Ieren de schuld te geven van dingen die nooit gebeurd zijn. Maar toen het duidelijk werd dat de nazi's niet naar Ierland kwamen om de Noord-Ierse kwestie op te lossen, begon Gearóid over mobilisatie. In zijn wanhoop stuurde hij de partij geleidelijk in de richting van de ideologie van fysiek geweld. Toen ontstond er een crisis in de beweging. Mijn vader en een paar andere belangrijke leden van de partij organiseerden een putsch. Gearóids leiderschap werd in twijfel getrokken omdat ze niet mee wilden in een gewapende strijd. Ze geloofden nog steeds in een vreedzame, geweldloze, culturele beweging, gebaseerd op overtuiging en openheid. Ze voelden zich ongemakkelijk als ze de verslagen over de spijkerschoenveldslagen hoorden.

De putsch was vooral een initiatief van de mensen uit Cork, die een vergadering bijeenriepen om aan te kondigen dat ze het vertrouwen in Gearóids leiderschap kwijt waren. Was het een partij van fysiek geweld of van culturele overtuiging, wilden ze weten. Allebei tegelijk was onmogelijk. Het was spijkerschoenen of poëzie, geweld of creativiteit. De Corkse factie wist hoe creatief geweld en wrok konden zijn, maar ze wilden er niets van weten.

Toen Gearóid hoorde over de op handen zijnde putsch, wachtte hij niet tot ze een algemene vergadering bijeenriepen maar gooide alle twijfelaars uit de partij voordat ze de kans kregen om hun mond open te doen. Hij ging bij alle mensen langs die de putsch hadden georganiseerd en beschuldigde ze stuk voor stuk van verraad. Hij schrapte ze uit het ledenregister en zei dat ze geen lid meer waren. Ze waren watjes geworden, verkondigde hij in een toespraak voor een vergadering waar ze nu geen toegang meer toe hadden. De verraders waren net als alle andere Ieren geworden, ze hadden geen visie meer, ze waren niet in staat te gehoorzamen. Maar dat maakte de zaak alleen maar erger en uiteindelijk stapten alle Corkse leden uit de partij en betaalden ze geen contributie meer.

Ik weet hoe het voor mijn vader was om zijn beste vriend te verliezen. Gearóid wilde niet meer met hem spreken. Het moet hebben gevoeld zoals toen Packer mij buitensloot, een tijd van grote leegte. Hij moet zich hebben gevoeld alsof hij verdronk of stikte wanneer hij met zijn koffertje als een onzichtbare man door Dublin liep en zijn beste vriend op straat langs hem heen liep.

Daarna viel de Aiseirí-beweging uit elkaar. De dingen waren veranderd en De Valera zei alles over Noord-Ierland wat de Ieren wilden horen. Aiseirí was overbodig geworden en de leden weken uit naar andere partijen. Mijn vader had nog heel veel energie over voor Ierland. Hij wilde nog steeds dat Ierland allerlei nieuwe uitvindingen zou doen. En daarom zocht hij op een dag Gearóid op en vroeg hem of ze weer vrienden konden zijn. Het leek op de keer dat ik naar het ziekenhuis ging om Packer na zijn motorongeluk op te zoeken en we de stilte achter ons lieten. Mijn vader kon het niet meer verdragen nog langer in de kou te staan en toen hij er zeker van was dat Gearóid afstand zou nemen van fysiek geweld, werd hij met genoegen weer lid van de partij.

Zo kwam de partij aan haar einde, met hen beiden, Gearóid en mijn vader, als de twee laatst overgebleven leden. Gearóid bleef zijn krantje uitgeven en mijn vader schreef voor hem. Ze bleven vergaderingen beleggen in lege, onverwarmde kamers in Harcourt Street, waarbij mijn vader notuleerde, hoewel ze onder de kale gloeilamp maar met z'n tweeën waren overgebleven. Ze bleven toespraken houden, maar ze waren een onbeduidende beweging geworden.

Mijn tweede naam is Gearóid, wat inhoudt dat ik genoemd ben naar de leider van de Aiseirí-partij. Voor Ierland was het misschien een geluk dat ze nooit aan de macht kwamen. Maar toen de partij als een nachtkaars uitging, besloten mijn vader en Gearóid allebei om de strijd mee naar binnen te nemen, hun huizen in. Wat ze in de politiek niet hadden kunnen bereiken, zouden ze in hun gezin bereiken, waar ze de perfecte republiek konden stichten, met een strenge leider. Gearóid trouwde en kreeg heel veel kinderen. Toen mijn moeder uit Duitsland naar Ierland kwam en mijn vader ontmoette, trouwde hij ook en stichtte zijn Duits-Ierse gezin. De taaloorlog verplaatste zich naar binnen. Gearóid en mijn vader deden hun best om elkaar te overtroeven. Ze leerden hun kinderen om offers te brengen voor Ierland. Mijn vader begon met zijn oudste zoon, Franz, en brak diens neus een keer omdat hij de Engelse taal mee naar huis nam. Gearóid deed hetzelfde met zijn oudste zoon toen die een keer een abces aan een tand had, door hem zodra hij merkte dat de tandarts geen Iers sprak, weer mee naar huis te nemen en hem pijn te laten lijden.

Mijn moeder begon mijn vader te veranderen en nu gelooft hij niet meer in veel van de dingen waar hij toen in geloofde. Soms praat hij met me en zegt dat hij fouten heeft gemaakt. Hij wil dat ik hem vergeef en niet dezelfde fouten maak. Hij wil zich ervan verzekeren dat ik niet naar Noord-Ierland ga en geen lid word van de IRA, want dat zou betekenen dat ons gezin niets heeft geleerd, niet van de Ierse geschiedenis en niet van de Duitse. Hij wil dat ik niet vergeet dat hij tegen fysiek geweld was, en hoewel hij af en toe uit frustratie en idealisme uit zijn slof schiet, heeft hij alles wat hij ooit deed, gedaan voor ons en voor zijn land. Hij omhelst me en ik voel me verstikt door zijn gevoelens voor mij. Hij zegt dat ik al zijn fouten recht zal zetten. Want daar heb je vaders voor, dat de zonen opnieuw kunnen beginnen en andere fouten kunnen maken.

Ik vind het moeilijk om met hem te praten, en moeilijk om met hem bevriend te zijn, maar als hij glimlacht en de trap weer af gaat naar de voorkamer kan ik alleen denken aan alle dingen die hij altijd voor ons heeft gedaan, het houten speelgoed dat hij timmerde, de reizen die hij met ons maakte, naar Connemara en helemaal naar Duitsland. Ik denk aan alle wandelingen die we hebben gemaakt en de camera die hij op een keer voor mijn verjaardag kocht. Het was geen echte camera, maar ik bleef maar fotograferen toen we naar de kust gingen. Ik knipte met mijn camera en de foto's verdwenen niet meer uit mijn hoofd, foto's van mijn moeder die glimlacht en wijst naar de eindeloze rij jachten in de baai, van mijn vader met zijn hand boven zijn ogen ter beschutting tegen de zon, van de zee en de hond die naar de golven blaft, van mensen die langslopen met ijsjes. We kwamen de ijscoman tegen, die stond langs de kant van de weg geparkeerd en heette Meneer Softie. Mijn moeder kocht voor ons allemaal een ijsje met een klodder rode jam in het hoorntje en ik maakte een foto van Meneer Softie in zijn busje. De motor draaide continu om de koeling aan de gang te houden, dus roken we ijs en zeewier en dieseldamp allemaal door elkaar heen. Het was een hete dag en iedereen droeg zomerkleren en probeerde koel te blijven. We zagen zelfs een surveillancewagen van de Garda in de buurt geparkeerd, met de ramen open en twee Gardai in uniform die erin zaten zonder hun pet op en die ook een ijsje aten. Ze glimlachten toen ik een foto van ze maakte. Toen lachten mijn moeder en vader weer naar de zee, en die foto's zal ik nooit kwijtraken, omdat ze zijn gemaakt met een speelgoedcamera.

Zeventien

Er is nog geen nieuws van Stefan. Geen briefkaart, geen berichtje, en hij is nergens in het openbaar gesignaleerd. Tante Käthe is bij ons aangekomen met kringen onder haar ogen, alsof ze de hele weg vanuit Duitsland heeft gehuild. Ze is gekomen om het land te zien waar haar zoon wordt vermist. Mijn moeder zit met haar te praten in de voorkamer, probeert haar ervan te overtuigen dat Ierland niet zo ruig is als je zou denken, dat de bergen er zacht zijn en de mensen ook en dat Stefan zo onder de indruk is van het landschap dat hij gewoonweg vergeten is om naar huis te schrijven. Maar tante Käthe kijkt naar de rotsen, de golven, de wijde blauwe baai en de bergen voorbij de stad, en voor haar zijn het allemaal dingen die Stefan verhinderen om weer naar huis te komen.

Ik ben een optimist, net als mijn moeder, dus in mijn gedachten is Stefan nog in leven, hij loopt door de velden van West-Ierland, schopt een graspol door de lucht en maakt een doelpunt tussen twee brembosjes, volgt een veespoor en stapt door openingen in de stenen muren. Stefan, de naar binnen gerichte man, op de vlucht voor zijn vader, die een nieuwe identiteit voor zichzelf bedenkt zodat ze hem onderdak geven. Ik noem hem 'De playboy van de westerse wereld', omdat hij een verhaal voor zichzelf heeft bedacht, een verhaal om mee onder te duiken en te verdwijnen. Ik weet dat hij de grote Ierse spiegel heeft bereikt, de aanblik van de Atlantische Oceaan waar iedereen zijn eigen spiegelbeeld in ziet.

Tante Käthe eet nauwelijks van de boterhammen of de taartjes die mijn moeder maakt. Ze zit op het puntje van haar stoel als de Gardai komen, alsof ze elk moment zal moeten opstaan om met ze mee te gaan. Ze spreken langzaam Engels tegen haar, zodat ze het zeker begrijpt. Ze accepteren een foto van Stefan die ze heeft meegebracht en geven toe dat het een goed idee is om op zeker moment een paar posters in winkels en benzinestations in het land te hangen, maar waar, dat is niet zo duidelijk. Ze vragen of Stefan somber gestemd was. Of er iets was waarvoor hij op de vlucht zou kunnen zijn. Ze leggen uit dat ze de verdwijning nog steeds actief onderzoeken, maar dat ze niet veel meer kunnen doen dan ze al doen. Het heeft geen nut om nog meer politieberichten op de radio uit te zenden en van een grootschalige zoekactie valt ook weinig te verwachten, omdat niemand weet waar ze moeten beginnen.

Als de Gardai weer weggaan, komen mijn moeder en tante Käthe beiden uit de voorkamer tevoorschijn, alsof Stefans verdwijning alle andere tragedies van Duitsland heeft teruggebracht, alle verlangen en pijn die ze al die jaren hebben moeten onderdrukken sinds ze elkaar voor het laatst in Mainz zagen.

Om iedereen op te vrolijken vertelt mijn moeder dat Ierland zo veilig is en dat zij op haar pelgrimstocht overal naartoe kon fietsen zonder ooit lastiggevallen te worden of bang voor iemand te hoeven zijn. Toen zij voor het eerst in Ierland aankwam, leek het hier wel een sprookje. Tante Käthe herinnert zich alle brieven die mijn moeder naar huis stuurde, hoe je je spullen op een rots kon laten liggen als je ging zwemmen, omdat niemand ze mee zou nemen. Het was een religieus land, vol mensen die stilstonden om een kruis te slaan als ze langs een kerk kwamen. Mijn moeder wil dat tante Käthe deze plek zelf ook leert kennen zodat ze minder ongerust wordt. Ze nemen de bus naar de stad om koffie te drinken in Bewleys, en er de glas-in-loodramen te zien en naar de gebaksetagères vol taartjes te kijken die op elke tafel staan. Mijn moeder komt terug en imiteert de manier waarop de serveerster met haar schortje met een klein, samengeknepen mondje vroeg: 'Hebt u taartjes gegeten, mevrouw?' Mijn vader wordt weer toeristengids en biedt aan om naar Glendalough te rijden om de ronde toren te bekijken en ik denk dat ze willen dat tante Käthe blij wordt dat haar zoon in Ierland vermist is en niet ergens anders.

'Hij begrijpt de zee niet,' zegt tante Käthe.

Iedereen weet dat Stefan goed kan zwemmen, maar dat wil nog niet zeggen dat hij niet naar een plek gelokt kan worden die er rustig uitziet, maar waar een gevaarlijke stroom staat die zelfs de beste atleet ter wereld naar de open zee kan trekken. Mijn moeder heeft ons altijd gemaand om iemand uit de omgeving te zoeken en te vertellen dat we willen gaan zwemmen, omdat je nooit zeker kon zijn van de situatie, aan de westkust. Ik heb het altijd raar gevonden om naar iemand toe te gaan en te zeggen dat je ging zwemmen, want ze zouden je vreemd aan kunnen kijken en zeggen: 'Nou, veel plezier. En het beste.' Nu vertelt ze tante Käthe dat ze Stefan die waarschuwing ook heeft meegegeven en dat betekent vast dat hij voorzichtig zal zijn en dat iedereen het altijd weet als Stefan is gaan zwemmen, van Spanish Point tot helemaal in Bundoran aan toe.

'De Atlantische Oceaan. Dat is niet zomaar een groot zwembad,' zegt tante Käthe, en je ziet dat ze zich dingen voorstelt die nog niet gebeurd zijn. Ze heeft net zo'n nachtmerriefabriek als mijn moeder, door de oorlog en de bombardementen. Ze zijn beiden nog uit de tijd van vóór de rampen, ze denken aan bommen die in de lucht hangen en nog niet zijn gevallen, aan moorden die nog niet gepleegd zijn, aan de stilte voor een verdrinking als de zon ondergaat en de zee een vredige aanblik biedt die niet te vertrouwen is. Hoewel mijn moeder al heel lang in Ierland woont en gewend is geraakt aan de Ierse waarheid, kan ze nog steeds niet om de gedachte heen dat het niet uitmaakt hoeveel goede dingen er in de tussentijd gebeurd zijn, want dat er uiteindelijk altijd iets slechts staat te gebeuren.

Mijn moeder vraagt of ik tante Käthe wil vertellen over mijn reis naar de Aran-eilanden en hoe veilig het er was. Ze haalt het dagboek tevoorschijn en laat alle briefkaarten zien die Franz en ik naar huis hebben gestuurd toen we met z'n tweeën een fietstocht door Ierland maakten. Ze wil dat we de hele reis navertellen, hoe we in de zomer naar West Cork fietsten om onze familie te bezoeken en onderweg in jeugdherbergen sliepen, dat we elke ochtend een briefkaart naar huis stuurden, net als mijn moeder altijd deed, die toen ze net in Ierland was aangekomen elke dag een brief naar Kempen stuurde. Ze wijst op de kaart waar we de route die we gevolgd hebben met rood potlood hebben ingetekend, met kleine groene vlaggetjes bij alle plaatsen waar we gestopt zijn. Er staan aantekeningen in het dagboek over de afstanden die we hebben afgelegd, inclusief de kilometers die we op een dag moesten fietsen toen we een verkeerde afslag hadden genomen en de hele weg weer terug moesten. Alle afstanden zijn bij elkaar opgeteld en de totale reisafstand staat onder aan de bladzijde, onderstreept en gevolgd door uitroeptekens om te laten zien hoe indrukwekkend onze reis was.

We vertelden tante Käthe over het allermooiste wat we gezien hadden, de Rots van Cashel, hoe je de bocht omgaat en de ruïnes van het klooster dan opeens in beeld komen, alsof je de eerste bent die ze ontdekt. We vertelden dat we Stefan langs die weg naar Tipperary hadden zien gaan om zichzelf te vinden. We beschreven hoe we langs de weg naar Urlingford tegen de wind in hadden gefietst, hoe Franz altijd voorop fietste omdat hij het beter kon en zoveel energie had en hoe ik altijd achter hem aan kwam omdat ik zwakker was en langs de kant van de weg wilde liggen uitrusten, totdat Franz terugkwam om me aan te moedigen, en hoe de energie terugstroomde in mijn benen toen we de bocht om gingen en we het stenen klooster zagen liggen, verschillende gebouwen bij elkaar, boven op de rots. Ik vergat mijn zwakte en fietste haastig terug door de tijd, alsof ik het me herinnerde, alsof ik hier eerder geweest was, honderden jaren geleden.

Tante Käthe luistert naar elk detail, hoe we ons op de reis hadden voorbereid, hoe mijn vader de route met ons had doorgenomen net als hij met Stefan had gedaan en alle stadjes op de kaart had aangewezen die interessant voor ons waren. Mijn vader zei niet veel over het dorpje Leap, waar hij was geboren en met zijn broer Ted was opgegroeid, maar hij vertelde waar onze familie nu woonde, in Tipperary Town en Middleton en Skibbereen. Hij kwam bij ons zitten en vertelde hoe hij van Dublin naar Leap was gefietst om zijn moeder te zien toen hij studeerde en geen geld had voor een treinkaartje. Ik hoorde hem nu eens over zijn eigen leven praten zonder dat hij naar de toekomst keek. Ik hoorde hem vertellen over die keer dat hij in de buurt van Glandore was gaan zwemmen en dat zijn broer, Onkel Ted, hem had moeten redden toen hij in moeilijkheden kwam. Hij vertelde dat hij zich herinnerde dat hij Britse soldaten langs de weg had gezien. Hij herinnerde zich dat hij had gehoord over een officier van de hulptroepen, de *Black and Tans*, die in Glandore uit de pub was gegooid omdat hij dronken en beledigend was geworden en die terugkwam met een handgranaat, die hij op het dak van de pub gooide maar die weer naar beneden rolde en vlak naast hem ontplofte, zodat hij door zijn eigen woede gedood werd. Hij herinnerde zich dat hij schoten in de heuvels achter Leap had gehoord. Hij vertelde dat hij Michael Collins had gezien die vrienden in Leap kwam opzoeken, recht tegenover het huis waar hij woonde, op de middag voordat hij naar Béal Na Bláth reed, waar hij werd vermoord.

Op de avond voordat we op reis gingen zaten we in de voorkamer, en het was vreemd om je mijn vader voor te stellen als een jongen in korte broek. Mijn moeder maakte genoeg boterhammen en cake voor minstens vier dagen. Het was lang voordat ik mijn eigen geld in de haven begon te verdienen en mijn vader berekende wat we per dag nodig zouden hebben, hetzelfde bedrag dat hij had toen hij als student helemaal naar West Cork fietste. Hij deed er een shilling bij om zeker te weten dat we niet te weinig zouden hebben. Franz beheerde het geld, hij wilde zo weinig mogelijk uitgeven en zoveel mogelijk terugbrengen, zodat mijn vader onder de indruk zou zijn en het goed zou vinden dat we nog eens op pad gingen, omdat we wisten hoe je van niets kon rondkomen.

De dag voor die grote reis vertelde hij een verhaal waarvan hij wilde dat we het ons de rest van ons leven zouden herinneren. Het was het verhaal van de landheer en zijn brandende koets.

In de dorpen Leap en Glandore en Union Hall en Skibbereen, in dat hele stuk van West Cork, deed lange tijd een verhaal de ronde over een landheer die in een brandende koets langsreed. Het was een Ierse nachtmerrie die bleef terugkomen als het donker werd en er een storm kwam opzetten waardoor de bomen in de wind heen en weer zwaaiden. De kinderen waren bang dat ze hem zouden zien en de mensen in West Cork konden de brandende koets niet van zich afzetten, omdat die heel ver terugging in de Ierse geschiedenis en van generatie op generatie werd doorgegeven. Verhalen waren de enige manier om dingen te onthouden, en dit verhaal werd vaak verteld, hoe ze opkeken en plotseling de brandende koets in de schemering langs de helling van een heuvel zagen rijden. Sommige mensen zeiden dat ze in het bos een glimp hadden opgevangen van de vlammen die knetterden en waar vonken uit sprongen. Het geluid van de hoeven kwam langs, over de weg, zonder waarschuwing, en ze keken op en zagen de brandende koets wegijlen door het eenzame landschap, in de richting van de kust. Ze zagen de paarden de zee in rennen om een einde aan het vuur te maken, maar niets kon de vlammen doven, zoals niets een verhaal kan doven dat op de waarheid is gebaseerd.

Iedere keer dat hij verdween kwam hij ook weer terug, en de landheer zat opgesloten achter in de brandende koets, en keek met zijn donkere, schuldige ogen naar buiten door het venster en de vlammen naar de mensen die hij zo wreed had behandeld.

Mijn vader zegt dat hij de koets een keer heeft gezien toen hij nog heel klein was en dat hij de uitdrukking van doodsangst in de ogen van de landheer nooit zal vergeten, zoals hij daar gedoemd was eeuwig te branden in deze reizende hel, vanwege het onrecht dat hij het volk vroeger had aangedaan. Mijn vader geloofde niet in legendes. Hij probeerde ons nooit bang te maken met spookverhalen, alleen met echte feiten. En iets van dit verhaal was gebaseerd op feiten, het was meer dan een stukje folklore uit een tijd dat de mensen nog geen televisie hadden en deze verhalen de enige manier waren om feiten door te geven en ze in je hoofd te houden. Hij zei dat het verhaal op dat van de Vliegende Hollander leek, dat het een verhaal was waar een of andere Ierse componist ooit een geweldige, wereldberoemde opera over zou maken. Ik weet nog hoe hij op de avond voordat we naar West Cork fietsten de glazen boekenkast in de voorkamer openmaakte en zei dat hij ons iets wilde laten zien, iets wat te maken had met die brandende koets.

Hij haalde een dun notitieboekje met een zwarte kaft tevoorschijn. Het was heel oud en versleten, met omgevouwen hoeken en een paar slijtageplekken. Hij wilde dat we het in onze handen zouden houden, eerst Franz, dan ik. Hij wees op de kalender van het jaar 1892 die achterin zat en zei dat het een heel kostbaar document was, niet zoals het boek uit Mainz dat mijn moeder in de eikenhouten kist bewaarde, maar op een andere manier kostbaar, omdat het het verhaal van Ierland vertelde, een verhaal dat goed bewaard moest worden en nooit naar buiten mocht worden gebracht omdat het dan verloren zou kunnen gaan. Het handschrift erin was van mijn overgrootvader, Taidhg Ó Donabhain Daill, Ted O Donovan de Blinde, de landmeter die niet zelf blind was maar de afstammeling van een blinde, en die op zeker moment besloot om alle plaatsnamen in de Ierse taal te verzamelen zodat ze niet zouden verdwijnen. Mijn vader laat ons de lijst van plaatsnamen in West Cork zien, waar hij was opgegroeid, en zegt dat je je weg langs de kust met die namen kon vinden. Elke kreek, elke haven, elke klif en elke rots is beschreven in dat oude manuscript, en we hebben geluk dat hij met een loden potlood heeft geschreven, want dat vervaagt niet, zoals inkt. Sindsdien heeft hij me het boek een paar keer laten zien. Er staan namen in als *Carraig Árd* met daarnaast de Engelse vertaling: Hoge rots. *Carraig a'choiscéim*: de rots met de treden. De rots van de twee vrouwen. De zeehondenrots. De dodemansrots. Er is zelfs een rots die *Carraig a'chaca*, heet: de strontrots, die vanwege de zeemeeuwen en aalscholvers op een witte schedel lijkt.

Bij sommige plaatsen staan aantekeningen in het Engels over afstanden en de gevaren langs de kust. Zo staat er dat het land eruitziet als een elleboog of een voet of een geitenuier.

Dat een baai lijkt op een korte duim en een wijsvinger die beide de zee in steken. Wat de afstand is tussen Sherkin-eiland en Cape Clear-eiland. Mijn vader leest de woorden van zijn eigen grootvader voor: 'Geen aanlegplaats aan de zuidkant – de kliffen zijn te hoog. Sterke stroming. Ik heb eens tien dagen vastgezeten in Cape Clear.'

In het boek staan ook heel veel spreuken die Ted O Donovan de Blinde onderweg verzameld had en die mijn vader allemaal voorleest, tot de allerlaatste. '*Trí fithid bean nucht a chuirim chugat, agus mo bheannacht féin chomh maith.*' 'Ik zend u driemaal twintig naakte vrouwen, en daarnaast mijn zegen.'

Hij lacht en legt uit dat het woord voor naakte vrouw in de Ierse taal precies hetzelfde klinkt als het woord voor zegen. Hij zegt dat je dit nog in het Duits of Engels kunt uitleggen, maar dat er ook grappen zijn waar je alleen in het Iers om kunt lachen. Mijn vader laat ons zijn antieke boekje vasthouden, zoals mijn moeder ons door haar antieke boekje laat bladeren. Ze willen dat we ons vlak bij het moment in het verleden voelen dat die boekjes gedrukt of geschreven zijn. Ze willen ons er getuigen van maken. Ze willen dat we tijdreizigers zijn die in het verleden leven, ergens in de negentiende eeuw in West Cork, of nog eerder, in Mainz in de zeventiende eeuw. Ze willen dat we al die geschiedenis in ons hoofd bewaren. Maar je kunt je niet iets herinneren dat je niet met eigen ogen hebt gezien. Je kunt je herinneren dat je mensen hoorde praten over dingen die lang geleden zijn gebeurd, maar je kunt je geen dingen herinneren die je niet zelf hebt gezien.

Het laatste wat mijn vader ons in het kleine, fragiele boekje laat zien is de naam van een bepaalde plaats aan de kust, niet ver van waar zij woonden. Toehead, heet het. Dat kwam van de Ierse naam *Ceann Tuaithe*, wat landtong betekent. Langs de kust, buiten Skibbereen, niet ver van Glandore, legt hij uit, zouden we een landtong passeren die we nooit zouden vergeten vanwege het ongelooflijke uitzicht. Nu was er niet veel meer te zien, zei hij, er graasden alleen wat schapen. Maar eens, rond de tijd van de grote Ierse hongersnood, woonden er wel driehonderd families op die landtong. Mijn vader leest de korte aantekening achter de naam voor: '*Ceann Tuaithe* – Toehead. Hier leefden zo'n 300 gezinnen. Alle verdreven. Nu een verlaten oord.'

Mijn vader vertelde dat er verhalen de ronde deden dat sommige mensen de kliffen af waren gejaagd. Na de grote hongersnood in Ierland voerde de Britse regering een nieuw beleid in, bedoeld om een einde te maken aan improductieve landbouw. Het leek een beetje op het collectivisme in Rusland onder Stalin, zei mijn vader. Er waren heel veel problemen in Ierland toen de mensen besloten om geen huur meer te betalen en ze door de landheer op straat werden gezet. De Raad voor de Overbevolkte Districten werd opgericht om de armoede en de slechte leefomstandigheden te verlichten. Maar er was ook een beleid van hulp bij emigratie en landontruiming. Mijn vader sprak over uitzettingen en een wet die de Gregory-clausule heette. Hij zei dat de bevolking van Toehead verdreven werd en dat Ted O Donovan de Blinde de naam in zijn opschrijfboekje noteerde om die nooit te vergeten. Het verhaal dat hij als kind had gehoord, was dat de ontruimingen waren uitgevoerd door knokploegen die onder leiding van de politie stonden. Ze vernielden de huisjes om zeker te weten dat ze niet opnieuw bewoond konden worden. Sommige van de huisjes op de landtong met hun rieten dak werden in brand gestoken. En daar kwam het verhaal van de landheer in zijn brandende koets vandaan, toen de vlammen die uit de daken van de huisjes sloegen door de wind werden meegevoerd en de landheer langsreed over de weg om te controleren of het werk wel goed werd uitgevoerd en zijn koets in brand vloog en hij door het volk werd veroordeeld om voor eeuwig in die reizende hel te wonen.

Ik herinner me dat mijn vader me dit verhaal vertelde. Maar je kunt je geen dingen herinneren die gebeurd zijn voordat je geboren bent. Ik kan me alleen herinneren wat ik zelf heb gezien. Ik herinner me dat we uit Dublin kwamen fietsen en bij jeugdherbergen stopten en in Tipperary en Fermoy bij familie logeerden, totdat we in Skibbereen kwamen. Ik weet nog dat ik een pakje sigaretten vond dat iemand op de grond had laten vallen. We aten het laatste stuk cake buiten een winkel in de buurt van Fermoy. We zagen een vrachtwagen die een aanrijding had gehad bij een pub op de weg naar Clonakilty. Ik weet nog dat we er zes dagen over deden om Cork City te bereiken en dat het regende toen we er aankwamen. Er woonden geen bekenden in Leap, maar we stapten wel af om naar het huis te kijken waar mijn vader was opgegroeid. Het was overdekt met klimop. Toen ik weer op mijn fiets stapte, plakte mijn broek tegen mijn benen en was fietsen haast onmogelijk. Het regende zo hard dat we niet eens zagen waar we naartoe gingen en we voortdurend met onze ogen moesten knipperen om te kunnen blijven zien. We logeerden een paar dagen bij tante Eileen in Skibbereen, en onze kleren en rugzakken hingen in de keuken boven de kachel te drogen. Ik kan me haar huis nog herinneren, met de scheve vloer. De voorkant van het huis was ingezakt vanwege jaren van overstroming en de vloer in de kamer liep schuin. Ik weet nog dat het voelde alsof je aan boord van een schip zat dat naar een kant overhelde. Je kon een penny van de ene kant van de kamer naar de andere laten rollen, in de richting van het raam.

Pas op de terugweg stopten we in Toehead, maar er was niet veel meer. Nu is het alleen nog een stukje grasland dat uitsteekt in zee. Het is moeilijk te geloven dat hier ooit driehonderd gezinnen hebben gewoond. Er moeten in die tijd zoveel mensen over de wegen hebben gelopen. Het moet er zo druk geweest zijn als in een stad, en nu was alles leeg. Er was helemaal niets in Toehead, alleen een paar huizen aan de voet van de helling. Nu een verlaten oord, had ik in het zwarte notitieboekje gelezen. Er was verder niets voor ons om te onthouden. We gingen helemaal naar het puntje van de landtong en keken uit over de kliffen die aan beide zijden van de landtong naar beneden liepen. We zagen zeemeeuwen het water in duiken. We zagen lijnen van schuim op de golven. Boten voeren uit om te vissen vanuit de haven in Union Hall. Een man met een hooivork over zijn schouder liep landinwaarts met zijn hond, alsof hij de laatste overlevende was. Er stond een sterke wind daarboven omdat er geen beschutting was tegen de Atlantische Oceaan. Als je iets riep, werd het geluid zomaar weggeblazen naar de zee, zodat je sprakeloos was. Het lawaai van de wind in mijn oren maakte het onmogelijk om iets anders te horen. Op zeker moment dacht ik dat ik mensen hoorde schreeuwen en huilen. Ik dacht het geluid van hoeven te horen en keek op of de landheer eraan kwam in zijn brandende koets, maar ik wist dat het verbeelding was.

Ik voelde mijn zwakte, als een pijn in mijn benen, en ging liggen in het gras op een plek uit de wind. Franz stond nog steeds uit te kijken over zee en ik lag op mijn rug en keek recht omhoog naar de lucht en de kleine witte wolken die heel snel boven ons langstrokken, alsof het land onder me bewoog. Ik dreef op mijn rug naar het binnenland, met mijn hoofd eerst. Ik vroeg me af hoeveel je je kon herinneren en waar de grens ligt tussen geheugen en verbeelding. Kon je je dingen herinneren die je nooit gezien had, kun je dingen opnieuw bedenken waar iemand je over verteld heeft, en kun je die opnieuw meemaken alsof ze gisteren pas gebeurd zijn? Ik wist dat ik op land lag waar mensen lang geleden, voordat ik was geboren, waren verdreven. Ik kon bedenken dat ze nog leefden. Ik kon me de geur van de turfrook die meedreef op de wind indenken en ik kon me het geluid voorstellen van die mensen die Iers spraken, overal in Toehead. Ik deed mijn ogen dicht en luisterde naar de wind en het geluid van de Ierse taal, dat me als een deken omhulde.

Ik wilde nergens heen. Ik wilde niet weer op de fiets stappen, want ik had al zoveel gefietst dat ik moe was en de rest van mijn leven op deze plek wilde blijven. Ik voelde de zwakte als een pijn in mijn benen. Ik was verlamd en wilde hier achterblijven. Het kon me niet schelen of het ging regenen of donker werd. Ik was bereid om me over te geven en uit te leveren. Ik moet even in slaap zijn gevallen, want ik hoorde de stem van mijn broer, die me riep en zei dat we weer op pad moesten voordat het te laat werd. Ik werd wakker en wist niet eens waar ik was of hoe laat het was of in welke tijd ik me bevond. Ik deed mijn ogen open en zag niets dan de lucht en de wolken voor me, die met hoge snelheid voortdreven in de richting van de zee.

'Kom,' zei Franz. 'We moeten voor het donker weer in Middleton zijn.'

Met stijve benen stapte ik weer op de fiets. Ik was blij dat we heuvelafwaarts gingen, dat we nu van de kliffen naar beneden fietsten. We hielden even stil en draaiden ons voor het laatst om, voor een laatste blik op het uitzicht. Het was onvergetelijk, niets dan vogels en schapen en de Atlantische Oceaan die zich uitstrekte als een grote platte spiegel.

Op de avond voordat tante Käthe terug naar Duitsland gaat, komt Onkel Ted bij ons op bezoek en heeft mijn moeder weer een taart gebakken. Onkel Ted zegt aan tante Käthe dat Stefan snel terug zal komen, als God het wil. We zouden allemaal voor hem bidden, en het zou niet lang duren voordat we weer iets van ons lieten horen. Onkel Ted slaagt erin om rustig te spreken en vertrouwen te hebben in de toekomst. Hij spreekt goed Duits, en ook als tante Käthe zegt dat ze bang is om wat er in Noord-Ierland gebeurt, met al die autobommen die ontploffen, luistert hij naar haar en laat haar over haar ergste nachtmerries vertellen. Ze is bang dat de oorlog en de bombardementen terugkomen. Ze is bang dat Stefan er per ongeluk in verzeild is geraakt en dat hem iets is overkomen, iets als de Duitse nachtmerriefabriek. Ze kan niet geloven dat het geweld in het noorden zich niet naar het hele land zal uitbreiden en dat Stefan er niet in verwikkeld zal raken.

Maar dan verspreidt de kalmte van Onkel Ted zich door het huis en drijven zelfs de grootste angsten als muziek weg. Als hij aan het woord is, wordt iedereen gewichtloos. Hij vertelt haar dat de geschiedenis in Ierland hersteld is en dat er in Noord-Ierland dan wel onlusten zijn uitgebroken, maar dat dat niet betekent dat we met z'n allen weer in een oorlog zitten. Hij vertelt haar over tante Roseleen, dat er toen ze klein was een hinderlaag lag rond de zuivelhandel waar ze woonde, in de buurt van Cork, in een plaatsje dat Kilumney heette. Aan de ene kant de *Black and Tans* en aan de andere de IRA. De familie was het huis ontvlucht, maar toen ze terugkwamen zaten er kogelgaten in de muren. Die kogelgaten werden nooit opgevuld of gepleisterd, dus toen tante Roseleen opgroeide en rond de zuivelhandel speelde, verstopte ze er haar snoepjes in.

'Snoepjes in de kogelgaten,' zegt Onkel Ted.

Dat doen kinderen met hun nationale geschiedenis en met alle slechte dingen die er in het verleden zijn gebeurd. Overal in Europa moeten er kinderen zijn die hetzelfde doen. Als er kogelgaten en bomschade zijn, zullen er ook kinderen zijn om de gaten weer te vullen, er hun vinger in te steken of ze te vullen met steentjes, er hun snoepjes in te verstoppen en er verhalen omheen te bedenken. Ik zie mijn moeder en tante

Käthe allebei glimlachen, met tranen in hun ogen, omdat het verhaal van de kogelgaten zo verdrietig en vrolijk tegelijk is, omdat kinderen de echte schade die er is vergeten, en dingen met hun verbeelding weer heel maken.

Achttien

Het is stil in de haven. Even lijkt het een stomme film, je hoort niet eens een motor in de verte. De wereld staat even stil en er klinken alleen nog wat kleine, onbeduidende havengeluidjes, zoals het klotsende water onder de boten, een autoband die piepend tegen de havenwal slaat, een touw dat kraakt als het tot het uiterste wordt opgerekt, met de lichte trilling en rammeling die dat veroorzaakt en de fijne waternevel die er wordt uitgeperst als het strak staat. De haven begint te dagdromen en al je zintuigen vallen in slaap.

De zon schijnt over het water en weerkaatst zo sterk dat je nauwelijks iets ziet zonder tranen in je ogen te krijgen. Het is zelfs niet genoeg om je ogen te sluiten, je moet je afwenden. De bejaarden zijn uit het verpleeghuis naar beneden gekomen om de middag door te brengen op de pier en naar de boten te kijken. De verpleegsters zijn bij ze, ze zorgen ervoor dat ze goed ingestopt onder een deken in de rolstoelen zitten en dat die op de rem staan zodat ze niet de haven in kunnen rijden zonder dat iemand merkt dat ze weg zijn. Een oude vrouw zit te slapen met iets van een bakkersmuts op haar hoofd en een zonnebril die naar één kant van haar gezicht is geschoven. Een oude man in een rolstoel naast haar steekt zijn hand op alsof hij naar iemand op zee zwaait. Er is een lange man die een verpleegster een arm moet geven omdat hij altijd probeert weg te rennen. De verpleegsters hebben Packer eens verteld dat hij op een keer uit het bejaardentehuis was ontsnapt en de bus naar de stad had genomen en dat het al bijna middernacht was voordat ze hem vonden; hij zat dronken op een stoeprand in de stad te zingen. Op een keer betrapten ze hem toen hij met zijn broek achterstevoren door het raam probeerde te ontsnappen. De verpleegsters hebben thermosflessen thee en koffie bij zich en delen cakejes uit. Ze vertellen ons hoe gierig de nonnen met hun theezakjes en koekjes assorti zijn. Ze vertellen over de jongen die in de keuken werkte en een hele pan kokend frituurvet over zijn gezicht en zijn handen kreeg, en hoe hij schreeuwde toen hij naar de ambulance werd gedragen. Ze vertellen ons over de beroemde oudjes die er nu wonen en die iedereen al vergeten is, omdat de tijd verstrijkt en de mensen achterlaat.

Misschien weet ik daarom dat ik aan het begin van mijn leven sta, omdat ik die oude mensen zo vaak in de haven zie. Zij hebben de tijd om terug te kijken, alles wat ze hebben meegemaakt opnieuw onder de loep te nemen en te proberen om alle verkeerde afslagen die ze hebben genomen goed te maken. Zelf probeer ik alleen vooruit te komen en helemaal niet terug te kijken. Ik ontsnap aan het verleden en wil geen herinneringen hebben, terwijl zij hun herinneringen zo lang mogelijk willen behouden en wensen dat ze opnieuw konden beginnen, met een schone lei, zoals ik die heb, om al die dingen te doen die ze vergeten zijn omdat ze in die tijd niet zagen waar hun geluk lag. Ze zeggen dat oude mensen een tweede jeugd beleven, en misschien is dat het moment dat je weer onschuldig wordt, dat je al je eigen fouten inziet.

Ik kijk naar Packer en Dan Turley, die terugkomen van het vissen. Packer bindt het touw vast aan de ladder en klimt omhoog met de kreeftenkist, terwijl Dan het water uit de boot hoost. Tyrone is er ook, die maakt zich klaar om te gaan vissen. Dan en Tyrone negeren elkaar alsof ze niet bestaan, ze doen alsof ze het zo druk hebben dat ze blind zijn en niets zien.

De afgelopen dagen is er een ontwikkeling geweest die de haven weer in een rechtszaal heeft veranderd. De vermiste boot is door de havenjongens teruggevonden aan de andere kant van het eiland. Hij dobberde onbeschadigd op en neer omdat er geen sterke wind of zware deining was om hem tegen de rotsen te smijten. Dan Turley is dankbaar dat hij hem terug heeft, maar er waren aanwijzingen die zijn verdenkingen groter hebben gemaakt. In de boot werd een lege fles whiskey gevonden, waardoor het spoor direct naar Tyrone leidde, zeiden ze. Bovendien, wie anders zou een manier hebben kunnen bedenken om van het eiland af te raken nadat hij de gestolen boot daar had achtergelaten?

Tyrone is in stilte schuldig verklaard. Iedereen staart hem aan, stelt hem met blikken terecht, ook al is er geen spoor van bewijs dat hij iets gedaan heeft en kan niemand het openlijk tegen hem zeggen. Het lijkt bijna beter zo, omdat we hem in stilte kunnen veroordelen, onder ons, zonder confrontatie. Zo krijgt Dan moreel de bovenhand. Hij kan alle beschuldigingen uiten die hij wil en Tyrone kan zich niet verdedigen. Tyrone blijft voor eeuwig slecht en Dan voor eeuwig goed. Een eerlijk proces zou dat allemaal verpesten. En dan doe ik iets waardoor het allemaal aan de oppervlakte komt. Aangezien Tyrone de vijand van Dan Turley is, pak ik een dode krab uit een van de kisten op de pier en gooi hem in het havenwater. Het is niet mijn bedoeling er iemand mee te raken en ik gooi hem gewoon in de algemene richting van Tyrone. Maar dat is altijd mijn probleem geweest. Hetzelfde probleem als met die brandweerman op Halloween. Ik kan zo goed mikken dat de krab door de wind van baan verandert en als een grote beschuldiging door de zwijgende lucht vliegt en recht in Tyrones boot, bij zijn voeten neerkomt. De dode krab staat symbool voor alle onuitgesproken woorden die in de haven rondvliegen. Ik loop weg, terug naar de loods, om er zeker van te zijn dat niemand me zal verdenken. Ik hoor Tyrone mompelen en overal om zich heen kijken welke klootzak hem dat geflikt heeft. Hij wil zijn reputatie beschermen. Dan kijkt hij in de richting van Dan Turley, die niets heeft gemerkt en niets van een vliegende krab weet.

Tyrone duwt zich af tegen de meertrossen en roeit zich een weg langs een paar andere boten, zonder de motor nog te starten. Hij tilt zijn riem op om zich af te zetten tegen de havenmuur en geeft de boot genoeg vaart om geluidloos in de richting van de havenmond te drijven. Als hij op de plek komt waar Dan het vieze, vissige water uit zijn boot schept, zwaait hij met de riem door de lucht alsof hij Dan wil onthoofden. Hij neemt het recht in eigen hand en ik zie de riem door de lucht zwaaien, maar Dan bukt zich om iets op te rapen van de bodem van de boot en wordt niet geraakt. Tyrone legt de riem terug in zijn boot en start de motor. Er is niets gebeurd en de wereld draait gewoon door. Tyrone bukt zich om de rotte krab uit de boot te gooien en Dan klimt de ladder naar de kade op. Ze negeren elkaar en de hele gebeurtenis begint op verbeelding te lijken. Ik weet dat ik de krab heb gegooid en ik heb Tyrone met de dodelijke riem zien zwaaien, maar misschien hebben mijn ogen me in de maling genomen, anders zouden de oudjes en de verpleegsters die hier in de buurt zitten het toch ook gezien moeten hebben. Ik zal het allemaal wel gedroomd hebben. Misschien heb ik in het felle zonlicht de afstand verkeerd ingeschat. Vanaf waar ik stond op de pier kan het eruit hebben gezien alsof Tyrone Dan probeerde te vermoorden, terwijl hij eigenlijk mijlen verderop was, ver buiten bereik. Plotseling vertrouw ik mijn ogen niet meer en ik vraag me af of ik nu ook mijn eigen nachtmerries ben gaan produceren.

Maar dan komt Packer naar de loods, zet de kreeftenkist op de grond voor me neer en kijkt me aan met wijd opengesperde ogen.

'Zag je dat?' vraagt hij.

'Wat?'

'Zag je Tyrone niet met zijn roeiriem? Hij probeerde Dan te vermoorden, echt waar. Hij ging er rakelings langs, een paar centimeter verder en hij had hem doodgeslagen.'

Natuurlijk had ik het gezien, maar ik dacht dat ik het me had verbeeld. Ik wist wat er in de haven aan de hand was en hoe de zaken een dezer dagen tot een climax zouden komen, maar misschien kon ik het pas geloven toen Packer het vertelde.

'Je had hem met die riem moeten zien zwaaien. Jezus.'

Ik zei dat de zon zo fel was dat ik niets had kunnen zien.

'Er gaat hier iets gebeuren,' zei Packer. 'Dit is nog niet voorbij.'

Eindelijk begon ik te geloven wat ik zelf had gezien, wat ik zelf had veroorzaakt, alleen omdat Packer het zei. Het kreeg een vorm door zijn woorden. Toen Dan de ladder op kwam en terug naar de loods liep, leek hij zich er niet al te druk over te maken.

'We hebben het gezien,' zei Packer.

Dan gaf geen antwoord. Hij draaide zich om en keek hoe Tyrone in de richting van de zee voer, stuiterend over de golven, rechtop staand achter in zijn boot met een hand op de motor. Dat was Tyrones handelsmerk en je kon zijn silhouet overal herkennen omdat hij rechtop in zijn boot stond, wat niemand anders deed. Dan had een stelregel dat je in een boot nooit rechtop moest staan, omdat dat de meest voorkomende oorzaak van verdrinking is. Een klein windstootje of hekgolfje van de veerpont kan de boot al laten schudden, en dan lig je in het water. Op zee hoef je niet te proberen de held uit te hangen. En nu keek hij hoe Tyrone daar rechtop in zijn boot stond alsof hij stond te skiën, met een sigaret in zijn mond en een fles whiskey op zak.

'Hij had je kunnen vermoorden,' zei Packer, maar het was niet duidelijk of Dan wel gemerkt had hoe weinig het had gescheeld. Leefde hij in een optische illusie, probeerde hij de werkelijkheid niet te zien? Een soort vrijwillige blindheid. Misschien was het niets anders dan de gebruikelijke vijandigheid en overdreef Packer alleen maar, zoals hij wel meer doet, om het in het grote verhaal te laten passen dat hij rond de haven spint.

'Klootzak,' hoor ik Dan tussen zijn tanden zeggen. 'Een dezer dagen verdrinkt hij nog, verdamme.'

Op dat ogenblik besefte ik hoezeer ik zelf deel was geworden van de oorlog. Ik was degene die de dingen op de spits had gedreven. Er was weer volop geluid in de haven en het moment van de illusie was voorbij. Een half dozijn motorfietsen kwam tegelijk de pier op rijden en alles werd weer normaal. De verpleegsters wapperden de uitlaatgassen weg voor hun patiënten. De meisjes sprongen van de buddyseats en streken hun kleren en hun haar glad. Packer borg de kreeft weer in de kist en Dan ging de loods in om even te liggen en naar het nieuws te luisteren. Het leek weer vergeten, alsof niemand ergens een herinnering aan had.

Thuis begonnen we 's avonds na het eten de rozenkrans te bidden voor de veilige terugkeer van Stefan. Het was alweer een tijdje geleden dat zijn moeder langs was geweest, en nog steeds was er geen spoor van hem. Op een avond zat ik na de rozenkrans alleen in mijn slaapkamer toen mijn moeder binnenkwam en bij het raam ging staan. Ze begon haar vrijheid uit te leven door het raam open te zetten en een sigaret te roken, half buiten het raam en half binnen. Als mijn vader de kamer in zou komen, kon ze de sigaret weggooien in de richting van de bijenkasten en doen alsof er niets aan de hand was en de rook afkomstig was van een nasmeulend tuinvuur achter de huizen. Om ons van de sigaretten af te houden had mijn vader er een keer een aangestoken en de rook door een witte zakdoek geblazen, zodat we de bruine nicotinevlek die achterbleef konden zien.

Toen mijn moeder haar sigaret op had, bleef ze bij het raam staan terwijl het langzaam donker werd. Ik vroeg haar naar Stefans vader. Ik had nagedacht over wat hij me in het kort over zijn vader in de oorlog had verteld, en nu had ik spijt dat ik hem niet meer vragen had gesteld, omdat hij misschien nooit meer terugkwam en ik het nooit zou weten. Aanvankelijk wilde mijn moeder er niets over kwijt. Maar er is altijd tijd voor de waarheid in dit huis, zegt ze, en dus vertelde ze me wat ze ervan wist, wat ze van Käthe had gehoord.

In de nazi-tijd volgde Stefans vader een opleiding tot apotheker, maar kort nadat Hitler de oorlog met Rusland was begonnen, moest hij het leger in en kreeg hij een marsbevel naar het oosten. Ze reden dag en nacht omdat het Duitse leger heel ver naar het oosten moest, helemaal tot in de Oekraïne. Ze herinnert zich dat Stefans vader zei dat hij niet kon geloven dat het land zo lang zo plat kon zijn. Hij zei dat de bestuurders van de tanks en de vrachtwagens een speciaal middel kregen, Pervitin genaamd, dat hen dagenlang wakker hield zodat ze door konden blijven rijden, maar waar ze ook doodmoe en agressief van werden. Dezelfde drug die jongelui nu voor de lol gebruiken. De nazi's hadden een fabriek voor bewustzijnsveranderende drugs om de troepen op de been te houden. Ook dronken de soldaten heel veel en vaak zag je ze zonder enige interesse in hun bestemming of het landschap achter in de vrachtwagens liggen slapen terwijl het speeksel op hun uniform droop.

Stefans vader was gek op reizen en hij vond het geweldig om naar een nieuwe plek te gaan en de dorpjes in de Oekraïne te zien met de houten huisjes en de koeien die buiten waren vastgebonden. En vrouwen met hoofddoeken in het veld die met hun kinderen aan het oogsten waren.

Stefans vader zag niet veel van de gevechten, hoewel hij wel door dorpen kwam die gebombardeerd of in brand gestoken waren. Hij zag mensen die uit hun huizen gezet waren en met een paar bezittingen in groepjes langs de weg werden gedreven.

Maar de eerste aanwijzing dat ze dicht bij het front waren, was toen ze bij geïmproviseerde legerbarakken aankwamen en hij heel in de verte artillerievuur hoorde. Hij moet bang en opgewonden zijn geweest, zegt mijn moeder, want zij herinnert zich dat geluid ook. Het is iets waarvan je je blijft afvragen hoe ver weg het is en of het dichterbij komt of zich juist verwijdert. Ze zegt dat je jezelf er soms van probeert te overtuigen dat het zich verwijdert terwijl het eigenlijk jouw kant op komt.

De soldaten bedronken zich elke avond met de drank die ze in de huisjes vonden. Andere soldaten zeiden dat het echte feest zich oostelijk van het kamp afspeelde, en Stefans vader geloofde ze. Hij besefte niet dat met het woord 'feesten' een moordpartij bedoeld werd. Mijn moeder weet niet precies hoe het gebeurd is, maar toen Stefans vader op een gegeven moment in het bos bij het kamp patrouilleerde, stuitte hij zelf op zo'n moordpartij. Er hadden eerder die ochtend geweerschoten geklonken, maar daarna was het heel stil geworden. Toen hij aan de rand van het bos kwam, zag hij Duitse soldaten en SS-ers in het open veld staan. Hij zag vrouwen die zich uitkleedden en had geen idee wat er gebeurde. Vrouwen van alle leeftijden met hun kinderen en kleinkinderen. Een groep soldaten kreeg het bevel om te schieten en de vrouwen en kinderen vielen achterover in een kuil achter hen. Stefans vader had een moment nodig om te beseffen wat hij zag. Hij rende weg, terug het bos in, en kon niet begrijpen wat hij had gezien. Hij wist dat het verkeerd was, maar hij wist niet wat hij eraan kon doen.

Mijn moeder zegt dat Stefans vader terug in het kamp kwam en het gevoel had dat hij gearresteerd zou worden voor wat hij had gezien. Hij durfde er met niemand over te praten. Hij dacht dat wat hij gezien had een misdaad was en dat hij schuldig bevonden zou worden als hij erover sprak. Hij was bang dat hij gedood zou worden omdat hij de feiten kende. Dus hield hij het voor zich en zelfs toen de anderen lieten doorschemeren dat er iets gebeurd was, was hij doodsbang dat hij zou moeten boeten als hij er een woord in het openbaar over zou zeggen.

'Hij voelde zijn zwakte,' zegt mijn moeder.

Ik vroeg me af of Onkel Ulrich dacht dat hij het zich verbeeldde, dat het iets was wat hij zelf had bedacht, in zijn hoofd. Natuurlijk wist hij dat er iets gruwelijks gebeurde, want toen hij terugrende naar het bos, hoorde hij het geluid van schreeuwende kinderen. Hij wist niet hoe zijn benen hem hadden kunnen dragen, want ze waren zo slap als gelatine. Hij kon het geluid van hun huilen jaren later nog horen, als een geluid dat nooit zou verstommen, als een oorsuizing die altijd terugkeerde wanneer hij een baby hoorde huilen. Hij had iets van de landheer in de brandende koets, veroordeeld om tot in alle eeuwigheid het geluid van het huilen aan te moeten horen.

Ik weet hoe het voelt om zwak te zijn, geen kracht te hebben en niet in staat te zijn om een einde te maken aan de gebeurtenissen. Misschien lijkt Stefans vader op mij en wacht hij tot iemand hem vertelt wat hij heeft gezien. Vaak begrijpen mensen niet waar ze getuige van zijn geweest totdat het ze wordt uitgelegd.

Niet lang daarna werden ze verder naar het oosten gestuurd en mijn moeder zegt dat hij toen alle gevoel van zelfbehoud moet zijn verloren. Hij werd haast onmiddellijk in het been geschoten en naar het veldhospitaal gebracht. Zijn knie lag aan stukken en hij zou nooit meer zonder stok kunnen lopen. Ik weet nog van toen we klein waren, dat hij als we in Duitsland waren altijd zijdelings aan tafel zat. Mijn moeder zei dat hij blij was dat hij gewond was geraakt. Zijn been kon hem niet schelen, zolang de nachtmerrie maar wegging en hij weer zou kunnen slapen. Maar de nachtmerrie ging niet weg. Die bleef steeds terugkomen alsof hij voor het eerst kwam, en iedere keer wilde hij wegrennen maar dat kon hij niet.

Toen hij terug was in Duitsland, dacht hij erover om te melden wat hij had gezien, naar de krant te stappen, maar alles werd gecontroleerd door de nazi's. Hij vertelde het aan zijn familie, maar die vond het eng om te horen en smeekte hem er nooit hardop iets over te zeggen, anders zouden ze allemaal naar het concentratiekamp worden afgevoerd. Dus hield hij het voor zich.

Pas na de oorlog, toen hij met tante Käthe was getrouwd, kon hij erover praten. Het was nu allemaal openbaar en hij ontdekte toen hij over de concentratiekampen hoorde, dat de dingen nog erger waren dan hij ze zich had voorgesteld. Iedereen probeerde zijn leven weer op te bouwen en er werd alleen gepraat over het repareren van huizen en het bemachtigen van voedsel. Hij probeerde heel hard te werken om de steeds terugkerende nachtmerrie ongedaan te maken. Het kwam niet in hem op om hem op te schrijven in een dagboek of hem in de vorm van een brief aan iemand te gieten, zodat de beelden zouden kunnen verdwijnen. En het was ook niet iets waarover hij elke avond met zijn vrouw kon praten.

Pas toen Stefan ouder werd, vond hij eindelijk het juiste moment om zijn mond open te doen. Hij had het als een geheim met zich mee kunnen dragen, zegt mijn moeder, maar hij deed het beste wat je kunt doen, moediger dan alles wat hij tijdens de oorlog had kunnen doen en wat waarschijnlijk toch nutteloos zou zijn geweest. Onkel Ulrich vertelde het aan zijn eigen zoon. Hij nam die allergrootste stap lang na de oorlog, in vredestijd. Hij nam het risico dat hij de liefde van zijn zoon zou verliezen, het risico dat zijn eigen zoon hem zou vermoorden, het risico dat zijn enige zoon nooit meer tegen hem zou spreken.

Dus zo had Stefan het verhaal van zijn vader geërfd, en de nachtmerrie van de massamoord in het bos in de Oekraïne. Daarom kan Stefan er ook niet van afkomen. En nu draag ik het beeld ook mee in mijn hoofd. Ik weet dat Stefan het zich ook niet kan ont-herinneren, want het zit zo vast in zijn hoofd alsof hij het zelf had gezien. Mijn moeder zegt dat je niets kunt doen om zo'n nachtmerrie uit je hoofd te krijgen. 'We moeten manieren bedenken om mensen te ont-vermoorden,' zegt ze.

Eerst begrijp ik niet wat ze bedoelt. Maar dan legt ze uit dat we al die dode mensen weer tot leven moeten wekken. De Duitsers hebben hen vermoord, maar de Duitsers zullen hen ook weer tot leven brengen door zich hen te herinneren. Zolang één mens in de wereld zich hen herinnert, zijn ze nog in leven en niet helemaal dood. Als er nog maar een spoortje van die mensen, hoe klein ook, in je geheugen leeft, dat is het enige wat telt. Mijn moeder zegt dat het een nieuwe Duitse uitvinding is om die vermoorde mensen in leven te houden. We mogen niet bang zijn voor het verleden. Het verleden is een zwakte en we moeten manieren bedenken om ervoor te zorgen dat die vermoorde mensen niet verdwijnen. Niets is moeilijker dan dat, zegt ze, maar het zijn onze mensen en het wordt een heel grote gave, iets waar de Duitsers het allerbest in zullen zijn, het ont-vermoorden van miljoenen mensen.

Negentien

Mijn vader gelooft dat te veel vrijheid slecht voor je is, dus heeft hij een nieuwe avondklok ingesteld en zegt hij dat ik om elf uur thuis moet zijn. Ik ga met hem in discussie en zeg dat vrijheid iets absoluuts is, net als mensenrechten, iets waar je nooit genoeg van kunt hebben. Hij is het er niet mee eens en zegt dat het iets kostbaars is, iets waar je een beetje voorzichtig mee om moet gaan. Het is zijn plicht om me te beschermen tegen de gevaren van de vrijheid, hoewel ik niet beschermd wil worden en alleen maar wil ontsnappen. Hij zegt dat ik in een fantasiewereld leef als ik denk dat de mens ooit vrij zal zijn van regels. Ik zeg dat mensen het zat zijn om te gehoorzamen en hij zegt dat het omgekeerd is, dat de mensen gehoorzamer zijn dan ooit, en dat het moeilijker is de regels van de vrijheid te breken dan het ooit was om alle regels te breken van het totalitarisme en imperialisme bij elkaar.

'De tirannie van de vrijheid,' noemt hij het.

Hij is de gezinsprofeet die ons waarschuwt voor de goede tijden die eraan komen. Hij vertelt me over de eerste keer dat hij van de vrijheid kon proeven, na de Ierse onafhankelijkheid, toen hij schoolmeester was en door West Cork fietste, hoe die idee van vrijheid verbonden was met de idee van werk en wederopbouw. Mijn moeder zegt dat ze zich de eerste dag van vrijheid na de nazi's aan het eind van de oorlog nog herinnert, toen ze door de bergen naar huis fietste. Het is als een speciale geur in de lucht, zegt ze, zoals wanneer je je hoofd over een wieg buigt en de geur van het hoofdje van een pasgeboren baby opsnuift.

Mijn moeder probeert met mijn vader te praten, maar hij zegt dat hij vasthoudt aan de regels. Als ik om elf uur niet thuis ben, blijf ik maar op straat, word ik maar dakloos, want dan laat hij me niet meer binnen. Zolang ik onder zijn dak leef, moet ik me aan zijn wet onderwerpen. Dus komt ze naar me toe en smeekt me om het nog even volgens de regels te spelen, voor de lieve vrede.

'Ik weiger te leven met een avondklok,' zeg ik.

'Toe,' zegt ze als ik naar buiten ga. 'Doe het voor mij.'

Dat maakt het nog erger, want dat betekent dat ik als ik te laat thuiskom niet zozeer zijn regels breek als wel haar hart.

Meestal gebeurt er niets in de haven en wachten we gewoon tot het donker wordt. In de zomer, als de zon ondergaat, blijft het heel lang licht en hangen er mensen rond om te roken en te praten. De motorfietsen komen en gaan en wekken de haven nog een keer tot leven. Je wacht tot de binnenkomst van de laatste boot en als ze allemaal vastliggen, wacht je nog wat, totdat de haven verlaten is. In het verpleeghuis zie je dat de patiënten naar bed worden gebracht en de lichten uitgaan. Lichten die aan- en weer uitgaan als een van de oudjes ergens om vraagt of de slaap niet kan vatten. Soms zie je dezelfde verpleegster van de ene naar de andere kamer gaan, totdat alleen de lichten in de gang nog branden, verpleegsters die de verdiepingen langsgaan met het karretje met medicijnen voor het slapengaan. Auto's komen de bocht om en laten hun koplampen over de boten schijnen, zodat de hele haven een ogenblik oplicht voordat ze zich wegspoeden over de weg. De veerpont die de grote haven uit vaart zie je kleiner en kleiner worden op zijn tocht naar Engeland, als een lantaarn die wegsterft op het water. Soms lijkt het of je de kromming van de aarde kunt zien, want de veerboot staat hoog boven de horizon en zakt er dan achter weg. De laatste motorfiets is verdwenen, je kunt hem nog horen schakelen, op zijn weg door de straten, totdat ik me het gebrom alleen nog maar kan voorstellen.

Iedereen is nu weg. Ik ben de laatst overgeblevene met Dan Turley, en ik wil nog steeds niet naar huis, niet voordat hij alles heeft afgesloten en over de pier naar zijn huis loopt. Alle uithangborden zijn naar beneden gehaald en binnen opgeslagen. De viskratten zijn schoongemaakt en opgeborgen. Er is niets meer te doen en Dan staat op het punt om af te sluiten als we het geluid horen van een andere boot die binnenkomt. Het is moeilijk te zien wie het is, maar dan, tegen het licht van de hemel, kun je aan het silhouet duidelijk zien dat het Tyrone is, een man die rechtop staat achter in de boot en de haven in glijdt, waar hij zijn sigarettenpeuk in het water schiet.

Nu zou ik weg moeten gaan, maar ik blijf nog een paar minuten, alsof ik een voorgevoel heb dat er iets gaat gebeuren. Als Dan het licht in de loods uitdoet en op het punt staat de deur op slot te doen, komt Tyrone aangelopen over de kade met een krat vis voor zich. Ik stap op mijn fiets, klaar om weg te fietsen, maar dan begint Dan weer te mompelen en te vloeken. Als ik er niet was, als er geen publiek was, had hij niets gezegd en gewoon de deur dichtgedaan, zou hij het bestaan van Tyrone zelfs zijn vergeten en was hij gewoon weggelopen naar huis. Maar ik ben er als getuige, de aanhanger die het ergste in hem naar boven brengt, en ik hoor dat hij Tyrone binnensmonds uitdaagt totdat die de viskrat uit zijn handen laat vallen en rechtstreeks op de loods afloopt.

'Wát zei je?' schreeuwt Tyrone.

De makrelen in het krat komen weer tot leven en klapperen een ogenblik uit alle macht. Voordat ik het weet staan de twee mannen heel dicht tegenover elkaar, vloekend en grommend. Dan gaan ze elkaar met hun vuisten te lijf. Plotseling zijn er geen woorden meer en is er alleen nog puur geweld. Een echt gevecht. Twee oude mannen die elkaar op de pier proberen te vermoorden, en er is niemand in de buurt om ze tegen te houden.

'Kom dan, kankerbuffel.'

Er zit bloed aan zijn mond. Hij moet een klap gekregen hebben, want zijn gezicht glanst zo rood dat het in het licht van de haven bijna zwart lijkt. Nu weet ik waarom bloed rood is, omdat het de meest alarmerende kleur is die je je kunt voorstellen, de kleur waar je hart sneller van gaat slaan. Tyrone probeert wraak te nemen op Dan, een mooie vuistslag te plaatsen, maar ze houden elkaar vast als in een worstelwedstrijd en puffen allebei van de inspanning. Het is een ademoorlog, zoals ze daar over de pier bewegen en allebei proberen de ander tegen de grond te werken.

Ik wil weg, maar wat ik zie verlamt me. Ik zie Dans witte pet op de grond liggen, dus die raap ik op. Ik leg hem over de reling buiten de loods, bang om dichterbij te komen. Het lijkt op een nachtmerrie die er al lang aan zat te komen, maar ik kan niet wakker worden of weglopen. Dan Turley en Tyrone grijpen naar elkaar, duwen over en weer, ademen en kreunen alsof ze elkaar nooit meer los zullen laten. Ik zie speeksel bij Dans mond, schuim op zijn lippen. Ik zie het wit van zijn hoofd en de streep die de rand van zijn pet heeft gemaakt.

Tegen het resterende licht in de lucht zie ik ze elkaar omarmen in een bloeddorstige dans, alsof ze staan te walsen, ze bewegen van de ene kant van de pier naar de andere, helemaal tot aan de rand, totdat ze bijna over de zijkant in de haven vallen, en dan helemaal terug tot aan de loods, ze zwaaien zo snel terug dat het lijkt alsof Tyrone Dan dwingt om op de reling te gaan zitten. Ze lijken zich er absoluut niet van bewust waar ze zijn. Niemand ziet het gebeuren en het verpleeghuis lijkt duizend kilometer ver, iedereen is er diep in slaap. Zo nu en dan verlicht een auto het gevecht een ogenblik, terwijl ze terugzwaaien naar de rand van de pier en bij de kraan tot stilstand komen, en dan weer helemaal de andere kant op, tot ze tegen de zijkant van de loods aan slaan. Nog twee keer slaat Dans brede rug tegen de loods voordat ze op de grond vallen, net binnen de deur.

Ik weet niet wat ik moet doen om er een einde aan te maken. Ik durf niet tussenbeide te komen. En dan vraag ik me af of ze alleen vechten omdat ik sta toe te kijken, of ze zullen ophouden en weer bij zinnen komen als ik wegga. Ze hijsen elkaar als kleine jongetjes van de grond en grijpen elkaar meteen weer vast, walsen rond, mijn kant op, zodat ik weg moet springen en mijn fiets op het laatste moment uit hun baan moet trekken. Ik heb zo'n droge mond dat ik geen woord kan uitbrengen. Dan stap ik op mijn fiets en rijd weg om hulp te halen.

En dan is het gevecht ten einde. Ik stop, kijk om, en misschien had ik gelijk, misschien hield ik dit gevecht alleen maar aan de gang door mijn aanwezigheid. Ze laten elkaar los en ik zie ze daar staan, ze leunen een beetje voorover met hun handen op hun heupen en ademen zwaar.

'Wacht jij maar, godverdomme,' hoor ik Tyrone zeggen voordat hij zijn viskist oppakt en over de pier verdwijnt.

Dan vindt zijn pet terug en veegt er het vuil af voordat hij hem weer op zijn hoofd zet. Hij staat even stil, staart Tyrone na met zwarte marmerogen, niet in staat om iets te zeggen van het hijgen. Zijn mond staat open en er hangt wat speeksel aan zijn kin, alsof hij geen energie meer heeft om het weg te vegen. Ik blijf kijken wat hij gaat doen, of hij zijn bijl gaat pakken, maar nee. Hij doet de deur van de loods op slot, is lang in de weer met de sleutel, hij is niet meer in staat om het goed te doen, en ik wil terugracen om hem te helpen. Hij ziet me niet en ik weet dat hij niet wil dat ik hier met wie dan ook over praat. Dan zie ik hem uiteindelijk het speeksel van zijn kin vegen met de mouw van zijn jack, en ik fiets weg.

Als ik thuiskom is het al te laat en de deur is op slot en vanbinnen op de grendel. Het kan nauwelijks later dan vijf over elf zijn, maar de avondklok is ingegaan en mijn vader heeft het fort voor me gesloten. Ik zet mijn fiets tegen de muur en kijk omhoog naar de ramen, maar alle gordijnen zijn dicht. Het licht is uit, alsof ze allemaal haastig moeten bewijzen dat ze al slapen. Ik kan niet aanbellen, dus ik blijf even buiten staan wachten totdat mijn moeder doorheeft dat ik er ben en de trap af sluipt om de deur heel stilletjes open te doen. Mijn vader hoort haar de deur niet weer op slot doen, al is er een luide klik als het slot weer op zijn plaats springt.

We staan een ogenblik in de hal. Mijn moeder houdt van zulke geheimzinnigheid, alsof ik alles doe wat zij zelf had willen doen. Ze houdt mijn hand vast en kijkt me even in de ogen.

'Is er iets?' vraagt ze.

Misschien kan ze voelen wat ik heb gezien. Maar ik vertel niks en we sluipen de trap op als twee dieven. Ik weet waar de overloop kraakt en hoe je dat kunt vermijden. In stilte wuiven we naar elkaar en gaan naar bed.

Ik lig een tijdje wakker en overdenk wat ik heb gezien. Ik stel me voor wat er hierna gaat gebeuren in de haven en hoe het zal aflopen. Ik zie het licht van de straat, dat een schaduw op mijn slaapkamermuur werpt. Ik zie het gevecht steeds opnieuw, als een gevecht zonder einde, met Dan die zijn pet opraapt en het speeksel van zijn kin veegt, totdat ik uitgeput in slaap val. Maar zelfs in mijn slaap hoor ik nog dat geschreeuw, vlak bij me. Nu ben ik niet slechts een toeschouwer meer. Ik zie de woede in de ogen van Dan Turley. Ik zie zijn onderlip, die hij naar voren steekt, en ik hoor hem ademen. Ik zie bloed op zijn nek en op zijn handen. Ik zie een spoor van bloeddruppels op de pier in de richting waarin Tyrone is vertrokken om een roeiriem of iets beters te vinden om mee te vechten. Een spoor van bloed dat je wel eens op de pier ziet als iemand een kist vers gevangen makreel heeft binnengedragen. Een bloedspoor dat je soms op straat ziet en waarvan je je afvraagt of het van een knokpartij was of een gewonde hond. Ik zie Tyrone snel over de pier bewegen met een gebroken roeiriem in zijn handen.

'Kom op, kankerbuffels!' roept hij.

En dit keer komt hij op mij af. Tyrone zwaait de roeiriem rond en mikt op mij, drijft me in het nauw tegen de loods. Ik wil wakker worden, maar het lukt me niet om uit deze nachtmerrie te ontsnappen en ik voel de roeiriem de zijkant van mijn gezicht raken. Ik hoor het geluid van het hout in mijn hoofd echoën en als ik eindelijk wakker word, merk ik dat ik recht met mijn rug tegen de slaapkamermuur zit. Het licht in de kamer is aan en ik zie haast niets, alleen mijn vader, die over me heen gebogen staat en me met zijn vuist slaat.

'Jij hebt hem binnengelaten,' hoor ik hem roepen. 'Dat is verraad.'

Ik ben verblind door het licht dat van boven komt. Ik zie hem in zijn pyjama, zonder bril, en mijn moeder die hem aan zijn elleboog probeert weg te trekken, die probeert te verhinderen dat hij me opnieuw slaat. Ik hoor hem hijgen van de inspanning. Ik kan me niet verdedigen en voel de vuistslagen achter elkaar op me neerkomen en mijn hoofd slaat achterover tegen de muur. Ik voel dat ik wegzink onder de slagen, alsof de roeiriem me steeds opnieuw raakt en mijn rug langs de zijkant van de loods naar beneden glijdt. Tyrone staat over me heen gebogen met een krankzinnige blik in zijn ogen en Dan Turley houdt hem tegen zodat hij me niet vermoordt.

Alle straf uit de geschiedenis krijg ik klap voor klap, alle wraak en alle wrok die eeuwenlang teruggaat, hier in mijn slaapkamer. Niemand kan het verhinderen. Mijn vader ademt zo hard dat hij niet kan praten. Het is de ademoorlog. Hij rolt zijn mouwen op, zodat het beter gaat. Ik zie dat hij zijn horloge al heeft afgedaan. Ik ruik zijn zweet. Als mijn ogen eindelijk aan het licht gewend zijn, zie ik ook dat het hele huis wakker is en de kamer vol mensen staat, de hele familie dromt om me heen, de handen gevouwen alsof ze allemaal bidden dat dit mag ophouden.

'Vrede,' roept mijn broer Franz opeens uit.

Dan houdt alles op. Er heerst stilte in huis, alsof iemand van buiten heeft gesproken en ons gezin zichzelf voor het eerst ziet. Ik zie dat ze zich rond mijn vader verdringen, ze helpen hem de kamer uit alsof hem iets vreselijks is overkomen. Ze negeren mij en blijven op hem letten. Ze zijn bang om hem en ongerust, omdat hij zo boos is en van streek over wat hij heeft gedaan. Ze weten dat hij zich er vreselijk over zal voelen en willen dat hij op de trap gaat zitten om te kalmeren en diep in te ademen.

'Ik wil hem niet meer in mijn huis,' zegt hij steeds. Hij zit even op de trap, met iedereen om zich heen, alsof hij het was die is aangevallen. Ik zit nog steeds in bed, voel aan mijn gezicht en besef dat mijn ogen vochtig zijn en ik niet kan ophouden met huilen. Ik voel me zo schuldig. Ik voel me zo gekwetst en zo boos dat ik hem wil vermoorden. Ik wil wegrennen en nooit meer terugkomen.

Mijn vader staat plotseling op en loopt de trap af naar de voorkamer. Hij zegt dat hij de Gardai gaat bellen omdat er een indringer in huis is. Als mijn vader eens kon zien hoe belachelijk het allemaal is, dat hij de politie belt om zijn eigen zoon uit huis te zetten. Hij is vastbesloten om ze te bellen, nu, midden in de nacht, terwijl mijn moeder hem smeekt om tot de ochtend te wachten. Ze legt haar vinger een paar keer op de toets om de verbinding te verbreken, maar hij duwt haar weg.

'Ja, een indringer,' hoor ik hem hardop zeggen.

Ik ben bang dat ik binnenkort dakloos ben. Ik ben bang dat ik de rest van mijn leven als buitenstaander zal moeten doorbrengen. Maar dan hoor ik dat de telefoon weer wordt opgehangen.

'Denk er nog eens over na,' hoor ik mijn moeder smeken. 'Je wilt toch niet dat hij net als Stefan verdwijnt en nooit meer terugkomt?'

Dus dan ga ik weg. Voordat iemand me kan tegenhouden, ga ik mee met mijn vaders bluf. Terwijl ze nog steeds met zijn allen in de voorkamer zijn om te zorgen dat hij de Gardai niet in huis haalt, horen ze de voordeur slaan. Mijn moeder rent naar buiten en ik hoor dat ze me terugroept, maar ik blijf rennen, over de straat, met tranen in mijn ogen, en zeg tegen mezelf dat ik nooit meer terugga omdat het hele huis als een klerenkast is en als ik nu niet ontsnap, zal ik nooit ontsnappen.

Ik loop in mijn eentje door de straten. Ik breng wat tijd door in de haven, maar dan moet ik in beweging blijven, net als de makrelen, omdat ik nu dakloos ben. Ik loop helemaal naar de top van de heuvel, vanwaar ik uit kan kijken over de stad, net een schaal sinaasappels in de verte. Ik ga zitten op een van de bankjes en overdenk dat ik terug wil om mijn vader te vermoorden. Ik denk aan hem met speeksel op zijn kin, hoe hij me buiten adem aanstaart. Maar ik kan niet meer leven met al die haat in mijn hoofd. Ik kan die woede niet vasthouden en ik kan er niets aan doen, maar ik wil hem alweer vergeven. Ik wil vrienden met hem zijn en medelijden met hem hebben. Het is mijn schuld dat hij zo driftig is geworden en ik ben blij dat ik niet heb teruggevochten. Ik ben blij dat ik niets onherstelbaars heb gedaan, zoals Stefan.

Ik kijk uit over de platte oranje schaal en denk na over mijn toekomst, over hoe ik binnenkort zal ontsnappen en vrij zal zijn. In plaats daarvan brengt het me alle goede dingen die mijn vader voor me heeft gedaan in mijn gedachten. Ik bedenk hoe hij ooit voor mijn verjaardag een paar stelten voor me heeft gemaakt. Hij haalde ze bij het ontbijt tevoorschijn en ik was stomverbaasd dat hij ze in het geheim had kunnen maken, zonder dat ik er iets van gemerkt had. Ik was geen kind meer en ik kijk de hele tijd goed om me heen om te zien wat er gebeurt. En toch heeft hij ze gemaakt zonder dat iemand het wist, behalve mijn moeder. Als een samenzwering van liefde. Ze waren blauw, met rode voetsteunen. Ik blijf denken aan hoe mijn vader altijd zijn best doet om ons geweldige verrassingen voor te schotelen.

Op de ochtend van mijn verjaardag hielp hij me om in de hal op de stelten te gaan staan, voordat hij naar zijn werk vertrok. Ik moest met mijn rug tegen de muur leunen om erop te kunnen klimmen, en toen keek ik plotseling neer op mijn vader, die onder me glimlachte en zei dat ik het moest proberen, hoewel ik zenuwachtig was en bang dat ik eraf zou vallen. Hij maakte de weg vrij zodat ik door de hal kon lopen, ik was langer dan wie dan ook in huis.

De volgende dag kwam er een einde aan de oorlog in ons huis. Ik bood mijn vader mijn excuses aan, omdat ik het niet kon verdragen zijn gekwelde hoofd en mijn gekwelde hoofd te zien. Ik wilde hem zelfs niet eens meer hard zien ademen. Hij was buiten, de bijen zoemden om ons heen en toen hij binnenkwam en de kooi van zijn hoofd haalde, zei ik dat het mijn schuld was en dat ik vanaf nu aan zijn kant zou staan. Ik zou me aan zijn regels houden. Het was nu vrede ten koste van alles. Mijn moeder wist een nieuwe amnestie te onderhandelen en alles in huis werd weer normaal. We waren weer allemaal vrienden en ik had een pact met mijn moeder om mijn vader gelukkig te houden en op een creatievere manier te ontsnappen, die hem geen pijn zou doen.

Een paar dagen later kwam Stefan zomaar terug. Hij dook op uit het niets, alsof hij nooit weg was geweest en er geen tijd was verstreken. Ik kwam terug van de haven en hoorde zijn stem in huis, als de stem van een spook dat is teruggekeerd van de doden. Ik liep de ontbijtkamer in en daar zat Stefan, en mijn moeder en broers en zusters keken hem allemaal aan alsof ze hun ogen niet konden geloven. De broer die we waren verloren, de on-dode broer was weer thuis.

Aanvankelijk was er nogal wat gedoe omdat hij iedereen zo ongerust had gemaakt en mijn moeder maar bleef vragen hoe hij zo onattent had kunnen zijn om niet eens aan thuis te laten weten dat het goed met hem ging. Stefan was pissig omdat zijn naam op het nieuws was geweest en hij als vermist te boek stond. Natuurlijk wás hij ook vermist, maar dat was nog geen reden om naar de politie te gaan, want hij reisde alleen maar wat rond in de zomer en wilde niet aan thuis denken. Toen mijn vader thuiskwam van zijn werk, zag ik dat hij woedend was en het leek erop of hij liever had dat Stefan nog steeds vermist was.

'Hoe durf je zomaar terug te komen?' zei mijn vader. Hij sprak tegen Stefan zoals hij tegen mij spreekt. Het leek of mijn vader hem ging slaan zoals hij mij midden in de nacht had aangevallen.

'We dachten dat je dood was,' zei mijn moeder. 'Stefan, je moeder is hier geweest en ze huilde.'

Stefan werd stil. Het leek of hij er ook spijt van had dat hij was teruggekomen en het liefste zo op zou staan om weer te vertrekken, en deze keer misschien wel voor altijd. Mijn vader zat te wachten tot hij zijn excuses zou aanbieden voor alle drukte die hij had veroorzaakt, alsof dat alles was wat de mensen tot in de eeuwigheid moesten doen, elkaar voortdurend excuses aanbieden.

'Ik wilde mezelf vinden,' zei Stefan.

Maria begon te giechelen, ze kon het niet helpen, een spontane uitbarsting die door haar neus naar buiten kwam, maar mijn vader zei dat er niets te lachen viel. Hij keek naar Stefan en zei dat het een brutaal antwoord was. Het was een belediging om naar ons huis terug te keren en zo brutaal te spreken. Het grappige was dat ik denk dat Stefan echt meende wat hij zei, dat hij echt zichzelf wilde vinden, omdat hij het contact met de echte wereld was kwijtgeraakt.

'We hebben hem weer in leven gefantaseerd,' zei mijn moeder.

Ze ging naar Stefan toe en sloeg haar arm om hem heen. Ze zei dat onze gebeden verhoord waren en dat we heel blij waren dat hem niets was overkomen. We hadden iets te vieren. Allereerst moest Stefan naar huis bellen, naar zijn moeder, en haar vertellen dat alles in orde was. Daarna moest hij iets stevigs eten omdat hij er zo dun uitzag. We zouden hem goed te eten moeten geven voordat hij terugging naar Duitsland. Mijn vader vergat zijn woede en onder het avondeten vertelde Stefan ons over alle plaatsen waar hij was geweest, in County Clare, waar hij naar muziek had geluisterd en was gaan vissen met een paar mannen uit het dorp. Van daaruit was hij door Mayo gereisd, langs de meren die op purperen tapijten leken, plaatsen waar je dacht dat je de laatste overlevende op aarde was. In Sligo had hij een stelletje jongelui uit Belfast leren kennen die hem mee naar het noorden hadden genomen en we waren allemaal stomverbaasd dat hij niet bang was geweest om daar naartoe te gaan, met al die toestanden daar, autobommen en rellen en schieten. Hij zei dat hij in kleine pubs had gezeten met mensen die liedjes zongen en dat hij zelf ook een paar rebellenliederen had geleerd. Hij zei dat ze hun gitaren bespeelden alsof het machinegeweren waren. Een hippieliedje genaamd 'Massachusetts' was het volkslied van de vrijheidsstrijd geworden. Ze hadden hem zelfs meegenomen naar een rel en hij had stenen naar de Britse pantserwagens gegooid die door de straten reden. Hij zei dat hij het geluid nooit zou vergeten van een steen tegen het groene staal van een Landrover van het leger.

Stefan stond op en ging de kamer uit om iets uit zijn rugzak te pakken. Toen hij terugkwam aan tafel had hij iets zwarts in zijn hand dat hij aan mijn moeder gaf.

'Hier ben ik bijna door geraakt,' zei hij.

'Wat is dat?' vroeg mijn moeder.

'Een rubberkogel.'

Mijn moeder bekeek hem goed. Zoiets had ze nog nooit gezien en ze hield hem vast alsof Stefan werkelijk uit de dood was verrezen.

'Je had wel dood kunnen zijn,' zei ze.

Ze woog hem op haar hand. Iedereen verdrong zich om haar heen om hem met eigen ogen te zien. Een oorlogssouvenir. Een souvenir uit de wereld van regels en repressie. Ik zag dat er een deuk in het materiaal zat en Stefan legde uit dat hij in de muur van een huis van rode baksteen was ingeslagen, vlak achter hem. Hij had hem door de lucht horen zoeven. We wisten hoe dodelijk die plastic kogels konden zijn, want niet zo lang geleden was er een jongen mee gedood in de straten van Belfast. We gaven de rubberkogel door en mijn vader onderzocht hem zorgvuldig zonder een woord te zeggen.

'Het is een verbetering,' zei mijn moeder, maar toen moest ze opeens lachen en niemand begreep wat ze ermee bedoelde. 'Een verbetering ten opzichte van echte kogels.'

Stefan zei dat dat een goede manier was om de dingen te bekijken, van de andere kant, van onderaf.

'Als er minder mensen door sterven, dan zal het inderdaad wel een verbetering zijn,' zei hij.

En toen zaten we allemaal aan tafel te lachen, en zelfs mijn vader deed mee en zei dat rubberkogels een prachtige uitvinding waren omdat ze levens redden. Hij gaf hem terug aan Stefan zodat hij hem weer in zijn rugzak kon stoppen. Mijn moeder zei dat hij hem niet aan zijn moeder mocht laten zien omdat ze daar heel erg overstuur van zou raken. Ze vroeg Stefan wat zijn plannen waren, of hij nu weer naar huis ging. Stefan zei dat hij naar de Aran-eilanden geweest was. Hij had op de kliffen gezeten en over de Atlantische Oceaan uitgekeken. Verder kan je niet gaan, vertelde hij, en nu was het tijd om terug te keren.

'Je bent niet meer vermist,' zei mijn moeder. Ze omhelsde hem opnieuw alsof hij haar eigen zoon was.

Stefan bleef nog een paar dagen bij ons voordat hij terugkeerde naar Duitsland. Ik ging met hem zwemmen, weer op die geheime plek achter de rij witte huizen. Ik vertelde hem over de vechtpartij in de haven. Ik vertelde hem ook over het gevecht met mijn vader, en toen vertelde hij dat hij voor zijn vertrek zijn vader een klap had gegeven en hem in de tuin tegen de grond had geslagen. Hij kon hem nog zien liggen, niet in staat om overeind te komen met die kapotte knie. Hij vertelde dat hij weg was gelopen zonder zijn moeder te helpen om hem overeind te krijgen, maar dat hij daar nu spijt van had en dat hij naar huis wilde en alles weer goed wilde maken, omdat het onrecht dat hij zijn eigen vader had aangedaan hem net zo erg achtervolgde als het verhaal uit de oorlog dat hem was overgedragen. Hij ging terug omdat hij en zijn vader deel uitmaakten van dezelfde geschiedenis. Het was onmogelijk, zo bleek, om je daarvan los te maken. Hij had geleefd in de angst dat hij dezelfde fouten zou maken en nu wilde hij in staat zijn om zichzelf te vertrouwen, om vrij te zijn en zijn eigen fouten te maken. Toen hij vertrok vulde mijn moeder zijn tas met pakjes *barm brack* voor onderweg. Ze was zo opgewonden dat hij levend naar huis ging, als een zoon die terugkeert uit de oorlog, dat er tranen in haar ogen stonden, ook als ze glimlachte. Op het allerlaatste moment, toen Stefan al bij de deur stond, haalde ze het antieke boek uit de tijd van Gutenberg tevoorschijn en liet het hem zien. Het lag voor hem gereed, ingepakt in dun blauw doorzichtig papier. Ze kon nauwelijks spreken en zonder erover na te denken drukte ze het Stefan in de hand. Hij moest zijn rugzak weer afdoen om het veilig weg te bergen, verpakt in dat doorzichtige papier, dan in een bruine envelop en uiteindelijk gewikkeld in een trui zodat het zeker niet beschadigd zou raken. Ze wilde dat hij het mee naar huis zou nemen. Ze was vastbesloten dat het nu terug moest naar Mainz. Het was een van de weinige dingen die de oorlog hadden doorstaan en ze wilde dat hij dit antieke boek mee zou nemen, omdat Duitsland het voortaan misschien wel het hardste nodig zou hebben. Ze wilde alle hulp opnieuw geven die ze de mensen in die slechte jaren had gegeven. Ze wilde er zeker van zijn dat het allemaal niet om het geld was geweest. Ze wilde het boek teruggeven, niet omdat ze vond dat het niet rechtmatig in haar bezit was, maar omdat ze weigerde welk voordeel dan ook te halen uit een tijd van moord en honger. Ze zei tegen Stefan dat hij heel goed op moest letten dat hij het niet kwijtraakte omdat het heel kostbaar was en hem er altijd aan zou herinneren dat de tijd heel ver teruggaat.

Twintig

Nu is het vaarwel aan de haven en vaarwel aan de gekwetste ziel. Packer en ik gaan verder. We hangen niet meer rond, zitten niet meer op de reling buiten Dan Turleys loods. We gaan niet meer varen en we komen niet meer thuis met handen onder de makreelschubben. We gaan er nog wel eens heen als bezoekers, maar we werken niet meer voor Dan Turley en we krijgen niet meer betaald. Er is niets gezegd, niets officieels, geen officieel ontslag, Packer en ik besloten gewoon op een dag dat het einde van iets was gekomen, het moment van vertrek als je het verleden verlaat en nooit omkeert.

De verdrinking veranderde alles. Nadat Tyrone was verdronken, begonnen we over de haven te praten alsof die in het verleden lag, alsof we er geen deel meer van waren. Toen het nieuws rondging dat Tyrones boot op een ochtend op zee was gevonden met niemand erin, was dat iets onvermijdelijks voor ons, iets wat we lang geleden al stilletjes hadden voorspeld. Het was het signaal dat we moesten vertrekken. Het was onmogelijk om het niet in verband te brengen met wat er in die tijd in Ierland gebeurde. We hoorden het nieuws op de radio dagelijks erger worden en af en toe leek het of ze nieuwe manieren van moorden uitvonden, nieuw geweld waar nog niemand aan gedacht had. Overal was het slecht gesteld met het recht. Gevangenschap zonder proces. Martelingen op het politiebureau. Mensen die spraken over de bezetting en die het gebrek aan rechtvaardigheid wilden rechtzetten met nog meer onrechtvaardigheid, aan alle kanten. Soldaten die stierven door bommen langs de weg. Mannen van de UDR die op hun boerderijen vermoord werden als ze de koeien gingen melken. Een moeder van zes kinderen vermoord omdat ze een gewonde soldaat had geholpen. Het was een grote pijnfabriek, en iedere keer dat we naar de radio luisterden of televisie keken voelden we ons versuft. Het was moeilijk om aan iets te denken alsof het 'nu' of 'hier' was, en soms dachten we dat Noord-Ierland even ver weg was als Vietnam, en misschien hoopten we dat alleen maar. We hadden er bijna nooit iets over te zeggen en bleven zoveel mogelijk onze gang gaan. Maar toen realiseerden we ons dat het hier de hele tijd ook al was, in de haven, vlak voor onze neus.

Ik kon de verdrinking niet van me afzetten. Zo dicht was ik nog nooit bij de dood geweest en ik herinnerde me hoe ik op een keer had geprobeerd een hond te verdrinken toen ik nog wilde leren hoe je moest haten. Dit was onze eigen pijnindustrie. We hadden Tyrone zo vaak in zijn boot zien staan als hij over de golven voer, stuiterend over het water, 's avonds laat, met het silhouet van een skiër, een beetje voorovergebogen, met een sigaret in zijn mond.

Nu zagen we hoe mensen hem samen met de reddingsbrigade gingen zoeken, een vloot van kleine bootjes die alle inhammen en stranden langs de kust afging. We voeren met ze mee, hoewel we niet zeker wisten of we het recht hadden om ons nu zo druk over hem te maken als we eerst ook niet zoveel om hem gaven. We deden van een afstandje mee met de zoekactie. Boten uit alle andere havens bewogen langzaam over iedere centimeter water, de hele baai langs tot aan de stad.

Op de pier vormde zich een menigte die de zoektocht coördineerde. Mensen met zaklampen 's avonds laat. Mensen gekleed in nieuwe oliejassen en reddingsvesten. Mensen die Tyrone nauwelijks kenden en die met verrekijkers op de rotsen stonden. Iedereen had zich verzameld omdat ze zeggen dat we allemaal gelijk zijn als het op de zee aankomt, dat we allemaal gelijk zijn in het aangezicht van de dood.

Er bleven mensen komen om vis te kopen. Soms kwam een boot pijlsnel terug naar de haven, sprong iemand in een auto en reed met hoge snelheid weg alsof hij iets wist. Zelfs de oudjes in het verpleeghuis moet het nieuws ter ore zijn gekomen, want ze zaten allemaal voor het raam en keken naar de bootjes die de hele dag af- en aanvoeren, zelfs als het regende, zelfs 's nachts. De hele nacht door kwam de lichtstraal van de vuurtoren ongeveer elke halve minuut langs en verlichtte dan het veld van zilver water, en als je lang genoeg keek viel het samen met een andere vuurtoren verder weg, die op precies hetzelfde moment over de baai scheen.

Er was geen teken van Tyrone en iedereen begon het ergste te vrezen. Toen zijn lichaam uiteindelijk gevonden werd – de zee gaf het op een avond terug met het wassende water, na zonsondergang toen het water roze kleurde – was het alleen maar een bevestiging van wat iedereen al wist. We waren vooral geschokt door het blauwe licht van de ambulance in de haven, het blauwe licht dat over de boten flitste, over de witte gezichten van de mannen die als spoken op de pier stonden, langs de dode ramen van het verpleeghuis. Het was een tragische verdrinking die de gemeenschap des te meer schokte omdat de mensen zeiden dat ze het hadden zien aankomen. Ze zeiden dat hij een ervaren visser was en dat iedereen in de buurt hem kende en hem mocht, hij was een van de bekendste figuren, wiens dood ons allen dichter bij elkaar zou brengen.

We zagen hoe de begrafenisstoet hem voor de laatste keer langs de haven voerde, op weg naar het kerkhof. Daar werden twee van zijn roeiriemen naast de grafkist gelegd om met hem begraven te worden. Zijn grafkist leek wel een boot, met die touwen die aan de zijkanten liepen en de stootkussens. Voor het eerst zagen we hoe enorm verdrietig het was, zijn gezin en zijn familie en vrienden achter de lijkwagen. We zagen ze huilen en elkaar ondersteunen alsof ze instortten van verdriet. Een vrouw met haar ene hand over de andere en rode ogen vol tranen. Voor het eerst begrepen we dat Tyrone een leven vol verhalen moest hebben gehad, met spullen die van hem waren, dingen die onthouden zouden worden door zijn mensen en die helemaal teruggingen tot zijn jeugd. Ze zouden hem nu in gedachten in leven houden en hem nooit loslaten. We zagen altijd begrafenissen op tv die heel erg op deze leken. Altijd als er een dode viel in Noord-Ierland, zagen we mannen die de kist droegen, rouwende vrouwen en kinderen die dicht bij elkaar stonden rond het open graf. Soms waren de kisten bedekt met vlaggen, maar meestal was het alleen het naakte gelakte hout, gedragen door de straten met een zwijgende menigte in het zwart erachter. We zagen foto's in de kranten van het vreselijke verdriet op de gezichten van de mensen, alsof ze de dode nog voor zich zagen en niet konden wennen aan de gedachte dat hij nooit meer terug zou komen, dat alleen de kleren en de dingen die hij bezat achterbleven, alsof hij snel weer terug zou komen.

Nu kwam er zo'n kist vlak langs de haven en we stonden buiten de loods en zagen hem langzaam passeren en een volle minuut stilstaan, omdat ze zich nog één keer wilden herinneren hoe Tyrone altijd uitvoer in zijn boot. We stonden te kijken hoe ze weer in beweging kwamen en ik draaide me om en zag Dan Turley met zijn dunne lippen, die met ogen als spleetjes naar de kist en de rouwenden staarde, zonder een woord. Hij stond in de deuropening van de loods met die harde, onverzettelijke uitdrukking op zijn gezicht, en ik vroeg me af waar hij aan dacht, of hij dacht dat het net zo makkelijk zijn eigen begrafenis had kunnen zijn, alsof ze in de dood eindelijk elkaar de hand zouden schudden en alles achter zich laten. Ik vroeg me af of hij net zo was als wij, ook een beetje een spook, een van de on-doden die nu achterbleven op de pier, terwijl de lijkwagen de heuvel op reed, de bocht om bij het verpleeghuis, om nooit meer terug te komen.

Het was vreemd om te bedenken dat de wereld weer zijn normale loop nam, met het geluid van motorfietsen en bussen die over de hoofdweg aan de andere kant van het verpleeghuis reden, terwijl de begrafenisstoet de boel nog steeds hier en daar ophield, op weg naar de begraafplaats. Dan Turley bleef zwijgen. Hij trok zich terug in zijn loods. Packer en ik stonden uit te kijken over de haven en we wisten dat het moment daar was dat we niet langer bij deze plaats hoorden.

'Vaarwel, gekwetste ziel,' zei Packer na een lange stilte. Hij zei het alsof het een regel uit een liedje was. Het zou een van zijn nieuwe uitspraken worden, de uitspraak die ons weg zou voeren van al de dingen die hier om ons heen gebeurden, niet alleen hier in de haven, maar overal in Ierland en elders in de wereld. Ik zag dat hij het graag zei, steeds opnieuw, alsof het de enige woorden van enig gewicht waren die we nog in ons hoofd hadden. Dus vaarwel aan de makreel en vaarwel aan de vissenschubben. Vaarwel aan de natte touwen, vaarwel aan de geur van teer op het dak van de loods. Vaarwel aan de geur van zeewier en benzine en oliejassen door elkaar. Vaarwel aan de zon op de pier en vaarwel aan de speciale geur van de schimmelwerende menie op de onderkant van de op hun kop liggende boten. Vaarwel aan de sigarettenpeuken die in de haven drijven en vaarwel aan de kleine gekleurde olievlekken die de motoren achterlaten. Vaarwel aan het geluid van de roeiriemen en vaarwel aan de piepende stootblokken tegen de havenmuur, en vaarwel aan de zeemeeuwen die op het water dobberen.

Packer ontmoet altijd nieuwe mensen, waar hij ook komt, en hij is bevriend geraakt met iemand die een genie is op de gitaar en 'Talking Third World War Blues' kan zingen. Hij verzamelt nu mensen om zich heen die van muziek houden en is van plan een band te beginnen, hoewel geen van ons beiden een instrument bespeelt. Ze hebben geprobeerd me gitaar te leren spelen, maar ik heb geen ritmegevoel en vertrouw er niet op dat er naar mij te luisteren valt. Ik geloof dat je als je zingt of een instrument bespeelt net als een stuk glas wordt, zodat de mensen recht in je hoofd kunnen kijken en alles kunnen zien, al je gedachten, al je herinneringen, alles wat je altijd verborgen hebt proberen te houden. Zodra je je mond opendoet, laat je iedereen in je huis rondkijken. Ik moet eerst leren hoe je ademhaalt en dan zal ik kunnen zingen. Ik adem nog steeds alsof de lucht niet van mij is, en misschien is dat altijd zo voor buitenstaanders, dat je de lucht om je heen alleen leent in plaats van er de eigenaar van te zijn, zoals ieder ander. Dus nu gaan ze me leren zingen en ademen alsof de lucht van mij is.

Thuis houdt mijn vader niet langer de hand aan de avondklok. Hij vraagt niet wat ik doe en hoe laat ik thuiskom, omdat hij druk bezig is met andere dingen, met zijn bijen, met boekvertalingen en nieuwe artikelen voor de krant. Hij is een zakenreis naar Duitsland voor het Ierse elektriciteitsbedrijf aan het voorbereiden, om er een nieuwe lading hoogspanningskabels te kopen. Hij vertaalt technische handleidingen voor ze en ze hebben hem nu gevraagd om een groot probleem voor Ierland op te lossen dat niets met vechten of sterven te maken heeft. Het is een probleem dat geen van de vooraanstaande experts in het elektriciteitsbedrijf heeft weten op te lossen, omdat het over Engeland en Duitsland gaat.

Het opwekkingsstation van het elektriciteitsbedrijf in Ard Na Crusha was kort na de Ierse onafhankelijkheid gebouwd door de Duitsers, door een bedrijf dat Siemens heet. Het was alom bekend dat Duitsers de beste ingenieurs zijn, dus waren zij aangetrokken door de nieuwe Ierse Vrijstaatregering om een opwekkingsstation bij de Shannon te bouwen dat het hele land zou verlichten.

Toen ze begonnen te bouwen aan de krachtcentrale in de delta van de Shannon bij Ard Na Crusha, bleek het moeilijk voor de Duitsers om de Ierse arbeiders aan het werk te krijgen, en op een keer voorzag de Duitse voorman zich van een wapen en ging daarmee naar de barakken waar de mannen sliepen, wekte ze heel vroeg met dat wapen tegen hun hoofd en zei dat als ze voortaan niet op tijd zouden komen, hij ze stuk voor stuk met zijn pistool zou neerknallen. Hij was zo woedend en had zo'n ernstige blik in zijn ogen dat ze hem geloofden en niet dachten dat het gewoon een Duitser was die een grap uithaalde. Dus uiteindelijk werd het opwekkingsstation gebouwd, hoewel iedereen zei dat het een overbodige luxe was en de boeren uit het hele land geen elektriciteitspalen op hun land toelieten. Maar nu was er een nieuw probleem. Het station had jarenlang dienstgedaan, en om de elektrificatie van het platteland te voltooien moest er worden uitgebreid. Naast de Duitse transformator kocht het elektriciteitsbedrijf een transformator die in Engeland gebouwd was en iets gemakkelijker naar Ierland te krijgen was. Er was geen enkele reden waarom een nieuwe, in Groot-Brittannië gebouwde machine niet compatibel met de Duitse zou zijn. Maar toen ze uiteindelijk werd afgeleverd en geïnstalleerd was, slaagden de ingenieurs in Ard Na Crusha er niet in om ze te laten samenwerken. De twee enorme machines waren ontworpen om in serie te werken, naast elkaar, zegt mijn vader, zodat er een enorme energiebesparing zou optreden, die het vermogen dat beschikbaar was voor het landelijke net zou verdubbelen. Het had maanden geduurd voordat de nieuwe machine geïmporteerd en geïnstalleerd was, maar toen de machines moesten samenwerken, weigerden ze.

Topingenieurs werden van het hoofdkantoor in Dublin gehaald om tests uit te voeren. Ze bestudeerden de handleidingen en gingen steeds opnieuw terug naar het begin om te zien of ze een belangrijke stap hadden overgeslagen. Ze begrepen niet hoe een machine zo koppig kon zijn en begonnen te denken dat het iets psychologisch was, iets dat te maken had met de oorlog, waardoor zelfs de machines moeite hadden zich te verzoenen en het verleden achter zich te laten, een fundamentele onverenigbaarheid van het Duitse en het Britse model. De Ieren begrepen heel goed, zegt mijn vader, dat een machine niet blij was met een nieuwkomer. Natuurlijk was dat niet wat de ingenieurs in hun rapporten schreven, maar uiteindelijk stuurden ze het probleem terug naar het hoofdkantoor met de opmerking dat ze met stomheid geslagen waren en alleen konden concluderen dat het een niet-technisch mankement was.

Er werden experts naar Groot-Brittannië en Duitsland gestuurd om de fabrikanten te raadplegen, maar bij terugkomst waren ze niets wijzer. De Britse machine die voor veel geld was gekocht, bleef ongebruikt en alleen het Duitse model deed voorlopig dienst. Het was een raadsel. Alle vooraanstaande ingenieurs krabden zich achter de oren en schoven het probleem aan elkaar door, ze gaven de schuld aan degene die überhaupt op het idee was gekomen om de twee verschillende merken te laten samenwerken. Op dat moment bedacht iemand dat mijn vader Duits sprak en dat het geen kwaad kon hem er eens naar te laten kijken.

Dus nu zit hij elke avond thuis, leest de verschillende rapporten door, en bestudeert de testen die zijn uitgevoerd in Ard Na Crusha en de rapporten uit het buitenland. Iedere avond tuurt hij naar dezelfde documenten en handboeken, meet en berekent alles. Hij gelooft niet in onoplosbare problemen en hij gelooft ook niet dat machines een eigen wil hebben of dat nationaliteit een rol in de elektronica speelt.

'Het is de geest in de machine,' zegt mijn moeder tijdens het avondeten, en ze beginnen allebei te lachen. Mijn vader zegt dat alleen Ieren nog in het bovennatuurlijke geloven en dat ze nooit iets zullen oplossen als ze in die pretechnische toestand blijven. Hij zegt dat ze alle problemen nog steeds vanuit een emotioneel gezichtspunt bekijken, alsof alles persoonlijk is. Ze maken zichzelf wijs dat machines behept zijn met nationalistische trekjes zodat ze onredelijk en onbehulpzaam zijn.

'Een machine is een bediende,' zegt hij. Hij praat alsof hij iets over zichzelf en ons tegelijk heeft ontdekt, alsof het hem plotseling duidelijk is dat hij ons, zijn eigen kinderen, in machines heeft veranderd toen we klein waren.

'Onder de juiste omstandigheden zal een machine, als haar niets in de weg wordt gelegd, doen wat ze moet doen, in welke taal dan ook. Het idee dat een machine een ezel of een mens met een humeur is, slaat nergens op.'

Dan, voor de eerste keer in ons leven rond de tafel, beseffen we dat hij Engels tegen ons praat. Hij heeft zelf de allereerste grondregel gebroken – alles wat Brits is buiten de deur te houden.

'De Ieren moeten het tijdperk van de techniek binnenstappen, of ze zullen ten onder gaan,' zegt hij, en we zijn geschokt dat we deze woorden uit zijn mond in het Engels horen. Het zou een moment van bevrijding moeten zijn, maar we voelen ons verstrakken, en we hopen bijna dat hij zich aan de regels zal houden, hoe absurd die ook zijn geworden. Franz maakt zich zorgen dat mijn vader hem een technische vraag gaat stellen en dat hij dan niet zal weten in welke taal hij moet antwoorden. We zijn nog steeds bang om iets te zeggen, dus we blijven liever zwijgend luisteren.

We zijn verbaasd hoe natuurlijk die verboden taal hem afgaat. Hij is een ander mens, ontspannener, meer als de andere mannen in Ierland. Hoewel we nog steeds bang zijn om mee te doen, bewonderen we de manier waarop hij praat, met een licht accent van Cork. Voor het eerst van mijn leven hoor ik hem in zijn moedertaal tegen ons praten, zegt hij alles in zijn eigen woorden, ademt hij Engels. Tot nu toe heeft hij altijd een vreemde taal tegen ons gepraat, Duits of Iers, talen die nooit de zijne waren. Nu spreekt hij tegen ons in zijn eigen taal, de taal van zijn jeugd, de taal van zijn geheugen, de taal van zijn eigen moeder. Het is de taal waarin hij als kind in slaap viel, de taal van de verhalen en liedjes die hij hoorde toen hij opgroeide. Nu kan ik begrijpen wat hij echt wil zeggen, alsof hij na jaren van ballingschap zijn stem terug heeft.

Iedere avond zit hij nu in de voorkamer, met vellen papier en handboeken overal om zich heen, op de bank en op de vloer, en hij praat tegen zichzelf in het Engels en hij praat Duits als mijn moeder binnenkomt en hem probeert te helpen, hoewel ze geen idee heeft wat al die technische woorden betekenen. Ze stelt de eenvoudigste vragen zodat hij het probleem moet overdenken als een kind dat naar een vliegtuig kijkt dat door de lucht vliegt. Hij loopt het huis door met de tekeningen in zijn ene hand en een kop thee in de andere. Als hij buiten op het dak van de ontbijtkamer voor de bijen staat te zorgen, laat hij plotseling alles vallen en rent naar binnen om nog een keer in de handboeken te kijken, met zijn imkerpak nog aan. Hij loopt rond als een astronaut in een andere hemelsfeer. Hij ziet niet meer alles wat er gebeurt en hij hoeft niet meer wacht te lopen en ons steeds in de gaten te houden om te controleren of we de wet niet overtreden. Hij merkt niet eens dat mijn moeder begint te roken. Ze geeft al een tijdje Duitse les aan een paar leerlingen uit de buurt en op een dag, toen ze rookte tijdens de les, kwam hij thuis en liep regelrecht naar de voorkamer. Mijn moeder wist niet wat ze met de sigaret in haar hand moest doen en besloot hem aan de leerling te geven, die nog maar dertien was, maar het viel mijn vader niet op, zolang mijn moeder maar niet rookte. Hij zat in zijn eigen wereld en vroeg zich alleen af waarom de geest in de Britse machine nog steeds weigerde met de geest van de Duitse machine te praten.

En toen, op een nacht, kraakte hij de code. Toen iedereen al lang naar bed was, maakte hij het hele huis wakker, liep op en neer door de gang in zijn pyjama, klapte in zijn handen terwijl wij op de trap stonden en dachten dat hij gek geworden was.

'Kwart over twaalf,' zei hij glimlachend.

'Het is veel later,' zei mijn moeder.

'Nee, ik bedoel met de klok mee en tegen de klok in,' zei hij. Hij is zo blij dat hij op blote voeten de straat op wil rennen, maar mijn moeder doet de deur dicht en trekt hem weer naar binnen, de voorkamer in, terwijl alle lichten in huis branden alsof elektriciteit niets kost en Ierland er binnenkort veel te veel van zal hebben. Mijn moeder zegt dat je niet in je nakie naar buiten kunt rennen zoals die man die in zijn bad zat toen hij de waterverplaatsing ontdekte. Mijn vader loopt over van opwinding omdat hij het raadsel ontrafeld heeft dat vrede tussen de machines zal brengen. Hij blijft maar door de kamer lopen en weer de gang in, slaat met zijn vuist in zijn hand en gooit de tekeningen de lucht in alsof ze er niet meer toe doen. Nu lacht hij er allemaal om. Hij zegt dat mijn moeder de cognac en de speciale Duitse koekjes tevoorschijn moet halen omdat hij iets te vieren heeft en muziek wil horen.

'Wat was ik blind,' zegt hij. 'Ik begrijp niet waarom ik het niet eerder heb gezien.'

Hij zegt dat de oplossing zo eenvoudig was dat niemand in Ierland haar zag. Het was zo simpel dat het ons recht in het gezicht staarde. Hij legde uit dat beide machines een afstemknop hadden. Zowel het Duitse als het Britse model moest gaan draaien als de knop op een kwart van de verticale stand stond, maar ze hadden niet door dat Duitsers gewend zijn om met de klok mee te gaan en de Britten tegen de klok in: kwart over en kwart voor. Alsof je aan de linker- of aan de rechterkant van de weg rijdt, tegelijk is gewoon onmogelijk. Hij praat over volts en ampères en megawatts en spoelen en vorkverbindingen en benen totdat wij allemaal paf staan van al die wetenschap.

'Worden de machines nu vriendjes?' wil Bríd weten.

Hij glimlacht en drukt een dikke kus boven op haar hoofd terwijl hij haar gezicht in zijn handen houdt. Hij omhelst iedereen in de voorkamer en het is tijd om feest te vieren, omdat hij vrede en harmonie tussen twee landen heeft uitgevonden. Midden in de nacht, als de hele straat slaapt, zet hij muziek op en knalt Beethoven rond omdat hij degene is die Engeland en Duitsland weer verenigd heeft in Ard Na Crusha in West Clare.

Vaarwel dus aan de gekwetste ziel en vaarwel aan de stilte. Vaarwel aan de angst voor regels en straf, vaarwel aan schuld en schaamte. Vaarwel aan de ademoorlog.

Packer en ik hebben ook iets te vieren. 'Vaarwel aan de gekwetste ziel' herhaalt hij maar steeds hardop, in de bus, in de winkels, overal waar we heen gaan, midden op de dag trekt hij zelfs de deur van een pub open en roept het naar de eenzame drinkers die binnen zitten. Op een dag riep hij het zelfs bij het hoofdpostkantoor naar binnen, naar de mensen die postzegels en postwissels aan het kopen waren. Packer liet ze allemaal in hun eigen hart kijken – busconducteurs, bouwvakkers, winkeliers, mannen met koffertjes, vrouwen met kinderen, allen staarden ze ons na met een lege uitdrukking, terwijl hij lachte en de woorden achter zich in de lucht liet hangen als een lange schreeuw.

Op een avond spraken we weer in de haven af. Hij had over een feest gehoord dat een van de verpleegsters gaf en we wilden er onuitgenodigd naartoe. Maar Packer zei dat we niet binnengelaten zouden worden als we alleen met bier en sigaretten aankwamen. We moesten iets speciaals meebrengen. Kreeft. Liefde en levende kreeft, noemde hij het. We zaten uit een van de flessen te drinken en keken uit over het oranje met zwarte water. Er stak een lichte mist op boven het water en de vuurtorens verspreidden een vaag, vuil licht over het oppervlak. Het was rustig en warm. We hoorden de harders rond de rand van de pier springen. Zo zaten we even naar de ketting van lichtjes te kijken die helemaal rond de baai liep, en naar de voor anker liggende vrachtschepen die oplichtten als villa's in de duisternis. We vroegen ons af wat de zeelui deden, of ze zaten te kaarten en te wachten tot ze morgen in de havens in de stad konden uitladen. Er klonk een misthoorn, misschien de Bailey of de Kish, die bromde op de achtergrond. Het klonk als een noot van een kerkorgel, een lange noot, zonder randen, die steeds opnieuw opdook en weer verdween.

We hadden direct naar het feest kunnen gaan, maar Packer was vastbesloten eerst iets groots te doen, iets ongewoons. Niets mocht ooit nog veil en vunzig zijn. We zouden aankomen met iets waar iedereen van zou opkijken. Op de voorraadkist vol kreeften zat een hangslot en dus besloten we de boot te nemen en ze direct uit de potten te halen. Een gouden handdruk, noemde Packer het. We verstopten het bier achter de loods. We maakten de trossen los en roeiden stilletjes de haven uit, zonder de motor aan te zetten. Het was hoogwater en toen we bij de rij kreeftenfuiken aankwamen, hield ik de riemen vast terwijl Packer de touwen omhoogtrok en de potten een voor een controleerde. Hij kon er niet zijn hand in steken, uit angst dat de kreeft hem met zijn scharen zou pakken, dus tilde hij iedere pot naar het licht van de stad om de vorm van de kreeft te zien en hem er voorzichtig, aan de achterkant, uit te halen.

De eerste keer ging het heel goed en we hadden een kreeft in de boot, maar toen hij de volgende pot optilde, viel Packer achterover door het gewicht. Het leek of een grote hand uit zee was verrezen en hem uit de boot tilde. Hij verdween, zelfs zonder grote plons, in de paarse duisternis, met de kreeftenfuik tegen zijn borst.

Ik wist niet wat ik moest doen. Eerst vond ik het grappig en ik stelde me voor hoe Packer het heldhaftige verhaal later op het feest zou vertellen, dat hij bijna was verdronken toen hij een levende kreeft probeerde te bemachtigen. Ik wachtte tot hij weer bovenkwam, maar het water bleef onbeweeglijk. Ik ging staan in de boot met de riemen nog in mijn handen, maar het water was een zware vloeistof geworden, zo dik als zwarte olie. Zelfs de rimpels waren verdwenen en er klonk geen geklok onder de boot. Ik wist dat Packer helemaal naar de bodem werd gesleurd door het gewicht van de kreeftenfuik tegen zijn borst en het touw dat om zijn armen gewikkeld zat. Ik wist dat hij probeerde los te komen voordat het te laat was, dus ik wachtte en hield de boot op zijn plek zodat ik niet afdreef.

Ik was kampioen onder water blijven zonder adem te halen, dus ik wist dat de tijd voordat je longen barstten en je onwillekeurig water binnen kreeg al was verstreken. Ik zag mijn vriend Packer in stilte verdrinken, recht onder me in het donker. Ik wilde schreeuwen, maar ik voelde dat ik geen adem meer had. Ik overwoog om hem achterna te springen, maar ik zag niets in het donker. Ik herinnerde me hoe ik ooit had gedacht dat ik verdronk, toen Packer niet meer met me praatte, en ik wilde niet dat hem hetzelfde overkwam. Ik dacht aan Tyrone, hoe hij moederziel alleen verdronken was met de touwen om zijn benen en armen gewikkeld. Ik stelde me voor hoe Packer en Tyrone elkaar onder water ontmoetten, hoe Packer zich nog steeds van de touwen probeerde te ontdoen en Tyrone naar hem toe dreef met een groen gezicht en wuivend zandkleurig haar, donkere ogen en open mond. Tyrone die door het water aan hem trok, met een fles in zijn hand, alsof hij het niet kon verdragen alleen te sterven en Packer bij zich wilde houden, alsof iedereen die verdrinkt de noodzaak voelt om iemand anders met zich mee te trekken naar dezelfde plaats, als een keten van kreeftenfuiken, achter elkaar tussen het zeewier op de zeebodem.

'Packer,' riep ik.

Ik dacht aan de duikers die ze naar beneden zouden sturen om zijn lichaam naar boven te halen, en hoe ik de precieze plaats zou moeten aanwijzen. Ik dacht hoe ze zouden zeggen dat Packer Tyrones tragedie nog eens overdeed, beide gezichten gehavend en gedeeltelijk aangevreten door de krabben. Ik luisterde naar het lage geluid van de misthoorn in de grote haven en dacht dat dit het einde was. Als Packer niet bovenkwam, zou ik naar beneden moeten en samen met hem verdrinken. En toen ik hem achter me naar de oppervlakte hoorde komen, dacht ik dat ik leven en dood niet meer kon vertrouwen. Ik zag zijn hoofd boven water en hoorde hem naar lucht happen. Ik zag hem met zijn armen slaan, hij probeerde naar de lichten aan de kust te zwemmen alsof ik hem verlaten had en hij de hele weg terug in zijn eentje moest afleggen.

'Hier ben ik, ik kom,' riep ik naar hem, in een fluisterschreeuw.

Ik snakte zelf naar adem toen ik terugroeide naar waar hij was. Hij greep zich vast aan de achtersteven. Ik legde de riemen over elkaar heen onder het bankje en trok hem aan boord. Toen stortte hij in op de bodem van de boot, hij gaf water op. Hij probeerde 'Jezus' te zeggen en het kon hem niet schelen dat de kreeft in zijn been kneep, omdat hij alleen maar wilde leven en lucht in zijn longen wilde krijgen.

Ik pakte de riemen weer vast en roeide zo snel ik kon terug, ik gleed over het zwarte water terwijl Packer de hele tijd over de zijkant van de boot hing en hoestte en kokhalsde met het geluid van een blaffende zeehond. Pas toen we op de pier stonden, kreeg hij zichzelf weer in de hand en beklom hij de stalen ladder aan de havenmuur. Hij stond te wankelen op zijn benen en zwaaide met zijn handen naar zijn knieën. Ik bond het touw vast aan de ladder en volgde hem snel naar boven, ik voelde de koude staven in mijn handen. We stonden op de pier alsof we beiden gered waren.

'Jezus,' zei Packer, alsof dat het enige woord was dat hij nog had.

Hij kwam naar me toe, sloeg zijn arm om me heen en kuste plotseling de zijkant van mijn gezicht alsof hij me wilde bedanken dat ik hem weer tot leven had gebracht. Ik voelde zijn natte kleren. Ik voelde zijn handen trillen. Ik hoorde zijn zware gerasp alsof hij opnieuw moest leren hoe je de lucht moet inademen en je hem moet toe-eigenen. Ik had hem weer tot leven gefantaseerd. Dat was de nieuwe uitvinding, het speciale talent waar mijn moeder het altijd over had. Ik had Packer teruggebracht uit de dood en ik voelde me alsof ik dat met anderen ook kon, zelfs met Tyrone, zelfs met degenen die stierven in Noord-Ierland, zelfs met degenen die waren gestorven in de grote hongersnood of vermoord in de Oekraïne.

'Laat je duiveltje vrij,' schreeuwde Packer met zijn eerste volle longinhoud vrije lucht.

Hij lachte en kuchte nu en ik lachte en huilde, we waren allebei meer levend dan we ooit waren geweest. Ik haalde de kreeft uit de boot. Hij nam een slok bier om de smaak van het zoute water uit zijn keel te krijgen. Met zijn arm om mijn schouder liepen we weg van de haven, als twee geesten die net uit de dood zijn teruggekeerd, hij hield een biertje vast en leunde op me terwijl zijn schoenen een zuigend geluid maakten vanwege het water dat erin zat. Ik droeg hem half op mijn schouder, met de kreeft in mijn ene hand en de tas met bier in de andere.

We kwamen aan op het feest en Packer maakte iedereen bang met de kreeft en zijn verhaal over zijn bijna-verdrinking. Hij kookte de kreeft en zei tegen iedereen dat ze niet schreeuwden als ze levend in het kokende water terechtkwamen, maar een Iers klaagliedje zongen. Hij praatte alsof hij nooit meer de kans zou krijgen om te praten, vertelde aan iedereen hoe het voelde om te verdrinken en dan weer tot leven te komen. Hij compenseerde al die jaren van stilte die hij zou hebben moeten doorstaan als dode, als hij zich niet op tijd van de kreeftenfuik had weten te bevrijden. Ik wist dat verdrinken voelde alsof je geen vrienden had. Ik had hem in leven gehouden, want dat was het hele idee achter vriendschap, dat hij de glorie droeg en ik het geheim.

Ze lieten hem zijn natte kleren uittrekken en gaven hem een dameskamerjas, zijn harige benen staken eronderuit en zijn behaarde borst was zichtbaar. We dronken en aten piepkleine stukjes kreeft. Packer had zijn arm om een van de verpleegsters geslagen en zij voelde zijn pols om er zeker van te zijn dat hij niet meer trilde. Iemand zette een plaat op van een zwarte vrouw die met een hoge, klagerige stem zong, als een langzame, uitputtende stroom muziek die heel lang doorging, totdat ze aan het einde weer kalmeerde. Ik voelde bewondering voor het leven in haar longen. Later vertelden ze me dat de band Pink Floyd heette en ik zorgde dat ik die naam onthield. Zelf raakt ik ook in gesprek met een van de meisjes op het feest en toen het tijd was om weg te gaan, vroeg ze of ik straks weer terugkwam, alleen, om te ontbijten en samen naar die song te luisteren. Ze keek me in de ogen en zei dat ze was geboren op de sterfdag van Stalin. En toen was het weer ik en Packer, buiten op de lege straten, met alleen de vogels die om ons heen begonnen te zingen.

We lagen met z'n tweeën op onze rug met onze armen en benen gestrekt, midden op de hoofdweg. We liepen samen terug naar de haven alsof hij die plek nog een laatste keer wilde zien voordat hij hem voor eeuwig de rug zou toekeren. Hij wilde uitkijken over zee om de zon te zien opkomen. Dus zaten we op de rotsen en wachtten op de eerste gloed in de lucht, in het oosten, eerst geel, dan roze, dan oranje, dan blauw. Nu was het eb, en de waterlijn zag er uitgeput uit, omzoomd met zwart zeewier. We zagen de kromming van de wereld, we zagen het gras op het eiland groen worden. Boven ons vlogen de meeuwen, er waren er honderden die vanuit het zuiden geluidloos over de baai vlogen. We zagen de vuurtorens wegsterven toen de zon boven de horizon opkwam als een heet kooltje, en ik wist dat ik een dezer dagen, heel binnenkort, mijn eigen onschuld zou verdienen.

Eenentwintig

Iedereen gaat tegenwoordig naar Engeland om in de fabriek te werken. Packer en ik besloten om naar een paar adressen in Norfolk te schrijven, naar bedrijven als Smedleys en Ross Foods Ltd. Packer zei dat je zoveel mag overwerken als je wilt en een fortuin kunt verdienen. In Engeland is het grote geld. We krijgen beiden een brief terug van Ross Foods waarin we worden uitgenodigd om drie maanden in hun fabriek in de buurt van Norwich te komen werken. Dus vaarwel haven, we gaan naar Norfolk, en vandaar door naar Londen om met ons geld te doen wat we willen. In Londen zullen we vrij zijn want niemand zal erom malen wie we zijn en wat we doen.

Als we aankomen bij Ross Foods krijgen we een bed met een stromatras die je in vorm moet slaan voordat je erop kan liggen. We slapen allemaal in barakken van golfplaat, onder het gebogen dak staan honderden bedden op een rij, en aan de zijkant kun je niet eens rechtop staan, dat kan alleen in het midden. In de barakken is het bloedheet, en als 's ochtends de zon opkomt, zeggen ze dat je in je slaap dood zult koken. Packer loopt al te dollen en iedereen te vermaken, hij zegt dat een paar Ierse jongens al vloeibaar worden in de hitte, als rottende lijken.

Iemand zegt dat de barakken nog uit de oorlog stammen, toen er vanaf luchtmachtbases uit de buurt bommenwerpers naar Duitsland vlogen. Iemand anders zegt dat hier de Duitse krijgsgevangenen werden vastgehouden. Soms horen we straaljagers van de luchtmacht overvliegen, als het geluid van donderslagen die over het vlakke landschap echoën. Ik had ze nog nooit gehoord, want zulke straaljagers hebben we niet in Ierland. Packer zegt dat we dat aan De Valera en de Ierse neutraliteit te danken hebben, anders waren we na de oorlog lid geworden van de NAVO en zou het westen van Ierland nu bezaaid zijn met vliegvelden. De venen zouden krioelen van de straaljagers en de zeeën zouden vol torpedobootjagers liggen.

Iedereen klaagt en maakt grappen over zijn tekort aan slaap. Snurkende buren. Ruftende vrienden. Stinksokken. Het wordt een nationaal tijdverdrijf van de Ieren om te klagen over de oneerlijke behandeling die ze van de Britten krijgen. Ze klagen over het zware werk, ook al vinden ze het heerlijk om hier te zijn en geld te verdienen. Sommigen noemen de voormannen rot-Britten omdat ze de geschiedenis niet kunnen vergeten. Maar we verdienen goed en er is niets om het aan uit te geven behalve voorverpakte appelcakejes uit de kantine. De afdeling personeelszaken van Ross Foods bewaart ons loon voor ons tot de dag van vertrek.

Dit is heel anders dan in de haven werken. Dit is een echte baan, waar de voormannen witte jassen en slappe vilthoeden dragen. Je herkent ze al van ver. Sommigen zijn leuk om mee om te gaan en maken grappen, anderen praten als cowboys en geven bevelen in een Norfolkse tongval die Packer en alle andere Ierse jongens inmiddels imiteren. Er zijn heel veel harde kerels hier. Bikkels. Jongens die niet veel zeggen en altijd vuil kijken, alsof ze heel vaak gevochten hebben en we bang voor ze moeten zijn. Maar iedereen verveelt zich zo vanwege het hersenloze werk in de erwtenfabriek dat je uiteindelijk allemaal met elkaar moet praten om de tijd door te komen. De vrouwen die hier werken komen over het algemeen uit Norfolk en zij hebben makkelijk werk, ze zitten aan een lopende band, plukken de slechte erwten eruit en gooien die op de vloer zodat wij ze op kunnen vegen. De machines doen de rest. Er zijn sorteermachines die dag en nacht schudden en de verschillende maten erwten sorteren. Ik moet de erwten op de vloer in een goot vegen. Packers werk bestaat erin dat hij zwarte plastic zakken in grote houten tonnen moet doen voordat ze met erwten gevuld worden en in een enorme koelkelder worden geplaatst. Al het werk is gemakkelijk, maar we dromen nu al over erwten. Als ik slaap zie ik niets anders dan bergen erwten.

Een van de voormannen vind ik aardig omdat hij iets jonger is dan de rest en ik hem zie praten met de meisjes aan de lopende band. Hij houdt een bezem als een gitaar in zijn handen en begint 'A whiter shade of pale' te zingen, hoewel niemand hem kan horen vanwege de herrie van alle machines om hem heen, zodat het lijkt alsof hij geen stem heeft. Alsof hij playbackt. Alle vrouwen en meisjes lachen in stilte en playbacken met hun handen, en gooien erwten naar hem om hem op te laten houden. Af en toe besluipen de meisjes hem van achteren en gooien erwten in zijn kraag, en als hij niet kijkt bewegen ze met hun heupen.

Er werken heel veel Oegandezen bij Ross Foods, overwegend medicijnenstudenten uit Londen. Je ziet ze bijna nooit in de kantine, want ze proberen iedere cent die ze verdienen te sparen, meer nog dan wij, misschien om geld naar huis te kunnen sturen. Ze roken niet eens, want dat is een verspilling van inkomsten. Packer en ik raken met een paar van hen aan de praat en ze vertellen dat nergens ter wereld de vrouwen zo goed met hun heupen kunnen draaien als in Oeganda. De venusheuvels van Oegandese vrouwen zijn mooier dan die van alle andere vrouwen in de wereld. Ze willen weten hoe de Ierse vrouwen met hun heupen bewegen, dus Packer vertelt dat

Ierse vrouwen dag en nacht schudden, net als de erwtensorteerders, met borsten als de heuvels rond Tara en venusheuvels als de Macgillicuddy Reeks. We leren ze het Ierse woord voor seks: *bualadh craiceann* – de huid beuken. Packer vertelt dat het Ierse woord voor pik *deabhailín* is en zij vertellen dat het Oegandese woord voor kloten *kabula* is.

Dus dan beginnen alle Ierse jongens in de fabriek elkaar kabula's en deabhailíns te noemen. 'Jij kanker-kabula' hoor je overal, maar het zijn allemaal grapjes. Dat is de Ierse vorm van vriendelijkheid: elkaar beledigen. Op een keer kreeg een van onze jongens ruzie met een van de Oegandese jongens en zei dat hij hem zijn kabula af zou snijden, maar daar kwam al heel snel een einde aan, toen de medicijnenstudent uit Oeganda zei dat hij de kabula van die Ierse jongen af zou snijden en hem in zijn mond zou proppen.

Een andere Ierse jongen heeft een baan bij de weegbrug. Hij weegt de vrachtwagens die vol erwten binnenkomen en weegt ze weer als ze leeg vertrekken. Hij heeft de beste baan in de hele tent en iedereen is jaloers op hem, omdat hij de hele dag in de zon zit, sigaretten rookt en op de volgende vrachtwagen wacht. Ik denk dat iedereen liever in de fabriek zit, bij de anderen, waar het gebeurt. Maar toch noemen ze hem een mazzel-kabula omdat hij zo weinig te doen heeft, al denk ik dat hij zich te pletter verveelt en zich eenzaam voelt daarbuiten als er geen vrachtwagens zijn. In de weekends, als alle kantoormedewerkers naar huis zijn, laat hij het raam van de weegbrug open zodat de Oegandezen naar binnen kunnen om hun familie te bellen. Ze staan in de rij en praten de hele avond met thuis, ze vertellen hoe geweldig Engeland is. Geen van hen heeft iets tegen Engeland, of tegen het feit dat ze net als de Ieren vroeger een kolonie waren. Het kan hun niet schelen dat ze werken voor de mensen die hun land hadden bezet. Ze vinden het alleen fijn om een vergoeding te krijgen en gratis te kunnen bellen. Geen van de Ierse jongens heeft echt zin om naar huis te bellen, op een paar na, die doen alsof ze hun vriendinnetjes in Dublin bellen, maar Packer zegt dat ze waarschijnlijk gewoon met hun zusjes praten.

Dit is een van de fijnste plekken in de wereld, ver van de regels van mijn vader en ver van de regels van school. Eindelijk ontsnap ik uit de klerenkast. Ik ben gepromoveerd tot heftruckbestuurder, ik til pallets op en stapel die op elkaar. Het is mijn taak om de grote pakken erwten de koeling in te rijden, naar de zuidpool. Als je weer naar buiten rijdt, lijkt het of je terugkeert in de tropen. Soms springt Packer achter op de vorkheftruck voor een lift terug naar zijn werkplek, en in de palletopslag in de openlucht race ik tegen de andere vorkheftruckchauffeurs, we jagen elkaar op als in de film *Bullitt*, we racen door de stegen tussen de lege pallets, die zo hoog als wolkenkrabbers liggen opgestapeld.

Aan de baan bij Ross Foods komt heel plotseling een einde. Sommige mensen raken verveeld als ze dag en nacht hetzelfde doen, ze werken drie diensten achter elkaar of ze slapen alleen maar, en werken en eten appelcakejes totdat ze er gek van worden. Een paar van hen besluiten naar het dichtstbijzijnde dorp te lopen om te zien of ze een pub kunnen vinden. Packer wil mee, maar wij hebben late dienst en we willen het rustig houden totdat we in Londen zijn. We zijn terug in de barakken en doen ons best om op de bobbelige stromatrassen in slaap te vallen als de jongens terugkomen uit de pub, dronken en lallend, ze scheppen op over alle meisjes die ze hebben ontmoet en de geweldige tijd die ze met hen gehad hebben. Ze beschrijven hun heupen en schreeuwen voortdurend tegen de Oegandese jongens, die allemaal slapen.

'Engelse vrouwen hebben de beste heupen van de hele wereld,' schreeuwt een van hen.

'Te gek, zeg,' zegt een ander, terwijl de Oegandezen wakker worden en leunend op hun elleboog, verblind en beneveld door de slaap, smeken of het licht uit mag.

'Je kabula vliegt in brand als je ze alleen maar ziet,' schreeuwt een van de jongens en wiegt met zijn heupen.

'Bek houden, jullie Ierse klote-*deabhailíns*,' zeggen de Oegandezen. Nu zijn ze allemaal geïrriteerd dat ze wakker worden gehouden. Een van hen is buiten de deur van de barakken gaan kotsen en iedereen kreunt.

'Zou je niet ergens anders kunnen kotsen,' roept Packer.

Je ziet dat jonge mensen net oude mannetjes zijn als het over slapen gaat. In de hele barak heerst daarna boosheid en er breekt een gevecht uit als een van de jongens in zijn onderbroek de zuiplappen eruit probeert te zetten. Uiteindelijk gaan ze weg naar de weegbrug, waar ze nog wat kunnen drinken en hun vriendinnetjes midden in de nacht kunnen wakker bellen, en in ons kot gaat iedereen weer slapen.

Maar het duurt niet lang of we worden weer wakker, omdat een van hen is teruggekomen, dit keer met een schep in zijn handen. We horen hem buiten schreeuwen.

'Engelse klootzakken.'

Het is al bijna weer licht en dan klinkt er een verschrikkelijk geluid van iets wat breekt. Iemand heeft enorme gaten in de zijkant van de barak geslagen en nu schijnt de zon door alle gaten naar binnen, als de stralen van een zaklantaarn. We horen hem schreeuwen en de Britten vervloeken, hij rent naar de barak alsof hij een soort Ierse revolutionair is die wraak komt halen met een speer in zijn handen.

'Aaargh,' schreeuwt hij elke keer, alsof hij nog in een stripboek zit, en dan valt hij op de grond van het lachen.

Hij heeft al een stuk of acht, negen gaten gemaakt voordat iemand naar buiten gaat en de schep van hem afpakt. Twee jongens in onderbroek, de ene paars, de andere wit, nemen de schep mee het kot in en verstoppen hem onder een bed. Maar het kwaad al is geschied. Packer zegt dat het er hier uitziet als een omgekeerd klotevergiet. Als het gaat regenen worden we allemaal drijfnat. Buiten valt de dronken kerel eindelijk in slaap in de zon, totdat een van z'n maten hem als een dode naar binnen sleept.

De volgende dag komt er een groot onderzoek. Zoals toen ik het martelwerktuig op school had gestolen. De manager met zijn slappe hoed komt de schade opnemen en roept dan iedereen bijeen in de kantine voor een algemene vergadering, waar hij met zijn Engelse accent een toespraak houdt. Hij zegt dat hij alle extra werk opschort totdat hij erachter is wie het kot vernield heeft. Hij lijkt niet eens echt boos, meer teleurgesteld. Hij zegt dat hij dit soort vandalisme niet kan toestaan en dat hij meer dan bereid is om iedereen in de fabriek te ontslaan als hij er niet achter komt wie de schuldige is. Degenen die het hebben gedaan moeten zich bekend maken. Anders komt niemand meer aan het werk en gaat iedereen naar huis.

De machines in de fabriek blijven draaien en de voormannen vervullen alle essentiële taken die wij eerst vervulden, alsof ze ons überhaupt niet nodig hebben.

Dan is er nog een vergadering in de barak, waar de Oegandezen zeggen dat het aan ons is om het op te lossen. Ze snijden al onze kabula's af en proppen ze in al onze monden als ze hun banen kwijtraken. Dit is een Engels-Iers probleem waar zij niets mee te maken hebben, daar is iedereen het over eens. Iedereen begint te praten over wat er moet gebeuren. Maar de dronken vandaal die alle schade heeft veroorzaakt, wil blijven, samen met zijn vrienden. Hij zit op de universiteit en hij moet tot aan het eind van de erwtenoogst blijven werken om genoeg te verdienen om het hele jaar rond te komen, net als de Oegandese medicijnenstudenten. Dus bedenken de zuiplappen die alle herrie hebben veroorzaakt een geweldig plan.

Ze vragen of iemand bereid is om vrijwillig als betaalde zondebok te fungeren. Ze zijn van plan een collecte te houden om te betalen voor de reparaties aan het kot, met daarnaast een enorme bonus voor de zondebok.

Iedereen praat er de hele ochtend over, maar eigenlijk wil niemand naar huis. En dan vraagt Packer of ik samen met hem vrijwilliger wil zijn. Hij praat over het geld dat we dan krijgen en hoe we later die avond al in de trein zouden kunnen zitten. Ik zeg dat ik het werken bij Ross Foods leuk vind en dat ik liever blijf. Ik wil nooit meer naar huis, want hier kan ik gewoon mezelf zijn, een heftruckchauffeur. Maar Packer zegt dat we naar Londen kunnen optiefen, en dat er een popconcert aankomt in Reading. We zouden naar Pink Floyd kunnen luisteren in plaats van met erwten te werken. We hoeven alleen maar een paar minuten de crimineel uit te hangen, schuldig en berouwvol te kijken, onze excuses aan te bieden en te zeggen dat we het nooit meer zullen doen.

We zitten in het kantoor van de manager. Hij zit achter zijn bureau met zijn slappe hoed op en een stapel papieren voor zich en met een rode striem op zijn voorhoofd die door de hoed is veroorzaakt. Eerst zegt hij dat hij blij is dat we voor onze wandaad uitkomen. Hij laat ons weten hoeveel we voor de reparatie van de schade moeten betalen, maar daar maken we ons geen zorgen over, want dat krijgen we allemaal ruimschoots terug. Hij zegt dat we van ons leven niet meer bij Ross Foods zullen kunnen werken, maar daar maken we ons ook niet druk over, omdat er heel veel werk voorhanden is in Engeland en ik al zit te denken dat ik een baan ga zoeken in een café, of bij het busbedrijf, of nog liever in een bioscoop, zodat ik gratis alle films kan zien.

Ik zeg tegen mezelf dat dit zo voorbij is. Het is maar een formaliteit. Het is misschien beschamend, maar de bedrijfsleider zal ons snel ons geld moeten geven en ons eruit zetten.

Maar dan leunt hij achterover in zijn stoel en kijkt langdurig naar ons, eerst staart hij Packer aan en dan staart hij mij aan, alsof hij nog niet klaar is met ons. Ik kan hem niet in de ogen kijken omdat ik me schuldig voel. Hij is een van de aardige mensen en ik heb een keer met hem gepraat toen hij de fabriek kwam inspecteren en hij vroeg wat ik met mijn leven wilde doen en lachte toen ik zei dat ik dat niet wist.

Nu kijkt hij me in de ogen, als een vergrootglas dat in de zon een grasspriet in brand zet.

'Dit had ik niet van jou verwacht,' zegt hij.

'Het spijt me,' is het enige wat ik kan antwoorden.

'En waarom dan?' vraagt hij. 'Waarom heb je het gedaan?'

Packer probeert ons eruit te bluffen, hij haalt zijn schouders op. Hij gedraagt zich uitdagender en daardoor lijkt het echt alsof hij de barak expres heeft beschadigd. Misschien verzet ik me nog tegen mijn schuld. De manager lijkt niet bereid om ons te laten gaan voordat hij iets van een antwoord heeft, iets wat de belediging van deze vandalenactie ongedaan maakt, alsof het geld om de barak te repareren zonder uitleg niet voldoet.

Ik moet me voorstellen dat ik degene ben die die wandaad heeft begaan. In tegenstelling tot die rechtszaak op school met betrekking tot het martelwerktuig moet ik dit keer doen alsof ik schuldig ben. Ik zeg dat we dronken waren geworden in het dorp en dat we niet wisten wat we deden. Maar dan wil hij weten naar welke pub we zijn geweest en wat we hebben gedronken. We weten de naam van de pub niet en hij stelt zoveel vragen achter elkaar dat ik op het punt sta mezelf te verraden. Het is haast een omgekeerde ondervraging. Het wordt een marteling, zoals we daar in het kantoor zitten en doen alsof we schuldig zijn, ieder moment bang dat hij erachter komt dat we onschuldig zijn, bang dat ik alles verpest en mijn eigen schuldbekentenis intrek. Het is een omgekeerde rechtszaak. Met dit verschil dat je als je schuldig bent gewoon je hand kunt opsteken en kunt toegeven. Toe maar, gooi me maar in de gevangenis. Laat me maar terechtstellen, het maakt me niet uit. Als je schuldig bent kun je bekennen, je misdaad toegeven en je straf accepteren.

'Hebben jullie soms iets tegen de Britten?' vraagt hij.

'Nee,' zeggen Packer en ik tegelijk. 'Nee, dat heeft er niets mee te maken, echt niet.'

De manager wil de waarheid. Hij wil gerechtigheid. Hij lijkt wel een rechter die nog wacht met het uitspreken van de straf en ik trek het hele plan in twijfel dat ik de schuld die ik niet heb op me heb genomen. Ik herinner me hoe mijn moeder na de oorlog ten overstaan van de wereld werd vernederd, en nu word ik zelf ook vernederd. Ik besef hoe vreemd het is als je wordt aangeklaagd en de rechter verklaart dat hij die misdaad zelf nooit zal begaan. Het is alsof de rechter terechtstaat. Toen de nazi's in Neurenberg werden berecht, spande de wereld zich in om zoiets nooit meer te laten gebeuren. Toen Eichmann in Jeruzalem werd terechtgesteld, nam de wereld zich voor om zijn misdaden nooit te herhalen. Nu staat niet de misdadiger terecht, maar de rest van de wereld. De nazi's laten ons allemaal tot in de eeuwigheid terechtstaan.

De manager kijkt me aan als een psycholoog en probeert erachter te komen wat er in mijn hoofd omgaat.

'Waarom?' vraagt hij een laatste keer.

Dan zie ik dat Packer een manier probeert te bedenken om aan deze eeuwige rechtszaak te ontsnappen. Hij kijkt op en zegt dat het wel iets te maken zal hebben met de erwten.

'Te veel erwten,' zegt hij.

En dan kan ik mijn lachen niet meer inhouden. Ik probeer mijn gezicht met mijn hand te bedekken, en ik zit te wachten tot Packer zegt dat erwten veil en vunzig zijn en dat we van ons leven geen erwt meer kunnen zien. De manager kijkt stomverbaasd. Nu zijn we echt schuldig geworden, we lachen in het aangezicht van het recht, we maken onze aanklager belachelijk als koelbloedige misdadigers zonder een grammetje berouw of schaamte.

'Er valt niets te lachen,' zegt hij.

Ik besef dat hij ons geld nog heeft. Dus ik probeer mijn lachen lang genoeg in te houden om aan al dit gedoe een einde te maken en uit het kantoor te kunnen komen met wat er van ons loon overblijft.

'Dit is echt laag,' zegt hij, en hij spuugt het bijna in ons gezicht, als een belediging. 'Jullie komen hier binnen en zeggen dat jullie de boel kort en klein hebben geslagen en dan lachen jullie daarom.'

In ieder geval is hij overtuigd van mijn schuld. En eindelijk trekt hij de la open en haalt onze enveloppen tevoorschijn. Hij is zijn geduld verloren en geeft ons het geld met tegenzin.

'Ik begrijp jullie niet,' zegt hij, maar we zijn al op weg naar buiten, de trap af en de vrije wereld in, eindelijk onschuldig.

Het is voorbij. We pakken onze tassen en innen het geld dat de andere jongens die de barak hebben vernield ons schuldig zijn. We zijn verbaasd hoeveel we eraan overhouden, en we bedenken dat we weken hadden moeten werken om zoveel te krijgen. Sommige jongens zijn jaloers op ons en vragen wat we van plan zijn en waar we naartoe willen. Packer zegt dat we naar het muziekfestival in Reading gaan. Ze noemen ons 'kanker-kabula's' omdat ze jaloers zijn op onze vrijheid. Packer zegt dat we een tijdje rond gaan hangen in Londen en dan misschien richting Berlijn vertrekken. Hij heeft gehoord van een schip dat elke dag uit Harwich naar Hamburg vertrekt. In Duitsland is het echte geld, dus vaarwel erwten, en vaarwel alle mannen met vilthoeden, en vaarwel alle zielige kabula's die achterblijven bij Ross Foods.

We nemen de bus naar Norwich. Van daaruit pakken we de trein naar Londen, en heel binnenkort zullen we films zitten te kijken, en drinken in bars en nachtclubs. We kijken geen moment om. We storten ons op Londen, vliegen door het vlakke land waar alle erwten worden verbouwd. Oogstmachines. Vrachtwagens die wachten op hun lading. We zijn vrij en onschuldig terwijl zij allemaal nog werken. Binnenkort dansen we met vrouwen, terwijl ze bij Ross Foods Ltd. gek worden van al die erwten om zich heen. Ze zullen dromen over erwten en machines die de hele nacht door schudden, zonder ophouden. Ze klagen over de geur van vieze sokken en de regen die door de gaten in het dak komt. Ze dromen van vrijheid. Ze dromen van vrouwen in witte jassen met wit ondergoed die ronddansen en elkaar met erwten bekogelen. Ze dromen van heupen en venusheuvels. Van erwten en tepels en armen en benen. Ze dromen dat ze op een berg erwten liggen met vrouwen die hun witte jassen uittrekken. Vrouwen die dingen fluisteren die je niet kunt horen vanwege het lawaai van de sorteermachines die de hele nacht schudden. Erwten die over een zachte huid rollen. Erwten die langs borsten rollen en erwten die als bij roulette in een navel rollen.

Tweeëntwintig

Ik zit niet meer in de klerenkast. Packer en ik kwamen aan in Berlijn, we arriveerden per boot in Hamburg en namen 's avonds laat de trein. Het was niet moeilijk om werk te vinden en ik werk nu in het magazijn van een uitgeverij. Er gebeuren hier allerlei nieuwe dingen en het voelt alsof we midden in een revolutie leven, alles haast zich de toekomst in, net als het verkeer.

Als je jong bent, kun je van identiteit veranderen. Je kunt ontsnappen aan je familie en je naam veranderen, je land verlaten, in een andere stad gaan wonen en niemand vertellen waar je vandaan komt. Je kunt je vermommen, als een acteur, en uitkiezen wat je onthoudt en wat je vergeet. Maar er is altijd wel iets wat je verraadt, een deel van jezelf dat je ontmaskert. Niet alleen de voor de hand liggende dingen zoals je accent, je taal, je uiterlijk. Het is je kijk op het leven, je gezichtspunt. Die kun je nooit verhullen, want die zijn zichtbaar als een antieke ruïne in het landschap.

Op weg naar mijn werk kom ik dagelijks langs de gebombardeerde ruïne van de Kaiser-Wilhelm-Gedächtniskirche, een vergeten archeologische plek midden in de stad. Je kunt er de schade van de bommen nog zien. De ramen zijn hol, zonder glas. Een lege huls, die ze daar expres hebben laten staan, vol kogelgaten, als een herinnering aan de oorlog. Vlak bij mijn werk kom ik langs enorme meubelzaken waar ooit huizen stonden. In de straat gaapt een open plek waar ooit een huis stond, dat nooit is herbouwd maar vervangen werd door een speelplaats. Ik hoor kinderstemmen. Echo's van kinderen. Zelfs 's nachts hoor ik de geesten van kinderen in het donker, die de geschiedenis met snoepjes herstellen.

Op een dag vond ik in een boekwinkel zwartwitfoto's van de kerk, uit de tijd dat hij nog intact was, voor de oorlog. Ik besefte dat ik naar dezelfde kerk keek, maar er stond een spits op die er niet hoorde. Ik herkende hem nauwelijks, alsof ze de Rock of Cashel hadden herbouwd, of het verlaten dorp in Achill. Ik dacht dat het een vergissing was en dat de plaatjes uit een andere stad kwamen, totdat ik de tekst eronder las: Kurfürstendamm met uitzicht op de Kaiser-Wilhelm-Gedächtniskirche, genomen in 1925. Het voelde ongemakkelijk om terug te kijken naar deze tijd van voor de oorlog, van voor alle rampen, toen er nog niets gebeurd was en het ergste nog moest komen. Alsof ik de rampzalige Hitler-jaren kon voorspellen zonder ze te kunnen tegenhouden. Ik vertrouwde mezelf niet en wilde terug naar het heden. Ik liep de straat op, blij om de Gedächtniskirche nog eens met eigen ogen te zien zoals hij was, precies zoals ze hem hadden laten staan, een prachtige, platgebombardeerde ruïne die stil stond in de tijd.

Ik heb een eigen stek in de Sonnenallee in Neukölln. Bij mij in het appartement wonen heel veel jonge Duitsers, dus ik begin mijn Iersheid te benadrukken, en breng mijn tijd door met mensen die 's nachts in cafés Ierse muziek maken. Ik leer de blokfluit en de tinnen fluit te bespelen, en zelfs gebroken Duits te spreken, net als Packer, om er zeker van te zijn dat niemand me voor een echte Duitser zal aanzien.

Misschien is het een soort heimwee, iets wat ik van mijn moeder en vader heb geërfd. Ik zit altijd te wachten op brieven van thuis. Op een dag ontmoette ik een oude vrouw die bij de rij brievenbussen in de hal van het huis op de Sonnenallee stond te wachten op brieven van ver, net als ik. Een paar metalen deurtjes waren opengebroken. Andere zaten vol met advertentieblaadjes, als volgepropte monden. Door het kleine raampje in de brievenbus zag ik dat er geen post voor me was, maar ik ging helemaal naar beneden en maakte de deur open met de sleutel om er echt zeker van te zijn. Toen ik de trap weer op ging, stapte de oude vrouw in het licht en sprak me uiterst beleefd aan.

'Pardon,' zei ze. 'Bent u degene die zo prachtig fluit speelt?'

'Ja,' zei ik. Ik glimlachte, klaar om over Ierland te praten. Maar toen verdween de vriendelijkheid uit haar ogen. Ze keek me uitgebreid aan en stapte toen naar voren, naar de trapleuning.

'Nou moet je goed luisteren. Als ik dat rotgeluid nog één keer hoor, bel ik de politie.'

Later die avond begonnen de Duitsers die bij mij in het appartement woonden de gehele gebeurtenis in een wolk van rook te bespreken. Het leek wel een politieke bijeenkomst, met een asbak en een kaars in het midden van de ronde tafel. Enkelen wilden direct naar beneden om haar iets over tolerantie te leren. Ze dachten aan een demonstratie bij haar voordeur en stelden voor dat ik iets zou spelen, recht in haar gezicht. Misschien dacht ik onbewust aan wat ze in de oorlog had meegemaakt, iedere nacht het geluid van de bombardementen, dus ik liet het maar zo. Ik wilde niet dat muziek een daad van agressie was.

Ondertussen zijn we weer een stuk verder. Packer gaat terug naar Dublin om rechten te studeren en ik zit erover te denken om in Berlijn naar de universiteit te gaan. Het idee om Duitse literatuur te studeren bevalt me, en dat zou onmogelijk zijn in Dublin, omdat ik nooit meer thuis zal kunnen wonen. Iets in het appartement bracht me op de gedachte om de Duitse nationaliteit aan te nemen. Met een moeder die als

Duitse geboren was, zou dat geen probleem zijn. Zo kon ik het gemakkelijk maken voor mezelf.

Later volgde nog een lange discussie in het appartement. Word alsjeblieft geen Duitser, zei iemand met gevouwen handen. Dan moet je denken als een Duitser, slapen als een Duitser, ja, zelfs ademen als een Duitser. Anderen dachten dat het niet echt veel verschil maakte wat voor paspoort je had, omdat je eigen identiteit er vroeg of laat toch doorheen zou breken. Iedereen aan tafel had het erover hoe graag ze Iers zouden willen zijn. Sommigen waren al in Ierland geweest en ze spraken over het lege land, met de rechtopstaande stenen en de geur van turfrook. Ze vroegen me om les op de tinnen fluit. Een van de meisjes zei dat ze dolgraag Iers wilde leren. Het was stil in de kamer toen ze haar diepste wens openbaarde: deel uitmaken van een volk dat nog nooit iemand kwaad had gedaan. Ze wilde bij een minderheid horen, een volk dat nog onderdrukt werd en nog geen onafhankelijkheid had bereikt.

Toen kwamen er heel veel brieven voor me. De oude vrouw die altijd rondhing bij de brievenbussen zal wel jaloers geweest zijn. Iedere keer als ik mijn brievenbus openmaakte, keek ze me vuil aan, alsof ik alleen maar met allerlei mensen correspondeerde om haar briefgeluk te stelen. Al wat zij kreeg waren de gebruikelijke reclamefolders, die ze dan over de andere brievenbussen verspreidde. Zou het kunnen dat ze nog steeds wachtte op brieven uit de oorlog die nooit zouden komen, vroeg ik me af. In de kelder van het gebouw vond ik op een keer allemaal nummers die met krijt op de muur waren geschreven, alle keren dat zij en de andere bewoners voor de bommen hadden moeten schuilen.

Aanvankelijk was mijn moeder verrast en wilde ze weten waarom ik plotseling een Duits paspoort nodig had. Het was alsof je in ballingschap ging, zei ze, een stap die zij had genomen toen ze naar Ierland ging, dezelfde stap die ik als kind maakte, iedere keer als ik de voordeur uit ging naar een ander land buiten op straat waar ze Engels spraken. Mijn vader had me gewaarschuwd voor het verlies van mijn nationaliteit, maar hij had niets tegen het plan, omdat ik denk dat hij stiekem altijd graag meer Duits had willen zijn, en mijn moeder juist meer Iers.

Mijn moeder stuurde me alles op – geboortebewijzen, oude paspoorten, rapporten van school, zelfs een oud spaarbankboekje. Het was duidelijk dat ze al die dingen niet al te goed wilde bekijken voor het geval ze haar zouden doen denken aan de beslissingen die ze in haar leven had genomen. Ze zou alles opnieuw moeten overdenken, of het verkeerd was geweest om naar het buitenland te gaan en haar familie met alle zussen achter te laten. Het was een sprong in het onbekende. Al die moeilijkheden om te integreren, en al die momenten van twijfel aan jezelf. Ze moet alles heel snel in een envelop hebben gestopt om zich dat alles niet te hoeven herinneren. Er kwamen ook een paar documenten die absoluut niet relevant waren. Haar denazificatiepapieren. Haar eerste, voorlopige paspoort van na de oorlog, gestempeld door de vier geallieerden, dat haar in staat stelde om Duitsland te verlaten. Ze stuurde zelfs haar eerste Ierse werkvergunning mee, uitgegeven in Athlone. 'Deze vreemdeling is gerechtigd een dienstbetrekking te aanvaarden.' Ik keek naar haar foto op de werkvergunning. Die dateerde van een hele tijd voor mijn geboorte. Aan haar gezicht zag ik dat hij in de zomer was genomen, ook al was hij zwart-wit. Ze droeg een mantelpakje en een witte bloes met open kraag. Ze had donkere krullen en heette Irmgard Kaiser.

Ik stopte de benodigde papieren in een envelop en stuurde die naar de juiste autoriteiten, maar toen kreeg ik een brief terug waarin stond dat ze mijn aanvraag niet in behandeling konden nemen omdat mijn moeder nu geen Duits paspoort meer had. Dus stuurde ik de documenten aan haar terug en vertelde dat ik zou blijven zoals ik was: gevlekt. Hoe kon ik haar vragen om de windvaan weer naar Duitsland te draaien? Was zij niet naar Ierland gevlucht? Had zij niet genoeg moeite gehad om de Ierse naam van mijn vader aan te nemen: O'hUrmoltaigh, een naam die winkeliers nog steeds niet kunnen uitspreken en waar ze onderuit komen door haar 'Mutti' te noemen. In de loop der jaren had haar Duitse humor zich vermengd met de Ierse, en ze had een plek in Ierland gevonden die ze de hare kon noemen.

Misschien moet je een tijdje onder een dekmantel leven voordat je achter je ware aard komt. Nu wil ik horen bij hetzelfde land als Bob Dylan en Dostojevski en Fassbinder. Ik wil in dezelfde klerenkast zitten als John Lennon en John Hamilton, de matroos met de zachte ogen. Ik heb de identiteit van mijn grootvader aangenomen. Ik heb hem zijn naam en zijn leven teruggegeven, en ik loop terug richting Neukölln, alsof de stad een haven is geworden. Dit is de haven van Berlijn en hier op de Sonnenallee hoor ik de zee. Ik hoor de getijden bewegen en de golven tegen de onderkant van de boten slaan. Ik hoor de riemen naast de bankjes in de dollen vallen. Ik voel vaste grond onder mijn voeten.